O JOGO DA MENTIRA

O JOGO DA MENTIRA
RUTH WARE

TRADUÇÃO
ALYDA SAUER

Rocco

Título original
THE LYING GAME

Primeira publicação por Harvill Secker, um selo da Vintage.
Vintage faz parte do grupo de empresas da Penguin Random House.

Copyright © Ruth Ware, 2017

Ruth Ware assegurou seu direito de ser identificada
como autora desta obra em concordância com
o Copyright, Designs and Patents Act 1988.

Direitos para a língua portuguesa reservados
com exclusividade para o Brasil à
EDITORA ROCCO LTDA.
Av. Presidente Wilson, 231 – 8º andar
20030-021 – Rio de Janeiro – RJ
Tel.: (21) 3525-2000 – Fax: (21) 3525-2001
rocco@rocco.com.br|www.rocco.com.br

Printed in Brazil/Impresso no Brasil

CIP-Brasil. Catalogação na fonte.
Sindicato Nacional dos Editores de Livros, RJ.

W235j	Ware, Ruth
	O jogo da mentira / Ruth Ware; tradução de Alyda Sauer. – 1ª ed. – Rio de Janeiro: Rocco, 2019.
	Tradução de: The lying game ISBN 978-85-325-3144-5 ISBN 978-85-8122-770-2 (e-book)
	1. Ficção inglesa. 2. Ficção policial. I. Sauer, Alyda. II. Título.
19-57272	CDD- 823 CDU-82-3(410.1)

Vanessa Mafra Xavier Salgado – Bibliotecária – CRB-7/6644

O texto deste livro obedece às normas do
Acordo Ortográfico da Língua Portuguesa.

Para a querida Hel, com (setenta?) muito amor

O rio Reach está largo e sereno essa manhã, o céu azul-claro riscado de nuvens feito carneirinhos cor-de-rosa, o mar raso mal encrespa com a brisa leve, por isso o ruído dos latidos do cachorro rompe aquela calma feito estampido de tiros, faz gritar as gaivotas que alçam voo rodopiando.

Tarambolas e andorinhas-do-mar explodem para o alto quando o cão corre feliz pela margem do rio no ponto em que a terra deixa de ser formada por dunas de grama e vira um alagado de lama salpicada de juncos, com águas salgada e doce misturadas.

Ao longe, o moinho de maré posa de sentinela, negro e maltratado diante do céu calmo e frio da manhã, única estrutura feita pelo homem numa paisagem que se desfaz lentamente, voltando para o mar.

— Bob! — a voz da mulher se sobrepõe à saraivada de latidos quando ela bufa para acompanhar o animal. — Bob, seu malandro. Larga isso. Larga isso, estou dizendo. O que você encontrou aí?

Ela se aproxima e o cachorro puxa de novo o objeto, tentando arrancá-lo da lama.

— Bob, seu bruto, já estou aqui. Solta isso. Meu Deus, não é outro carneiro morto, é?

O último puxão heroico faz o cão cambalear para trás na praia, com alguma coisa na boca. Triunfante, ele sobe e larga o objeto aos pés da dona.

Ela para, atônita, o cachorro bufa aos seus pés, e o silêncio retorna à baía, como a maré alta.

REGRA NÚMERO UM

CONTE UMA MENTIRA

O som é só um alerta de texto comum, um bipe baixinho na noite que não acorda Owen e que não teria me acordado, só que eu já estava acordada, deitada ali olhando para a escuridão, com a bebê fungando no meu peito, não exatamente mamando, não exatamente soltando.

Fico ali um tempo pensando na mensagem, imaginando quem poderia ser. Quem mandaria uma mensagem de texto àquela hora? Nenhuma das minhas amigas devia estar acordada... só se Milly já tivesse entrado em trabalho de parto... Meu Deus, não podia ser Milly, podia? Prometi cuidar do Noah se os pais de Milly não pudessem vir de Devon a tempo de ficar com ele, mas nunca pensei que... De onde estava não conseguia pegar o celular, mas finalmente desprendi Freya com um dedo no canto da boca e a botei de barriga para cima, saciada de leite e revirando os olhos como alguém chapado. Olhei para ela um instante, com a palma da mão encostada de leve no corpinho firme, sentindo as batidas do seu coração na gaiola do peito enquanto dormia. Depois virei para pegar o celular e meu coração acelerou um pouco, ecoando baixinho o da minha filha.

Digitei a senha de desbloqueio apertando os olhos diante da luminosidade da tela e pensei que fosse bobagem minha, porque ainda faltavam quatro semanas para Milly ter o bebê e devia ser só uma mensagem de spam, *Você já pensou em exigir a restituição do pagamento do seguro de proteção?*

Mas quando desbloqueei o celular, não era Milly. E o texto tinha só três palavras.
Preciso de vocês.

São três e meia da madrugada e estou superdesperta, andando no chão frio da cozinha de um lado para outro, roendo as unhas para tentar resistir ao desejo de fumar um cigarro. Não encostei em nenhum durante quase dez anos, mas o desejo me ataca em momentos esporádicos de estresse e de medo.
Preciso de vocês.
Não preciso perguntar o que quer dizer porque já sei, e também sei quem enviou, mesmo sendo de um número que não reconheço.
Kate.
Kate Atagon.
O simples som do nome a traz de volta, como um lampejo vívido, o cheiro do seu sabonete, as sardas no nariz, canela sobre a pele bronzeada. Kate. Fatima. Thea. E eu.
Fechei os olhos e vi as três, o celular ainda quente no meu bolso, à espera das mensagens de texto.
Fatima deve estar dormindo com Ali, em concha nas costas dele. A resposta dela virá por volta das seis da manhã, quando ela levanta para fazer o café para Nadia e Samir, e aprontá-los para a escola.
Thea – é mais difícil visualizar Thea. Se estiver trabalhando à noite, deve estar no cassino, e os funcionários são proibidos de usar celulares, que ficam guardados nos armários até o final do expediente. Talvez o turno dela termine às oito da manhã. Então ela tomará um drinque com as outras e responderá depois, animada pela noite de sucesso lidando com os apostadores, recolhendo e distribuindo fichas, de olho nos que roubam nas cartas e nos apostadores profissionais.
E Kate. Kate devia estar acordada, afinal foi ela quem enviou a mensagem. Sentada à mesa de trabalho do pai, que agora imagino seja dela, à janela com vista para o Reach, a água cinzenta à luz daquele momento antes do amanhecer, refletindo as nuvens e a forma escura do moinho de maré. Devia estar fumando, como sempre. Vigiando as marés, as vazantes infini-

tas e mutantes, na vista que jamais muda, só que nunca é a mesma de um minuto para outro... como a própria Kate.

O cabelo comprido deve estar preso, afastado do rosto, exibindo as feições bem-feitas e as rugas que trinta e dois anos de vento e de mar gravaram nos cantos dos olhos. Dedos manchados de tinta a óleo, nas cutículas e fundo sob as unhas, olhos azul-cobalto, profundos e indecifráveis. Deve estar esperando as nossas respostas. Mas ela sabe o que vamos dizer, o que sempre dissemos, toda vez que recebemos esse texto, essas três palavras.

Estou indo.

Estou indo.

Estou indo.

—Estou indo! – grito, subindo a escada quando Owen diz alguma coisa ao som esganiçado do choro sonolento de Freya.

Chego no quarto e ele está com Freya no colo, andando de um lado para outro, com o rosto ainda corado e amassado do travesseiro.

– Desculpe – disse ele, segurando um bocejo. – Tentei acalmá-la, mas ela nem se abalou. Você sabe como é quando está com fome.

Subo na cama e me arrasto para os travesseiros até encostar na cabeceira, Owen me dá Freya indignada, de cara vermelha, que olha aborrecida para mim e mergulha no meu peito com um grunhido de satisfação.

O silêncio é completo, a não ser pela mamada faminta de Freya. Owen boceja de novo, coça a cabeça e olha para o relógio, então começa a se vestir.

– Você vai levantar? – pergunto, surpresa.

Ele faz que sim com a cabeça.

– É melhor. Não tem sentido voltar a dormir se tenho de acordar às sete. Droga de segunda-feira.

Olho para o relógio. São seis horas. Mais tarde do que eu supunha. Devo ter ficado andando pela cozinha mais tempo do que imaginava.

– Aliás, o que você estava fazendo acordada? – pergunta ele. – O caminhão de lixo te acordou?

Balanço a cabeça.

– Não, eu não consegui dormir.

Uma mentira. Tinha quase esquecido a sensação de uma delas na língua, escorregadia e nojenta. Sinto a rigidez do celular no bolso do meu robe. Espero que vibre.

– Tudo bem. – Ele reprime outro bocejo e abotoa a camisa. – Quer um café, se eu fizer?

– Sim, claro – digo, e depois, quando ele já está quase saindo do quarto... – Owen...

Mas ele não ouve e vai para a cozinha.

Dez minutos depois, ele volta com o café, e dessa vez tive tempo de ensaiar minhas frases, resolver o que dizer, de um jeito meio casual. Mesmo assim, engulo em seco, lambo os lábios, a boca seca de tão nervosa.

– Owen, ontem recebi uma mensagem de texto da Kate.

– Kate do trabalho?

Ele põe a caneca de café na mesa de cabeceira com certa força, derrama um pouco e uso a manga do robe para secar e proteger o meu livro, o que me dá tempo para responder:

– Não, Kate Atagon. Você sabe, a que estudou comigo.

– Ah, *aquela* Kate. A que levou o cachorro para o casamento ao qual fomos também?

– Isso mesmo. Shadow.

Penso nele, Shadow, um pastor-alemão branco de focinho preto e manchas cinza nas costas. Eu me lembro do jeitão dele, parado na porta, rosnando para desconhecidos e de barriga para cima para as pessoas de quem gosta.

– E aí...? – Owen pergunta, e percebo que parei de falar, perdida em meus pensamentos.

– Ah, sim. Ela me convidou para passar um tempo lá, e acho que eu vou aceitar.

– Parece uma boa ideia. Quando você iria?

– Bom... agora. Ela me chamou para ir agora.

– E a Freya?

– Ela iria comigo.

É claro, quase acrescento, mas fico calada. Freya nunca aceitou a mamadeira, apesar de eu tentar várias vezes, e Owen também. A única noite que saí e fui a uma festa, ela berrou sem parar das sete e meia até as onze e cinquenta e oito, quando entrei correndo no apartamento para pegá-la dos braços exaustos de Owen.

Ficamos em silêncio um tempo. Freya inclina a cabeça para trás e olha para mim franzindo um pouco a testa, depois dá um pequeno arroto e volta a se concentrar na mamada. Vejo ideias passando pela expressão de Owen...

que vai sentir nossa falta... que terá a cama só para ele... poderá ficar deitado até mais tarde...

– Eu posso continuar a decoração do quarto dela – ele acaba dizendo.

Concordo com um gesto da cabeça, mas isso é a continuação de uma longa discussão nossa – Owen gostaria de ter o quarto, e também a mim, para ele de novo, e acha que Freya deve ir para um quarto só dela aos seis meses. Eu... não. Em parte, era por isso que eu não tinha tempo para tirar toda a tralha do segundo quarto e pintá-lo com cores de bebê.

– Claro – digo.

– Bem, então acho que deve ir – Owen diz, finalmente.

Ele se afasta e começa a mexer nas gravatas.

– Você quer o carro? – ele pergunta, de costas.

– Não, tudo bem. Vou de trem. Kate vai me pegar na estação.

– Tem certeza? Não vai querer levar toda a parafernália da Freya no trem, não é? Ficou direito?

– O quê? – na hora não entendo do que ele está falando, então entendo, é da gravata. – Ah, sim, está bem. Não, sinceramente, vai ser bom ir de trem. Será mais fácil para dar de mamar para Freya se ela acordar. Vou botar todas as coisas dela no fundo do carrinho.

Ele não responde, e percebo que já está pensando no dia que tem pela frente, ticando os itens de uma lista mental de afazeres como costumava fazer poucos meses antes – só que parece outra vida.

– Tudo bem, olha, posso ir hoje mesmo, se você concordar.

– Hoje?

Owen pega os trocados de cima da cômoda e guarda no bolso, então se aproxima para se despedir com um beijo no alto da minha cabeça.

– Por que a pressa?

– Não é pressa – minto.

Sinto que ruborizo. Odeio mentir. Costumava ser divertido, até eu não ter escolha. Hoje em dia não penso muito nisso, talvez porque já faça isso há muito tempo, mas está sempre lá, ao fundo, como um dente que sempre incomoda e de repente dá uma pontada de dor.

Mas, acima de tudo, detesto mentir para o Owen. Nem sei como consegui mantê-lo longe dessa teia, e agora ele está sendo tragado para ela. Penso na mensagem de texto da Kate, lá no meu celular, e parece que escorre veneno dela, pelo quarto, ameaçando estragar tudo.

– É que a Kate está no intervalo de projetos e é um bom momento para ela e... bem, eu volto a trabalhar daqui a poucos meses, então achamos que a hora é essa.

– Está bem – ele diz, meio confuso, mas sem suspeitar de nada. – Então acho que preciso dar um beijo direito de despedida.

Ele me beija direito, profundamente, trazendo a lembrança do por que eu o amo e por que detesto enganá-lo. Então ele se afasta e beija Freya. Desconfiada, ela vira os olhos para o lado para olhar para ele, para de mamar um instante e recomeça a sugar com aquela determinação de que tanto gosto.

– Também te amo, vampirinha – diz Owen carinhosamente, depois vira para mim. – Quanto tempo de viagem?

– Quatro horas, talvez. Depende das conexões.

– Certo, então divirtam-se e mande mensagem quando chegar. Quanto tempo pretende ficar lá?

– Alguns dias – arrisco. – Volto antes do fim de semana.

Outra mentira. Eu não sei. Não faço ideia. Enquanto Kate precisar de mim.

– Veremos quando eu chegar lá.

– Certo – ele repete. – Amo você.

– Também te amo.

Finalmente uma verdade que posso dizer.

Lembro-me até do dia, quase da hora e dos minutos, em que vi Kate pela primeira vez. Era setembro. Ia pegar um trem para Salten bem cedo, para chegar na escola na hora do almoço.

– Por favor! – pedi nervosa na plataforma da estação, minha voz embargada de ansiedade.

A menina na minha frente deu meia-volta. Era muito alta e muito linda, tinha o rosto comprido e sofisticado como um quadro de Modigliani. O cabelo preto ia até a cintura, com luzes douradas só nas pontas, esmaecendo no preto, e a calça jeans tinha rasgões nas coxas.

– Sim?

– Esse é o trem que vai para Salten? – perguntei, ofegante.

Ela me examinou de alto a baixo e senti que me avaliava, notando o uniforme da Salten House, a saia azul-marinho que parecia engomada de tão nova, e o blazer também novo em folha que eu tinha tirado do cabide pela primeira vez aquela manhã.

– Não sei – ela finalmente respondeu e virou-se para a menina atrás dela. – Kate, esse é o trem para Salten?

– Não seja chata, Thee – disse a menina.

A voz rouca parecia velha demais para ela – acho que não podia ter mais do que dezesseis ou dezessete anos. O cabelo castanho bem curto emoldurava seu rosto, e então ela sorriu para mim e as sardas ruivas do nariz enrugaram.

– É sim, esse trem vai para Salten. Mas trate de ficar na metade certa, porque ele se divide em Hampton's Lee.

Elas deram meia-volta e já estavam longe na plataforma quando me ocorreu que eu não tinha perguntado qual era a metade certa.

Olhei para o painel de avisos.

Use os sete vagões à frente para as estações até Salten, dizia, mas o que era "à frente"? Na frente e perto da roleta das passagens, ou frente era na direção que o trem ia quando saía da estação?

Não havia funcionários por perto para perguntar, mas o relógio acima de mim dizia que o tempo era curto, então acabei entrando no vagão mais distante, para onde as duas meninas tinham ido, e arrastei minha mala pesada até lá.

Era um compartimento com apenas seis assentos e todos estavam vagos. Logo que bati a porta, ouvi o apito do guarda, sentei com a horrível sensação de estar na parte errada do trem, e a lã áspera da poltrona do trem arranhava minhas pernas.

Com um solavanco e o barulho de metal batendo em metal, o trem saiu da escura caverna da estação e o sol inundou o compartimento tão de repente que fiquei cega. Encostei a cabeça na poltrona, fechei os olhos diante daquele brilho ofuscante e, enquanto ganhávamos velocidade, fiquei imaginando o que aconteceria se eu não aparecesse em Salten, onde a zeladora estaria me esperando. E se fosse parar em Brighton ou Canterbury, ou em outro lugar qualquer? Pior ainda, e se fosse cortada ao meio quando o trem se dividisse, vivendo duas vidas, cada uma se afastando da outra, para bem longe de quem eu devia ser?

– Oi – disse uma voz, e abri os olhos. – Estou vendo que conseguiu pegar o trem.

Era a menina alta da plataforma, aquela que a outra tinha chamado de Thee. Estava parada na porta do meu compartimento, encostada no batente de madeira, girando um cigarro apagado entre os dedos.

– É – eu disse, meio ressentida das duas não terem esperado para explicar em que vagão eu devia embarcar. – Bem, espero que sim. Esse é o vagão certo para chegar a Salten, não é?

– É sim – ela confirmou, laconicamente, me examinou de alto a baixo de novo, bateu o cigarro apagado no batente da porta e depois falou como se estivesse fazendo um favor: – Olha, não pense que estou implicando, mas quero que saiba que as pessoas não usam seus uniformes no trem.

– O quê?

— Elas trocam de roupa em Hampton's Lee. É... sei lá. Só um hábito. Achei que devia contar para você. Só alunas do primeiro ano e novatas usam a viagem toda. É que chama atenção.

— Então... você está na Salten House também?

— Sim. Pagando meus pecados.

— Thea foi expulsa – disse uma voz atrás dela, e vi que era a outra, de cabelo curto, equilibrando duas xícaras de chá no corredor. – De outras três escolas. Salten é sua última chance. Nenhuma outra vai aceitá-la.

— Pelo menos não sou alvo de caridade – disse Thea, mas deu para ver, pelo jeito que falou, que as duas eram amigas e que aquela conversa toda era parte de uma encenação. – O pai da Kate é o professor de arte – ela me explicou. – Por isso uma vaga de graça para a filha dele é parte do trato.

— Não tem como Thea se candidatar à caridade – disse Kate, e formou com os lábios a expressão "berço de ouro" por cima das xícaras de chá, piscando um olho.

Tentei não sorrir.

Ela e Thea trocaram olhares, e senti uma pergunta e uma resposta sem palavras passando entre as duas. Então Thea falou:

— Como é seu nome?

— Isa – eu disse.

— Bem, Isa, por que não vem se juntar a mim e a Kate? – Ela ergueu uma sobrancelha. – Temos um compartimento logo ali, nesse corredor.

Respirei fundo e, com a sensação de estar prestes a pular de um trampolim muito alto, meneei a cabeça. Peguei minha mala e segui atrás de Thea, sem saber que aquele simples ato mudaria minha vida para sempre.

É estranho voltar à estação Victoria. O trem para Salten é novo, tem vagões sem divisórias ou compartimentos, e as portas são automáticas, não tem aquela bateção de portas dos trens que costumávamos pegar para ir para a escola. A plataforma da estação, no entanto, não mudou quase nada e percebi que tinha passado dezessete anos evitando aquele lugar inconscientemente, evitando tudo que tivesse associação com aquele tempo.

Equilibro o copo de café precariamente em uma das mãos, ergo o carrinho de Freya para dentro do trem, largo o café numa mesa desocupada e então vem aquele momento atrapalhado de sempre, quando tento desprender o bebê-conforto, a briga com presilhas que não soltam e encaixes que não abrem. Ainda bem que o trem está parado e tem pouca gente no vagão, por isso não preciso passar a vergonha de pessoas fazendo fila na minha frente ou atrás de mim, ou abrindo caminho no espaço exíguo. Finalmente – bem na hora em que soa o apito do guarda e o trem balança e suspira e começa a sair da estação – consigo soltar o último clipe e o bebê-conforto se desprende do carrinho, leve nas minhas mãos. Acomodo Freya, ainda dormindo, do outro lado da mesa em que tinha deixado meu café.

Pego o copo e volto para arrumar minhas malas. As imagens são muito nítidas na minha cabeça – o trem balançando, o café caindo em cima de Freya. Sei que é irracional, ela está do outro lado do corredor. Mas essa é a pessoa em que me transformei desde que tive minha filha. Todos os meus medos, que variavam de trens que se dividem, portas de elevadores, motoristas de táxi estranhos e falar com quem não conheço... todas essas ansiedades resolveram se aninhar em Freya.

E finalmente estamos ambas bem confortáveis, eu com meu livro e meu café, Freya dormindo segurando seu cobertor junto à bochecha. O rosto dela, ao sol de junho, fica angelical, a pele incrivelmente fina e clara, e sou dominada por um jorro quente de amor por ela, doloroso e chocante como se aquele café tivesse se espalhado no meu coração. Por um momento não sou nada além de mãe dela, e não existe ninguém mais no mundo além de nós duas naquele poço de sol e de amor.

Então me dou conta de que meu celular está vibrando.

Fatima Chaudhry, informa a tela. E meu coração estremece um pouco.

Abro a mensagem com dedos trêmulos.

Estou indo, diz ela. *Vou de carro essa noite, quando as crianças forem para a cama. Estarei com vocês entre 9 e 10.*

Então começou. Nada de Thea ainda, mas sei que virá. O feitiço se desfez – a ilusão de que éramos só Freya e eu num passeio à beira do mar. Lembro por que estou aqui. Lembro o que fizemos.

Estou no trem de 12h05 saindo da estação Victoria, aviso em mensagem para as outras. *Pode me pegar em Salten, Kate?*

Não aparece resposta, mas sei que ela não me deixará na mão.

Fecho os olhos. Ponho a mão no peito de Freya para saber que ela está ali. E então tento dormir.

Acordo assustada e com o coração apertado ao som de uma batida e do movimento de manobra, e meu primeiro instinto é pegar Freya. Por um minuto, não tenho certeza do que me fez acordar, mas então entendo: o trem está se dividindo, estamos em Hampton's Lee. Freya se remexe irritada no bebê-conforto, mas parece que vai se acalmar se eu tiver sorte, só que o trem balança com outra manobra, mais violenta do que a primeira, e ela abre os olhos assustada e aborrecida, o rostinho se enruga com um súbito gemido de fome.

– Psiu... – sussurro ao pegá-la no colo, quente e atrapalhada no casulo de cobertas e brinquedos – Psiu... tudo bem, docinho, está tudo bem, minha boneca. Não tem nada com que se preocupar.

Ela faz cara feia, bate com raiva a carinha zangada no meu peito enquanto desaboto a blusa, e sinto o que já virou rotina, mas que mesmo assim é sempre estranho, o jorro do leite descendo.

Enquanto ela mama, ouvimos outra batida e outro barulho, então tocam o apito e começamos a sair lentamente da estação, as plataformas dão lugar a cercas, depois a casas e, por fim, aos campos e postes.

É familiar demais. Londres, em todos os anos em que vivo lá, está sempre mudando. É como Freya, nunca a mesma de um dia para outro. Uma loja abre aqui, um pub fecha ali. Prédios aparecem do nada – o Gherkin, o Shard –, um supermercado se espalha num terreno baldio e blocos de apartamentos parecem germinar autossuficientes feito cogumelos, despontando da terra molhada e do concreto partido da noite para o dia.

Mas aquela linha de trem, aquela viagem... não mudou nada.

Lá está o olmo carbonizado.

Lá está a casamata da Segunda Guerra caindo aos pedaços.

Lá está a ponte que balança, as rodas do trem fazendo um barulho oco sobre o vazio.

Fecho os olhos e estou de volta ao compartimento com Kate e Thea, dando risada ao vê-las vestindo as saias do uniforme sobre as calças jeans, abotoando as blusas e gravatas sobre os tops sem mangas de verão. Thea usava meias de nylon, lembro do desenrolar das meias nas pernas que não acabavam mais de tão compridas e elegantes, depois ela as prendeu na cinta-liga por baixo da saia. Lembro do rubor que manchou meu rosto ao ver um lampejo da coxa, olhei para o outro lado, para os campos de trigo no outono, coração acelerado quando ela riu do meu pudor.

– É melhor se apressar – disse Kate para Thea.

Kate já estava vestida, tinha guardado a calça jeans e as botas na mala sobre o bagageiro.

– Já estamos chegando em Westridge e está sempre lotado de banhistas, você não vai querer matar um turista do coração.

Thea só mostrou a língua, mas terminou de ajustar a cinta-liga e alisou a saia bem na hora em que paramos na estação de Westridge.

Exatamente como Kate tinha previsto, havia um bando de turistas na plataforma e Thea soltou um gemido quando o trem parou. A porta do nosso compartimento ficou bem na frente de uma família de banhistas, a mãe, o pai e um menininho de uns seis anos de idade com seu balde e pazinha em uma das mãos e um sorvete de chocolate derretendo na outra.

– Tem espaço para mais três? – perguntou o pai alegremente, abriu a porta, os três entraram e bateram a porta para fechar.

De repente, o compartimento pareceu lotado de gente.

– Sinto muito – disse Thea, e parecia sentir mesmo. – Adoraríamos dividir com vocês, mas minha amiga aqui – ela apontou para mim – foi liberada por um dia e parte dos termos da liberdade condicional dela é não ter contato com menores de idade. O julgamento do tribunal foi muito específico quanto a isso.

O homem piscou incrédulo e a mulher deu uma risadinha de nervoso. O menino não prestou atenção, estava ocupado tirando chocolate da camiseta.

– Estou pensando no seu filho – disse Thea muito séria. – Além disso, é claro que Ariadne *não* quer voltar para a instituição de jovens delinquentes de jeito nenhum.

– O compartimento aqui ao lado está vazio – disse Kate, e deu para ver que ela se esforçava para ficar séria.

Ela levantou e abriu a porta do corredor.

– Sinto muito. Não queremos criar problemas para vocês, mas acho que é melhor assim, para segurança de todos.

O homem olhou para nós desconfiado, depois levou a mulher e o menininho para o corredor.

Thea caiu na gargalhada quando eles saíram, mal esperou a porta do compartimento fechar, mas Kate só balançava a cabeça.

– Você não vai ganhar nenhum ponto por isso – disse ela, fazendo careta para controlar o riso. – Eles não acreditaram na sua história.

– Ah, fala sério...

Thea tirou um cigarro do maço no bolso do blazer, acendeu e deu uma longa tragada desafiando o aviso de "Não fumar" na janela.

– Eles foram embora, não foram?

– Foram, mas porque pensaram que você é doida de pedra. Isso não conta!

– Isso... isso é um jogo? – perguntei.

Por um tempo, ninguém falou nada.

Thea e Kate se entreolharam e notei mais uma vez aquela comunicação delas, sem palavras, como uma descarga elétrica fluindo de uma para outra, como se decidissem qual seria a resposta. Então Kate sorriu, um sorriso discreto, quase imperceptível, e debruçou sobre a distância entre os bancos do trem, chegou tão perto que deu para eu ver os riscos escuros em seus olhos azul-claros.

– Não é *um* jogo – ela disse. – É *o* jogo. O jogo da mentira.

O jogo da mentira.

A lembrança volta forte e nítida como o cheiro do mar e os gritos das gaivotas sobre o Reach, nem acredito que quase esqueci... do placar que Kate mantinha na parede sobre sua cama, cheio de marcas no código do seu complexo sistema de marcação de pontos. Tanto para uma nova vítima. Tanto para credulidade total. Os extras que dava por detalhes mais elaborados, ou pela capacidade de convencer de novo alguém que estivesse prestes a desmascarar nosso blefe. Não pensava nesse jogo havia muitos anos, mas de certo modo continuei jogando esse tempo todo.

Dou um suspiro e olho para o rosto tranquilo de Freya enquanto ela mama completamente absorta naquele momento. E não sei se vou conseguir. Não sei se posso voltar.

O que será que aconteceu para Kate nos chamar assim de repente e com tanta urgência no meio da noite?

Só posso imaginar uma coisa... e não suporto acreditar nisso.

Bem na hora em que o trem chega em Salten, meu celular toca pela última vez e eu o pego achando que será Kate confirmando minha carona. Mas não é. É Thea.

Estou indo.

A plataforma em Salten está praticamente vazia. Quando o barulho do trem silencia, a paz do campo retorna e ouço os sons de Salten no verão — grilos cricrilando, passarinhos, o barulho de uma colheitadeira ao longe. Antes, sempre que eu chegava, o micro-ônibus da Salten House estava à espera, com seu logotipo em dois tons de azul. Agora o estacionamento é só poeira e vazio, não há ninguém lá, nem Kate.

Empurro Freya no carrinho pela plataforma até a saída, com minha bolsa pesada pendurada no ombro, e fico imaginando o que fazer. Telefono para Kate? Devia ter confirmado a hora com ela. Pensei que tivesse recebido minha mensagem, mas e se o celular dela estivesse descarregado? De todo modo, no Mill não tem telefone fixo, nenhum outro número para eu tentar.

Acionei o freio do carrinho e peguei meu celular para verificar as mensagens de texto e ver a hora. Ao digitar minha senha de desbloqueio, ouço o ronco de um motor passando pelas pistas baixas, viro e vejo um carro parando no estacionamento. Esperava que fosse o imenso e deplorável Land Rover, com bancos compridos, que Kate dirigiu para o casamento de Fatima sete anos atrás, Shadow com a cabeça para fora da janela e a língua pendurada. Mas não era. Era um táxi. Na hora não sei se é ela, então a vejo atrapalhada com a porta de trás, meu coração pula e não sou mais a advogada da defensoria pública e a mãe, sou apenas uma menina que desce correndo da plataforma para encontrar a amiga.

— Kate!

Ela não mudou nada. Os mesmos pulsos finos e ossudos, o mesmo cabelo castanho e pele dourada, o nariz ainda arrebitado e salpicado de sardas. O cabelo está mais comprido, preso com elástico, e há rugas na pele clara nos cantos dos olhos e da boca, mas fora isso ela é Kate, a minha Kate, e eu suspiro quando nos abraçamos, e o cheiro particular da mistura de cigarro, terebintina e sabonete é exatamente o mesmo que eu lembro. Olho para ela com as mãos em seus braços e me pego sorrindo de orelha a orelha, estupidamente, apesar de tudo.

– Kate – eu repito feito boba, ela me puxa para mais um abraço, com o rosto no meu cabelo, e me aperta tanto que posso sentir seus ossos.

Então ouço um grasnido e lembro quem eu sou, a pessoa que me tornei, e tudo que aconteceu desde o último encontro com Kate.

– Kate – digo de novo, e o som do seu nome na minha boca é perfeito –, Kate, venha conhecer a minha filha.

Empurro a capota do carrinho para trás, pego o embrulhinho esperneante e zangado e entrego a ela.

Kate pega Freya muito emocionada e seu rosto fino se abre num sorriso.

– Você é linda – diz ela para Freya, com a voz suave e rouca de sempre. – Como a sua mãe. Ela é uma graça, Isa.

– Não é? – Olho para Freya e para o rosto de Kate, olhos azuis olhando fixamente para olhos azuis.

Freya estica a mão gorducha para o cabelo de Kate, mas para, hipnotizada por alguma característica da luz.

– Ela tem os olhos do Owen – comento. – Eu sempre quis ter olhos azuis quando era criança.

– Vamos – diz Kate, falando com Freya, não comigo.

Ela segura a mão de Freya, alisa a pele sedosa de bebê, as covinhas nas articulações.

– Vamos indo.

– O que aconteceu com o seu carro? – pergunto quando vamos para o táxi, Kate com Freya no colo, eu empurrando o carrinho com a bolsa dentro.

– Ah, enguiçou de novo. Vou mandar consertar, mas estou sem dinheiro, como sempre.

– Ah, Kate...

Ah, Kate, quando é que vai arranjar um emprego decente? Eu podia perguntar. Quando é que vai vender Mill e ir para algum lugar em que as pessoas dão valor ao seu trabalho, em vez de contar com a procura decrescente de turistas que desejam passar feriados em Salten? Mas conheço a resposta. Nunca. Kate jamais deixará Tide Mill. Nunca sairá de Salten.

— De volta para Mill, senhoras? — pergunta o motorista do táxi pela janela, e Kate faz que sim com a cabeça.

— Obrigada, Rick.

— Vou botar o carrinho na mala para as senhoras — ele diz e desce do carro. — Ele dobra, não é?

— Dobra — estou toda atrapalhada com os prendedores de novo e então me dou conta... — Droga, esqueci de trazer a cadeirinha de automóvel. Trouxe o bebê-conforto em vez dela, pensando que Freya podia dormir nele.

— Ah, não vamos ver nenhum policial por aqui — Rick diz calmamente, fechando a mala com o carrinho dentro. — Só o filho da Mary, mas ele não vai prender uma das minhas passageiras.

Não estava preocupada com a polícia, mas o nome prende minha atenção e me distrai.

— Filho da Mary? — olho para Kate. — Não é o Mark Wren, é?

— Ele mesmo — diz Kate com um sorriso seco. — Sargento Wren agora.

— Não acredito que ele tenha idade para isso!

— Ele é só dois anos mais novo do que nós — observa Kate, e concluo que ela tem razão.

Trinta anos é idade suficiente para ser policial. Mas não consigo pensar em Mark Wren como um homem de trinta anos... penso nele como o garoto de catorze com acne e lábio superior carnudo, curvado para disfarçar seus quase um metro e noventa de altura. Imagino se ele se lembra de nós. Se ele se lembra do jogo.

— Desculpe — diz Kate quando entramos no carro. — Ela tem de ir no seu colo. Sei que não é o ideal...

— Vou dirigir com cuidado — diz Rick quando saímos do terreno irregular do estacionamento e entramos na estrada rebaixada. — Aliás, são poucos quilômetros até lá.

— Menos ainda se formos pelo alagado — diz Kate.

Ela aperta minha mão e sei que está pensando em todas as vezes em que ela e eu fizemos aquele caminho, atravessando o alagado de água salgada para ir e voltar da escola.

— Mas não podíamos fazer isso com o carrinho de bebê.

— Está quente para junho, não é? – diz Rick para iniciar a conversa quando viramos uma esquina e as árvores se abrem num lampejo bordado de sol, quente no meu rosto. Pisco e tento lembrar se levei meus óculos escuros.

— Tórrido – eu digo. – Não sentia tanto calor assim em Londres.

— O que a trouxe de volta? – os olhos de Rick encontram os meus no retrovisor. – Vocês estudaram juntas, certo?

— Certo – respondo e paro.

O que me trouxe de volta? Uma mensagem de texto? Três palavras? Olho para Kate e sei que ela não pode dizer nada agora, não na frente do Rick.

— Isa veio para a reunião – diz Kate inesperadamente. – Na Salten House.

Eu me espanto, ela aperta minha mão para me acalmar, mas então atravessamos o cruzamento dos trilhos com um solavanco, o carro sacode e pula, e sou obrigada a segurar Freya com as duas mãos.

— Ouvi dizer que esses jantares da Salten House são muito chiques – diz Rick. – A minha filha mais nova faz um bico de garçonete lá e me conta tudo. Canapés, champanhe, tudo que têm direito.

— Nunca fui a um desses antes – diz Kate –, mas já faz quinze anos que nossa turma se formou e achei que esse ano seria bom ir.

Quinze? Na hora pensei que ela devia ter feito a conta errada, mas aí entendi. Tínhamos saído de lá há dezessete anos, depois de terminar o ensino médio, mas se ficássemos para o curso técnico, a conta daria certo. Para o resto da nossa turma será o décimo quinto aniversário.

Fazemos uma curva na pista e seguro Freya com mais força, com o coração na boca, desejando ter lembrado de levar a cadeirinha para carro. Foi burrice minha não ter pensado nisso.

— Costuma vir sempre aqui? – pergunta Rick olhando para mim pelo retrovisor.

— Não, e... eu não venho para cá há muito tempo. Sabe como é...

Remexo sem jeito no banco, sabendo que estou segurando Freya com muita força, e não consigo relaxar.

— É difícil encontrar tempo.

– É um pedaço bonito do mundo – diz Rick. – Nem imagino viver em qualquer outro lugar, mas acho que deve ser diferente para quem não nasceu e foi criado aqui. De onde são seus pais?

– Eles são... eram... – gaguejo, sinto a presença firme de Kate ao meu lado e respiro fundo. – Meu pai está na Escócia agora, mas fui criada em Londres.

Sacolejamos sobre uma rieira de gado, então as árvores se abrem e estamos no alagado.

E, de repente, ele aparece. O rio Reach. Largo e cinza com juncos aqui e ali, as águas encrespadas pelo vento refletem os riscos sonolentos da nuvem iluminada pelo sol, e tudo é tão brilhante e imenso que sinto um nó na garganta.

Kate observa meu rosto e sorri.

– Tinha esquecido? – ela pergunta baixinho.

Balanço a cabeça.

– Nunca.

Mas não é verdade, tinha esquecido sim. Esqueci o impacto que provocava. Não existe nada parecido com o Reach. Eu vi muitos rios, atravessei muitos estuários. Mas nenhum tão lindo quanto esse, com a terra, o céu e o mar se esvaindo um no outro, um absorvendo o outro, mesclando, misturando até ficar difícil saber qual é qual, onde as nuvens terminam e onde começam as águas.

A estrada vai estreitando até virar pista única, depois um caminho pedregoso com grama entre as marcas de pneus.

E aí eu vejo o moinho de maré, silhueta preta contra a água que reflete as nuvens, mais caído e mais trôpego do que eu lembrava. Não é tanto uma construção, é mais um amontoado de detritos de naufrágios criado pelos ventos, e parece que pode ruir com uma rajada deles a qualquer momento. Meu coração dá uma cambalhota no peito e as lembranças voltam livres, batendo suas asas emplumadas dentro da minha cabeça.

Thea nadando nua no Reach ao pôr do sol, a pele dourada à luz do entardecer, as sombras compridas e escuras das árvores cortadas na água cor de fogo que transformavam o Reach num glorioso tigre listrado.

Kate debruçada na janela do Mill numa manhã de inverno, com a geada espessa por dentro do vidro e cobrindo os caniços e os juncos, abrindo os braços e rugindo o vapor branco da respiração para o céu.

Fatima deitada no cais de madeira com seu biquíni minúsculo, a pele cor de mogno ao sol de verão e óculos escuros gigantescos refletindo a luz rebatida nas ondas enquanto lagarteava naquele calor.

E Luc... Luc... mas meu coração aperta e não consigo continuar.

Chegamos a um portão bloqueado no caminho.

– É melhor parar aqui – diz Kate para Rick. – Tivemos maré alta ontem à noite e a terra aí na frente ainda está encharcada.

– Tem certeza? – ele vira para trás. – Não me importo de tentar.

– Não, vamos a pé – ela põe a mão na maçaneta e estica a outra para ele com uma nota de dez libras, mas ele não aceita.

– Seu dinheiro não vale aqui, meu bem.

– Mas Rick...

– Nada de mas, Rick. Seu pai era um bom homem, apesar do que outras pessoas dizem, e você conseguiu ficar aqui enfrentando as fofocas. Pague outro dia.

Kate engole em seco e vejo que está tentando dizer alguma coisa, mas não consegue, então falo por ela:

– Obrigada, Rick, mas eu quero pagar. Aceite, por favor.

Ofereço dez libras para ele.

Rick fica indeciso, ponho a nota no cinzeiro, desço do carro com Freya no colo enquanto Kate pega minha mala e o carrinho no bagageiro. E finalmente, quando Freya está bem presa, ele meneia a cabeça.

– Está certo. Mas olhem, se precisarem de uma carona para qualquer lugar, me chamem, entenderam? De dia ou de noite. Não me agrada pensar em vocês aqui sem transporte. Esse lugar – ele indica o Mill com a cabeça – vai desabar um dia desses e, se vocês precisarem ir para algum lugar, não hesitem em me chamar, com ou sem dinheiro. Entenderam?

– Entendemos – eu respondo e faço que sim com a cabeça.

É uma sensação boa saber disso.

Depois que Rick vai embora, olhamos uma para a outra, mudas, sentindo o sol esquentar o topo das nossas cabeças. Eu quero perguntar para Kate o porquê da mensagem de texto, mas alguma coisa me impede.

Antes de eu resolver falar, Kate vira e abre o portão, fecha depois que passamos e eu desço para a curta passarela de madeira que une o moinho de maré com a praia.

O moinho fica num pequeno banco de areia que é pouco maior do que a própria construção, e imagino que um dia tenha feito parte da margem. Em certo momento, quando estavam construindo o moinho, cavaram um canal estreito que o separou da terra e orientou a subida e descida da maré para a roda d'água que ficava nesse canal. A roda não existe há muito tempo, resta apenas um cotoco de madeira escurecida em ângulo reto com a parede, que mostra onde ela estava, e no seu lugar há a passarela de madeira que cobre os três metros de água que separam o moinho da praia. Dezessete anos atrás lembro que corria por ela, às vezes nós quatro juntas, e agora não consigo acreditar que confiávamos que aguentaria nosso peso.

É mais estreito do que eu lembrava, as tábuas embranquecidas pelo sal e podres em alguns lugares, e não tinham posto corrimão desde a última vez em que estive lá, mas Kate segue por ali sem medo, carregando minha mala. Eu respiro fundo e procuro ignorar as imagens que vêm à minha mente (tábuas cedendo, o carrinho caindo na água salgada), vou atrás dela com o coração na boca, evitando os buracos traiçoeiros com meus sapatos de salto, e só solto o ar quando chegamos à segurança relativa do outro lado.

A porta está destrancada, como sempre está, como sempre esteve. Kate gira a maçaneta e recua para me deixar passar. Empurro Freya no carrinho sobre o degrau de madeira e entro.

Passaram sete anos desde a última vez em que vi Kate, porém mais do que o dobro disso desde a última vez em que estive em Salten. Por um momento foi como se tivesse voltado no tempo, tenho quinze anos de novo e a beleza tosca do lugar me envolve pela primeira vez. Vejo outra vez as janelas compridas e assimétricas com os vidros quebrados sobre o estuário, o telhado que sobe até as vigas empretecidas lá no alto, a escada que espirala ébria no espaço, saltando de um patamar precário ao outro, passando pelos quartos, até chegar ao sótão encarapitado no topo dos caibros. Vejo o fogão escurecido com a chaminé serpenteando, o sofá baixo com as molas quebradas, e principalmente as pinturas, os quadros por toda parte. Alguns não reconheço, devem ser de Kate, mas misturados vejo uma centena que são como velhos amigos, ou nomes familiares.

Ali sobre a pia manchada de ferrugem, numa moldura dourada, está Kate quando bebê, o rosto redondo e gorducho, muito concentrada em pegar alguma coisa fora do quadro.

Lá, pendurada entre as duas janelas, está a tela inacabada do Reach numa manhã de inverno, estalando de gelo, e uma gaivota solitária voando baixo sobre a água.

Ao lado da porta que dá no toalete externo, uma aquarela de Thea com as feições dissolvidas nas beiradas do papel áspero.

E sobre a mesa avisto um esboço a lápis de Fatima e eu de braços dados numa rede improvisada, rindo e rindo, como se não houvesse nada a temer no mundo inteiro.

É como se mil lembranças me atacassem de uma vez só, cada uma delas com dedos que me puxam para o passado... então ouço um latido forte e vejo Shadow correndo para mim, um monte de pelo branco e cinza. Ponho o braço na frente e dou uns tapinhas na cabeça dele enquanto ele encosta na minha perna, mas Shadow não é parte do passado e o feitiço se desfaz.

– Não mudou nada! – digo eu, sabendo que pareço boba.

Kate sacode os ombros e começa a livrar Freya do carrinho.

– Mudou um pouquinho. Tive de trocar a geladeira – ela inclina a cabeça para a geladeira no canto que parece mais velha e acabada do que a anterior. – E é claro que tive de vender muitas das melhores pinturas do papai. Botei as minhas no lugar, mas não são a mesma coisa. Precisei vender algumas das minhas preferidas, do esqueleto de batuíra e aquela do galgo na areia... mas não consegui me desfazer do resto.

Ela olha para os quadros que restam por cima da cabeça de Freya e seu olhar acaricia cada um deles.

Pego Freya dos braços de Kate e apoio no ombro, sem falar o que estou pensando, que o lugar parece um museu, aqueles cômodos nas casas de homens famosos, congelados no momento em que eles partiram. O quarto de Marcel Proust, reconstruído com perfeição no Musée Carnavalet. O estúdio de Kipling preservado na Bateman's, casa em que viveu.

Só que aqui não há cordas para manter o público longe, apenas Kate vivendo nesse memorial do pai.

Para esconder meus pensamentos, vou até a janela dando tapinhas nas costas quentes e firmes de Freya, mais para me acalmar do que a ela, e olho fixo para o Reach. A maré está baixa, mas a passarela de madeira com vista para a baía está a poucos metros das ondas e viro para Kate, surpresa.

— A passarela afundou?

— Não foi só a passarela — diz Kate com tristeza. — O problema é esse. Tudo aqui está afundando. Chamei um especialista para dar uma olhada e ele disse que os alicerces não foram bem feitos e que se eu me candidatasse a um financiamento hoje, jamais conseguiria.

— Mas espere aí... o que quer dizer? Afundando? Não se pode refazer a fundação? Reforçá-la, quero dizer? Você não pode fazer isso?

— Não. O problema é que só tem areia por baixo. Não há nada para sustentar os alicerces. Daria para adiar o inevitável, mas com o tempo vai acabar varrida pelo mar.

— Isso não é perigoso?

— Não muito, quero dizer, é, está provocando algum movimento nos andares de cima, o que torna o piso irregular, mas não vai desaparecer essa noite, se é essa a sua preocupação. A coisa é mais séria com a parte elétrica.

— *O quê?* — olho para o interruptor na parede como se esperasse ver faíscas saindo dele a qualquer momento.

Kate dá risada.

— Não se preocupe, mandei instalar um imenso superdisjuntor quando as coisas começaram a enguiçar. Se alguma coisa inventar de entrar em curto, ele simplesmente desliga. Mas isso significa que a luz tende a faltar quando a maré sobe.

— Esse lugar não pode ter seguro.

– Seguro? – ela olha para mim como se eu tivesse dito alguma coisa antiquada e excêntrica. – Que diabo eu faria com um seguro?

Balanço a cabeça e fico imaginando.

– O que você está *fazendo* aqui, Kate? Kate, isso é loucura. Você não pode viver assim.

– Isa – diz ela pacientemente –, eu não posso sair daqui. Como poderia? Não dá para vender.

– Então não venda... vá embora. Dê as chaves para o banco. Declare falência, se precisar.

– Não posso sair daqui – ela diz obstinada, vai até o fogão, abre o gás do bujão e acende a pequena boca. A chaleira em cima começa a sibilar baixinho, ela pega duas canecas e uma lata velha de chá. – Você sabe por quê.

E não posso responder porque sei. Sei exatamente por quê. E esse foi exatamente o motivo de eu ter voltado para cá.

– Kate... – começo a falar e me sinto mal. – Kate, aquela mensagem de texto...

– Agora não – diz ela de costas para mim, de modo que não vejo seu rosto. – Desculpe, Isa, é que... não seria justo. Temos de esperar até as outras chegarem.

– Está bem – digo baixinho.

Mas de repente não está bem. Nada bem.

Fatima é a segunda a chegar.

Está anoitecendo. Uma brisa preguiçosa e quente entra pelas janelas abertas e eu viro as páginas de um romance, procurando me distrair e parar de imaginar coisas. Uma parte de mim tem vontade de sacudir Kate e forçá-la a dizer a verdade. Mas outra parte, tão grande quanto a primeira, tem medo de encarar o que virá.

Por hora, nesse momento está tudo tranquilo, eu com o meu livro, Freya cochilando no carrinho, Kate ao fogão com cheiros apetitosos e salgados saindo da frigideira equilibrada sobre a chama. Tem uma parte de mim que quer se agarrar a isso o tempo que for possível. Quem sabe, se não falarmos sobre o assunto, podemos fingir que é só o que eu disse para o Owen, uma reunião de velhas amigas.

A chaleira assobia, levo um susto, e ao mesmo tempo Shadow emite uma série de latidos curtos. Viro a cabeça e ouço o barulho de pneus saindo da estrada principal e entrando no caminho que segue o Reach.

Levanto da cadeira perto da janela, abro a porta que dá para o lado de terra do moinho e lá está um grande 4x4 preto sacudindo na estradinha, com os faróis iluminando o alagado e música alta que faz as aves baterem as asas e gritar. Vai chegando e para com o barulho dos pneus nas pedras e do freio de mão. O motor é desligado e o silêncio volta de repente.

– Fatima? – eu chamo, a porta do motorista abre e eu corro pelo píer para encontrá-la.

Na praia, ela me abraça com tanta força que quase esqueço de respirar.

– Isa!

Os olhos dela são pretos como os de um pisco.

– Quanto tempo faz?

– Não lembro!

Beijo o rosto dela, que está meio escondido em um lenço de cabeça e frio por causa do ar-condicionado do carro, então recuo para vê-la direito.

– Acho que foi depois que você teve a Nadia, vim te visitar... então devem ser... caramba, seis anos?

Ela faz que sim com a cabeça, põe as mãos nos grampos que prendem o lenço na cabeça e por um momento fico esperando que tire o lenço, imaginando algo do tipo Audrey Hepburn. Mas ela só firma melhor os grampos, e então eu me dou conta. Não é só um lenço, é um *hijab*. Isso é novidade. É novidade desde que a vi pela última vez, não só desde a escola.

Fatima nota que estou observando, juntando os pontinhos, e sorri quando ajeita o último grampo.

– Eu sei, uma senhora mudança, não é? Já pensava nisso há séculos, e quando Sam nasceu, sei lá... Simplesmente pareceu a coisa certa.

– É... foi Ali... – começo a falar e na mesma hora sinto vontade de me estapear, quando Fatima me olha de lado.

– Isa, querida, quando foi que você me viu dar ouvidos a um cara se não era uma coisa que eu já quisesse fazer? – ela suspira.

Acho que o suspiro é para mim, mas talvez seja por todas as vezes que ela ouviu essa mesma pergunta.

– Eu não sei – diz ela –, talvez ter filhos tenha feito eu reavaliar as coisas. Ou talvez seja uma coisa para a qual eu estivesse voltando a minha vida toda. Eu não sei. Só sei que agora estou mais feliz do que nunca.

– Bem, eu... – paro de falar e procuro analisar o que sinto.

Olho para a blusa abotoada até o pescoço e para o lenço liso e lustroso e não posso deixar de me lembrar do cabelo lindo caindo como um rio pelos ombros e cobrindo o sutiã do biquíni até parecer que ela estava sem nada. Ambrose a chamou de *Lady Godiva* um dia, mas eu só entendi a referência tempos depois. E agora... agora isso acabou. Está escondido. Mas compreendo por que ela deve querer deixar essa parte do seu passado para trás.

– Acho que fiquei impressionada. E o Ali? Ele também... quero dizer, ele faz aquelas coisas todas? Ramadã e todo o resto?

– Faz. Acho que foi uma decisão que tomamos juntos.

– Seus pais devem estar satisfeitos.

— Não sei. É difícil dizer... mas devem estar sim — ela pendura a bolsa no ombro e começamos a andar pelo cais com cuidado, entre os últimos raios de sol. — Acho que estão. Mamãe sempre deixou claro que não se importava de eu não usar o véu, mas acho que lá no fundo está bem aliviada agora. Os pais de Ali... por estranho que pareça, nem tanto. A mãe dele é muito engraçada, está sempre dizendo coisas como "mas Fatima, as pessoas aqui nesse país não gostam de hijab, vai prejudicar suas chances de trabalho, as outras mães na escola vão pensar que você é uma radical". Tentei explicar para ela que a equipe cirúrgica está muito agradecida de ter uma médica cirurgiã que fala urdu e que se dispõe a trabalhar em tempo integral, e que a metade dos amigos dos meus filhos vem de lares muçulmanos, mas ela não acredita.

— E como vai o Ali?

— Está ótimo! Acabou de se formar consultor. Isto é, está trabalhando demais... Mas, afinal, não estamos todos?

— Eu não — dou uma risada meio culpada. — Estou vagabundeando de licença-maternidade.

— Ah, certo — ela sorri de lado para mim. — Lembro desse tipo de vagabundagem. Inclui privação de sono e bicos dos seios rachados. Vou fazer tratamento de podologia no trabalho, obrigada. — Então ela olha em volta. — Onde está Freya? Quero conhecê-la.

— Está dormindo, acho que ficou exausta com a viagem. Mas vai acordar logo.

Chegamos à porta do moinho e Fatima para com a mão na maçaneta.

— Isa... — ela diz, devagar, e sei o que está pensando e o que vai perguntar antes mesmo dela falar.

Balanço a cabeça.

— Eu não sei. Perguntei para a Kate, mas ela quer esperar até estarmos todas aqui. Disse que não seria justo.

Fatima curva os ombros desanimada e de repente tudo parece vazio, as perguntas sociais sem sentido secam feito poeira nos meus lábios. Eu sei que Fatima está tão nervosa quanto eu e que nós duas estamos pensando naquela mensagem de texto da Kate, procurando não pensar no que pode significar. No que *deve* significar.

— Pronta? — pergunto.

Ela bufa e depois meneia a cabeça.

– Como posso. Cacete, isso vai ser complicado.

Então ela abre a porta e observo o passado envolvê-la, como fez comigo.

Ao descer do trem em Salten naquele primeiro dia, a plataforma estava vazia, exceto por Thea, Kate e uma menina miúda de cabelo preto que devia ter onze ou doze anos, parada na outra ponta. Ela olhou insegura de um lado para outro da plataforma e começou a andar na nossa direção. Quando chegou mais perto, vi que usava o uniforme da Salten e, mais de perto ainda, notei que era bem mais velha do que eu tinha pensado... devia ter uns quinze anos, só era miúda.

– Oi – disse ela. – Vocês são da Salten?

– Não, somos um bando de pedófilas usando esse uniforme como isca – disse Thea automaticamente e depois balançou a cabeça. – Desculpe, foi estupidez minha. Sim, indo para Salten também. Você é nova?

– Sou – ela nos acompanhou até o estacionamento. – Meu nome é Fatima. – falava com um sotaque londrino que fez com que me sentisse imediatamente em casa. – Onde estão as outras? Pensei que o trem teria muitas meninas de Salten.

Kate balançou a cabeça.

– A maioria vem de carro com os pais, principalmente depois das férias de verão. E as externas e internas durante a semana só voltam para as aulas na segunda-feira.

– Há muitas externas?

– Um terço das alunas. Eu sou interna de segunda a sexta. Só estou aqui porque estava com Thea em Londres alguns dias e combinamos de voltar juntas.

– Onde você mora? – quis saber Fatima.

– Lá – Kate apontou para o outro lado do alagado de água salgada, na direção de um canal de água cintilante, bem longe.

Eu me espantei. Não vi casa nenhuma, mas podia ter alguma atrás de uma das dunas, ou das árvores cortadas ao longo da linha do trem.

– E você? – Fatima virou para mim.

O rosto dela era redondo, simpático, o lindo cabelo preto estava preso com um prendedor.

– Vocês estudam aqui há muito tempo? Em que ano estão?

– Tenho quinze anos, estou na quinta série. Eu... sou nova como você. E interna também.

Eu não queria contar a história toda, da doença da minha mãe, das longas internações no hospital que deixavam a mim e ao meu irmão de treze anos, Will, sozinhos enquanto meu pai trabalhava até tarde no banco... do repentino soco no estômago que foi a decisão de mandar nós dois para longe de casa, porque saiu do nada. Eu nunca dei trabalho, nunca me rebelei, nunca consumi drogas, nunca me meti em encrenca. Reagi à doença da minha mãe sendo mais diligente ainda. Passei a me empenhar mais e a resolver mais coisas em casa. Cozinhava, fazia as compras e lembrava de pagar a faxineira quando meu pai esquecia.

E aí veio a conversa... *melhor para vocês dois... mais divertido do que ficarem sozinhos... continuidade... a escola não pode ser prejudicada... a conclusão do ensino médio, é um ano importante...*

E eu não sabia o que dizer. Na verdade, ainda estava atônita. Will tinha aceitado meneando a cabeça, com seu lábio superior apertado no lugar, mas ouvi o choro dele à noite. Meu pai ia levá-lo de carro para Charterhouse naquele mesmo dia, por isso eu tinha viajado sozinha.

– Meu pai está ocupado hoje – eu disse, e as palavras pareceram calmas, quase ensaiadas. – Senão acho que ele teria me trazido de carro também.

– Meus pais estão fora do país – disse Fatima. – Eles são médicos. Estão fazendo essa coisa de caridade para a Organização de Serviço Voluntário, sabe? Um ano de trabalho de graça.

– Caramba! – disse Thea, impressionada. – Nem imagino meu pai oferecendo um fim de semana, que dirá um ano inteiro. Eles são pagos de alguma forma por isso?

– Não exatamente. Quero dizer, eles recebem um estipêndio, acho que a palavra é essa. Como uma bolsa de estudos. Mas é equivalente aos salários do lugar, por isso acho que não é muito. Só que essa não é a questão para eles, é como uma religião, a versão deles da *sadqa*.

Demos a volta na pequena casa da estação conversando e vimos um micro-ônibus azul com uma mulher de saia e blazer na porta segurando uma prancheta.

– Olá, meninas – disse ela para Thea e Kate. – As férias de verão foram boas?

– Sim, obrigada, Srta. Rourke – disse Kate. – Essas são Fatima e Isa. Nós nos conhecemos no trem.

– Fatima...? – a Srta. Rourke passou a caneta sobre a lista.

– Qureshy – disse Fatima. – É Q, U, R...

– Achei – disse a Srta. Rourke secamente, ticando um nome. – E você deve ser Isa Wilde.

Ela pronunciou "Izza", mas eu apenas fiz que sim com a cabeça, timidamente.

– Falei certo?

– O certo é "aisa".

A Srta. Rourke não comentou, mas anotou alguma coisa na folha, depois pegou nossas malas, jogou-as na traseira do micro-ônibus e nos acomodamos nele.

– Puxem a porta para fechar – disse a Srta. Rourke por cima do ombro.

Fatima pegou a maçaneta e fechou a porta. Então partimos, balançando na saída do estacionamento de terra, e descemos por uma pista afundada na direção do mar.

Thea e Kate foram batendo papo no último banco da van, enquanto Fatima e eu fomos nervosas, sentadas lado a lado, nos esforçando para parecer que fazíamos aquilo todos os dias.

– Você já estudou em colégio interno antes? – perguntei baixinho para Fatima.

Ela balançou a cabeça.

– Não. Para ser sincera, eu não tinha certeza se queria vir para cá, estava animada para ir ao Paquistão com meus pais, mas mamãe não deixou. E você?

– É a primeira vez também – eu disse. – Você veio conhecer Salten antes?

– Sim, vim no fim do ano passado, quando papai e mamãe estavam pesquisando os lugares. O que você achou?

– Eu... eu nunca estive aqui. Não tivemos tempo.

Já era *fait accompli* quando papai me contou, tarde demais para visitas. Se Fatima achou isso estranho, ela não demonstrou.

– É passável – ela disse. – Parece... olha, não me entenda mal, porque isso vai soar horrível, mas parece um pouco com uma prisão de luxo.

Disfarcei um sorriso e fiz que sim com a cabeça. Eu sabia o que ela queria dizer, tinha visto fotos no folheto e havia, *sim*, uma atmosfera de prisão naquelas imagens – a fachada retangular grande e branca dando para o mar, os quilômetros de cercas de arame. A fotografia da capa do prospecto exibia o exterior austero demais, proporções matematicamente precisas acentuadas, não atenuadas, por quatro pequenas torres absurdas, uma em cada canto, como se o arquiteto tivesse dúvidas de última hora quanto à visão dele e as tivesse posto lá de improviso, numa tentativa de reduzir a seriedade da fachada. Hera, até um pouco de musgo, talvez suavizasse as arestas do lugar, mas acho que nada sobreviveria a um lugar com tanto vento.

– Você acha que vamos poder escolher com quem ficamos? Nos quartos, quero dizer.

Era uma pergunta que me preocupava desde Londres. Fatima deu de ombros.

– Não sei. Mas duvido. Já imaginou que zona seria se todas andassem por lá escolhendo as companheiras? Acho que vão determinar quem fica com quem.

Fiz que sim com a cabeça outra vez. Tinha lido atentamente o folheto sobre esse assunto, já que estava acostumada com a minha privacidade em casa e tinha ficado desolada ao saber que Salten só oferecia quartos particulares para as meninas a partir da sexta série. As da quarta e da quinta dividiam com outra aluna. Pelo menos não eram dormitórios como os das mais novas.

Ficamos em silêncio depois disso, Fatima lendo um romance de Stephen King e eu espiando pela janela o alagado de água salgada passando com rapidez, as enormes extensões de água, os diques sobrepostos e os canais cheios de curvas, depois as dunas de areia que margeavam a estrada costeira, sentindo o micro-ônibus receber as rajadas de vento do mar.

Desaceleramos ao chegar a uma curva na estrada e vimos a Srta. Rourke indicar o caminho, em seguida viramos numa pista comprida de cascalho branco que ia dar na escola.

É curioso, agora que Salten está tão bem gravada na minha memória, lembrar que houve um tempo em que era desconhecida, mas naquele dia, quando subíamos para a escola atrás de um Mercedes e um Bentley, eu fiquei em silêncio observando tudo.

Lá estava a grande fachada branca que chegava a cegar de tão brilhante contra o azul do céu, como a que eu tinha visto na capa do folheto, a seriedade enfatizada pelas janelas quadradas e brilhantes alinhadas que pontilhavam o prédio a intervalos idênticos, e as formas pretas das escadas de incêndio escalando as laterais e rodeando as torres como hera industrial. Lá estavam os campos de hóquei e as quadras de tênis se espalhando até bem longe, e os quilômetros de campo para os cavalos que iam até os bolsões de água salgada atrás da escola.

Quase chegando, vi que as portas pretas da entrada estavam abertas e a impressão que tive foi de um enxame de meninas de todos os formatos e tamanhos correndo de um lado para outro, gritando para as outras, abraçando os pais, batendo a palma da mão com as colegas, saudando professores.

O micro-ônibus parou e a Srta. Rourke nos entregou – Fatima e eu – para outra professora, que apresentou como Srta. Farquharson-Jim (ou podia ser Srta. Farquharson, Gin, de ginástica). Thea e Kate se misturaram ao enxame e Fatima e eu nos vimos absorvidas pela massa ululante de meninas verificando listas no quadro de avisos, exclamando sobre quartos e equipes, largando baús e caixas, comparando o conteúdo das cestas de guloseimas e os novos cortes de cabelo.

— É bem raro termos duas meninas novas na quinta série — a Srta. Farquharson estava dizendo, elevando a voz com facilidade para compensar o vozerio em volta, enquanto nos levava por um corredor com painéis de madeira nas paredes e uma escada curva. — Normalmente procuramos misturar e combinar meninas novas com as mais antigas, mas por diversos motivos acabamos pondo vocês duas juntas — ela consultou a lista. — Vocês estão... na Torre 2B. Connie — ela agarrou uma menina mais nova que batia na cabeça de outra com uma raquete de badminton —, Connie, pode mostrar para Fatima e Isa onde fica a Torre 2B? Leve-as pela cantina para saberem onde vão almoçar depois. Meninas, o almoço é às 13h em ponto. Tocam uma campainha, mas só cinco minutos antes, por isso sugiro que saiam assim que ouvirem, porque é uma boa caminhada das torres até lá. Connie vai mostrar o caminho.

Fatima e eu fizemos que sim com a cabeça, um pouco atordoadas pelo volume das vozes ecoando, e arrastamos nossa bagagem atrás de Connie, que já desaparecia no meio da multidão.

– Vocês não podem usar a entrada principal normalmente – ela disse olhando para trás enquanto a seguíamos, costurando no meio dos grupos de meninas e abaixando em uma passagem no fundo do saguão. – Só no primeiro dia de cada semestre e se forem uma Hon.

– Uma Hon? – repeti.

– Da lista de Honra. Significa chefes da casa... chefes das equipes... monitoras... esse tipo de coisa. Vocês vão saber quando chegarem lá. Se tiverem dúvida, não usem aquela porta. É irritante porque é o caminho mais curto voltando da praia e dos campos de hóquei, mas não vale a bronca – ela se abaixou outra vez sem avisar para passar por outra porta e apontou para um corredor comprido de pedra. – Lá é a cantina, no fim desse corredor. Só abrem a porta à uma hora, mas não se atrasem, é um sufoco conseguir lugar. Vocês estão mesmo na Torre 2?

Parecia não haver resposta para isso, mas Fatima falou por nós duas:

– Foi o que aquela mulher disse.

– Sorte de vocês – disse Connie, com inveja. – As torres são os melhores quartos, todo mundo sabe disso.

Ela não elaborou o motivo, empurrou uma porta num painel de madeira e começou a subir bem rapidamente um lance de escada escuro. Eu bufava, tentando acompanhar, e a bagagem de Fatima batia com estrondo em cada degrau.

– Venham logo – disse Connie, impaciente. – Eu combinei com Letitia que ia encontrá-la antes do almoço, e nesse passo não vai dar tempo.

Concordei meneando a cabeça de novo, desanimada dessa vez, e puxei minha bagagem em mais um lance da escada e mais um patamar.

Finalmente, chegamos a uma porta que dizia *Torre 2*, e Connie parou.

– Vocês se incomodam se deixá-las aqui? Não há como errar o caminho agora, é só seguir em frente e são apenas dois quartos, A e B. O de vocês é o B.

– Tudo bem – disse Fatima meio sem força, e Connie desapareceu sem falar mais nada, feito um coelho entrando na toca, deixando Fatima e eu ofegantes e desconcertadas.

– Ora, isso foi bem confuso – disse Fatima depois que Connie sumiu. – Não sei como vamos encontrar o caminho para a copa.

– Acho que chamam de cantina – eu disse automaticamente e mordi o lábio, mas Fatima pareceu nem ter notado, ou então não se ofendeu com a correção.

– Vamos? – ela disse, abrindo a porta para a torre.

Fiz que sim com a cabeça, ela recuou e fez uma mesura de brincadeira.

– Primeiro você...

Espiei lá dentro. Mais uma escada, dessa vez em espiral, que desaparecia lá para cima. Suspirei e agarrei a alça da minha mala com mais força. Ia ficar super em forma se o café da manhã exigisse essa ida e volta todos os dias.

A primeira porta que vemos é a de um banheiro: pias, dois cubículos com privadas e outro que parecia de banho. Seguimos subindo. No segundo lance, havia outra porta. Essa tinha apenas um "B" em cima. Olhei para Fatima, que estava abaixo de mim na escada em espiral, e ergui uma sobrancelha.

– O que você acha?

– Vamos nessa – disse Fatima alegremente.

Bati na porta. Não ouvi nenhum som lá dentro. Empurrei a porta com cuidado e entramos.

O quarto era surpreendentemente bom, adaptado à parede curva da torre. Duas janelas, uma para o norte dos alagados e outra para o oeste dos quilômetros de campos de jogos e da estrada costeira, e vi que devíamos estar no canto esquerdo dos fundos do prédio. Embaixo de nós havia construções menores espalhadas e reconheci algumas do folheto: a ala de ciência, o bloco de educação física. Embaixo de cada janela havia uma cama estreita de metal, arrumada com lençóis brancos e um cobertor vermelho no pé de cada uma. Havia um pequeno armário de madeira com chave nas cabeceiras e entre as duas janelas outros dois maiores, não tão largos para serem chamados de "armário". Uma etiqueta impressa em cada um, com os nomes: *I. Wilde* e *F. Qureshy*.

– Pelo menos não podemos brigar pelas camas – comentou Fatima.

Ela botou a mala em cima da cama, ao lado do armário marcado com seu nome.

– Muito organizado.

Eu estava lendo o material impresso que estava na mesa perto da porta, e o primeiro dos itens era o "contrato aluna-escola, para ser assinado por todas as meninas e entregue à Srta. Weatherby", quando ouvi um barulhão ecoando horrivelmente no corredor fora do quarto.

Fatima pulou, visivelmente tão assustada quanto eu, e virou para mim.

– Que merda foi essa? Não me diga que vamos ter isso para todas as refeições?

– Acho que sim – meu coração tinha acelerado com o choque provocado pelo barulho da campainha. – Que merda... Você acha que vamos nos acostumar?

– Provavelmente não, mas acho que é melhor a gente ir para lá, não é? Duvido que encontremos aquela cantina em cinco minutos.

Concordei e abri a porta do corredor para tentar refazer nossos passos. Ouvi passos acima de nós, e torci para podermos seguir aquelas desconhecidas até o refeitório.

Mas as pernas que vi descendo a escada em espiral de pedra eram compridas, muito compridas, inconfundíveis e familiares. Aliás, eu tinha visto aquelas pernas em meias fora do regulamento poucas horas antes.

– Ora, ora, ora – disse uma voz, e vi Thea, seguida de perto por Kate, chegando ao nosso andar. – Adivinhem quem está na Torre 2B. Parece que vamos nos divertir esse ano, não é?

—Então você não bebe mais? – Kate pergunta para Fatima servindo mais uma dose para mim e outra para ela, com expressão confusa, rugas na testa, questionando um pouco. – Assim... nada, nunca?

Fatima faz que sim com a cabeça e empurra o prato.

– Assim, nada, nunca. Faz parte do contrato, não é? – ela rola os olhos nas órbitas pela escolha de palavras.

– Você sente falta? – pergunto. – De beber?

Fatima bebe um gole da limonada que tinha levado do carro e dá de ombros.

– Querem mesmo saber? Não sinto. Isto é, sim, eu lembro que às vezes era muito divertido, e lembro do gosto de um gim-tônica e tudo o mais. Mas não é...

Ela para de falar. Acho que sei o que ela ia dizer. Que o álcool não era uma bênção sem preço. Talvez sem ele nós não tivéssemos cometido alguns dos erros que cometemos.

– Estou feliz assim – ela completa. – Estou bem e de certa forma isso torna as coisas mais fáceis. Vocês sabem... dirigir... engravidar. E não é complicado parar.

Bebo um gole de vinho tinto observando como cintila com a luz das lâmpadas penduradas no teto, pensando em Freya dormindo logo acima das nossas cabeças, e o álcool sendo filtrado do meu sangue para o meu leite.

– Eu procuro controlar – digo para ela. – Pela Freya. Quero dizer, bebo uma taça ou duas, mas só isso, enquanto estou amamentando. Mas não vou mentir, foi muito difícil ficar sem beber nada todos os nove meses. A única coisa que aliviava era pensar na garrafa de Pouilly-Fumé guardada na geladeira para depois.

— Nove meses. — Kate roda a taça de vinho, pensativa. — Já tem anos que fiquei meros nove *dias* sem beber. Mas você não fuma mais, não é, Isa? Isso sim foi uma conquista.

Sorrio.

— É, parei quando conheci Owen e tenho sido bem determinada quanto a isso. Mas é só... não sou capaz de cortar mais de um vício de cada vez. Você teve sorte de nunca ter começado — acrescento para Fatima.

Ela dá risada.

— É bom mesmo, torna mais fácil passar sermão nos meus pacientes sobre os males do tabaco. Não vai querer que seu médico diga para você parar de fumar se ele fede a cigarro. Mas Ali ainda fuma unzinho de vez em quando. Ele acha que eu não sei, mas é claro que sei.

— Você não sente vontade de dizer alguma coisa? — pergunto, pensando em Owen.

Fatima sacode os ombros.

— A consciência é dele. Ficaria doida se ele fumasse na frente das crianças, mas, fora isso, o que faz com o corpo dele é entre ele e Alá.

— É tão... — Kate diz, e então ri. — Desculpe, não quero que soe esquisito, mas não consigo me acostumar. Você é a mesma Fatima de sempre, no entanto... — ela acena para o hijab.

Fatima tinha tirado o lenço da cabeça, mas ainda o usava sobre os ombros, uma lembrança de como as coisas tinham mudado.

— Não me entenda mal, isso é ótimo. Mas vou levar um tempo pra... me atualizar. A mesma coisa com Isa e Freya, acho — ela sorri para mim e vejo as rugas finas nos cantos da boca. — Foi estranho quando você apareceu na estação com aquela pessoinha. E vê-la cuidando dela, limpando o rostinho, trocando a fralda como se tivesse feito isso a vida inteira... é difícil lembrar que você é mamãe quando a vejo sentada aí, na mesma cadeira de sempre. Você está exatamente igual, é como se nada tivesse mudado, só que...

Acontece que tudo havia mudado.

Passa das onze quando Fatima olha para o relógio e empurra a cadeira para levantar da mesa. Nós conversamos muito sobre tudo, desde os pacientes dela até as fofocas e o trabalho de Owen, mas sempre desviando da pergunta não proferida: por que Kate tinha nos chamado de volta com tanta urgência?

– Tenho de subir – diz ela. – Posso usar o banheiro?

– Sim, claro – responde Kate, sem levantar a cabeça.

Kate está enrolando um cigarro, seus dedos finos e cor de jambo amassam e dão forma ao tabaco com a habilidade da prática. Leva aos lábios, lambe o papel e põe o cigarro pronto em cima da mesa.

– E eu vou pelos fundos, ou...?

– Ah, desculpe, eu devia ter dito – Kate balança a cabeça, repreendendo a ela mesma –, não, Thea está no quarto de baixo. Botei você no meu antigo quarto. Agora estou no último andar.

Fatima faz que sim e sobe para o banheiro, deixando Kate e eu sozinhas. Vejo Kate pegar o cigarro e bater uma ponta na mesa.

– Não se preocupe comigo – digo, porque sei que ela está se controlando por minha causa, mas ela balança a cabeça.

– Não, isso não é justo. Vou lá para fora.

– Vou com você – respondo, e ela abre a porta de madeira que dá no cais ao lado do rio do moinho, saímos juntas para o vento quente da noite.

Está bem escuro e uma bela lua se ergue sobre o Reach. Kate vai para o lado esquerdo do cais, o lado virado para a nascente do rio, na direção da cidade de Salten, e naquele instante eu não entendo, mas logo vejo por quê. A outra extremidade do cais, a parte sem cerca onde costumávamos sentar com os pés pendurados na água na maré cheia, está completamente submersa. Kate nota que estou olhando para lá e sacode os ombros resignada.

– É o que acontece agora com a maré cheia – ela olha para o relógio. – Mas esse é o máximo, vai começar a baixar logo.

– Mas... mas, Kate, eu não tinha ideia... Foi isso que você quis dizer quando falou que o lugar está *afundando*?

Ela faz que sim com a cabeça, acende o cigarro com um isqueiro Bic e inala profundamente.

– Mas isso é sério. Puxa, isso está realmente afundando.

– Eu sei – diz Kate.

Não há emoção na voz dela quando sopra a fumaça na noite. Sinto o desejo torcendo minhas entranhas. Quase sinto o *gosto* da fumaça.

– Mas o que podemos fazer?

É uma pergunta retórica que ela faz com o cigarro no canto da boca.

E de repente eu não consigo mais suportar. A espera.

– Deixe-me dar uma tragada.

– O quê? – Kate vira para mim com o rosto na sombra do luar. – Isa, não. Caramba, você parou!

– Você sabe muito bem que não existe isso de ex-viciado, somos apenas viciados que não consomem a droga por um tempo – eu disse sem pensar, e então percebi, sobressaltada, o que tinha acabado de dizer, quem eu estava citando, e foi como uma facada no meu coração.

Ainda penso nele, depois de todos esses anos, quanto pior deve ser para Kate?

– Ah, meu Deus... – digo e estendo a mão. – Sinto muito, eu...

– Tudo bem – ela diz, só que parou de sorrir e as rugas nos cantos da boca se acentuam e ficam mais profundas do que antes.

Ela dá mais uma tragada demorada e põe o cigarro entre meus dedos estendidos.

– Eu penso nele o tempo todo. Mais uma lembrança não vai me magoar mais ou menos.

Seguro o cigarro que é leve como um fósforo entre os dedos e, com a sensação de entrar numa banheira de água quente, boto a ponta entre os lábios e puxo a fumaça profundamente para os pulmões. Ah, meu Deus, é bom demais...

Então acontecem duas coisas. Subindo o Reach, na direção da ponte, dois fachos de luz balançam nas ondas. É um carro parando no portão da estrada de terra da propriedade de Kate.

E, do monitor de bebê no meu bolso, ouço um chorinho fino que espeta meu coração e ergo a cabeça, movida pela linha invisível que me liga a Freya.

– Aqui – Kate estende a mão e rapidamente devolvo o cigarro para ela.

Não acredito no que acabei de fazer. Uma taça de vinho é uma coisa, mas como é que vou segurar minha filha fedendo a cigarro? O que Owen diria?

– Vá ver a Freya – diz ela. – Eu vou ver quem...

Mas quando corro para dentro e subo a escada para o quarto em que tinha deixado Freya, eu sei quem é. Sei exatamente quem é.

É Thea chegando, conforme prometeu. Estamos todas aqui, finalmente.

Quando subo a escada, quase dou um encontrão em Fatima saindo do quarto dela, o antigo quarto de Kate.

– Desculpe – digo ofegante –, Freya está...

Ela chega para trás para me deixar passar e entro correndo no quarto no fim do corredor, onde Kate arrumou o berço de madeira maciça vergada que era dela quando bebê.

É um belo quarto, talvez o melhor, excetuando o que Kate ocupa agora, um quarto e escritório combinados, o último andar inteiro, que costumava ser do pai dela.

Quando pego Freya no colo, ela está quente e melada, eu a tiro do saco de dormir e percebo que faz muito calor ali. Enquanto tento acalmá-la no ombro, ouço um barulho atrás de mim, viro e vejo Fatima na porta, admirando tudo em volta, e registro o que falhei em observar quando passei por ela apressada no topo da escada: ela ainda está vestida.

– Pensei que você ia dormir.

Ela balança a cabeça.

– Eu estava rezando – ela fala baixinho, procurando não assustar Freya. – É muito esquisito, Isa, ver você aqui, no quarto *dele*.

– Eu sei.

Eu me instalo na cadeira de vime enquanto Fatima entra no quarto e examina tudo: as janelas baixas, o assoalho de madeira escura encerada, os esqueletos de folhas pendurados nas vigas, tremendo com a brisa quente que entrava pela janela aberta. Kate tinha tirado a maior parte das coisas de Luc, seus pôsteres de música, a pilha de roupa suja atrás da porta, o violão encostado no beiral da janela, a vitrola antiga que ficava no chão ao lado da cama. Mas a presença dele ainda é forte, e não consigo pensar que é minimamente diferente do quarto do Luc, mesmo se Kate o chamou de quarto dos fundos quando me levou para lá.

– Você manteve contato? – pergunta Fatima.

Balanço a cabeça.

– Não, e você?

– Não – ela senta na beirada da cama. – Mas você deve ter pensado nele, certo?

Não respondo logo. Levo um tempo, ajeito a coberta de musselina perto do rosto de Freya.

– Um pouco – acabo dizendo. – De vez em quando.

Mas isso é mentira. E pior, uma mentira para Fatima. Essa era a regra mais importante do Jogo da Mentira. Mentir para todo mundo, sim, menos umas para as outras, isso jamais.

Penso em todas as mentiras que repeti muitas vezes durante anos, até elas ficarem gravadas tão fundo que pareciam verdade: parti porque queria uma mudança. Não sei o que aconteceu com ele, ele simplesmente desapareceu. Não fiz nada de errado.

Fatima fica em silêncio, sem tirar os olhos brilhantes como de um passarinho de mim, e paro de mexer no cabelo. Quando vemos as pessoas mentindo tantas vezes como fazíamos, acabamos conhecendo os sinais de cada uma. Thea rói as unhas. Fatima evita olhar para as pessoas. Kate fica parada e distante, inatingível. E eu... mexo no cabelo, faço nós em volta dos dedos, uma teia tão embaraçada quanto as nossas mentiras, sem notar que estou fazendo isso.

Naquela época, fiz um esforço enorme para superar. E agora posso ver no sorriso simpático de Fatima que meu velho tique me traiu de novo.

– Não é verdade – admito. – Eu pensei nele... e muito. Você também?

Ela faz que sim com a cabeça.

– Claro que sim.

Ficamos em silêncio, e sei que estamos pensando nele... nas mãos dele, compridas e finas, com dedos fortes que passeavam sobre as cordas do violão, primeiro devagar como amante, depois tão rápido que mal dava para ver. Nos olhos dele, que mudavam como os de um tigre, que passavam de cor de cobre ao sol a castanho dourado na sombra. O rosto está gravado na minha memória, e agora eu o vejo com tanta clareza que é quase como se estivesse de pé na minha frente – o nariz romano proeminente que tornava seu perfil muito característico, a boca larga e expressiva, a linha das sobrancelhas que subiam um pouco nas pontas, dando-lhe o ar de alguém que está sempre prestes a franzir a testa.

Suspiro e Freya se mexe, sonolenta.

– Quer que eu saia? – pergunta Fatima baixinho. – Não quero perturbá-la...

– Não, fique.

Os olhos de Freya vão fechando e abrem de repente, pernas e braços vão se soltando e ficando pesados, e sei que ela está quase dormindo de novo.

Agora Freya está toda molinha e a ponho delicadamente no berço.

Bem na hora, porque ouço o barulho de passos lá embaixo e outro da porta abrindo, e a voz de Thea tinindo pela casa, mais alta do que os latidos de Shadow.

– Queridas, cheguei!

Freya leva um susto, abre os braços como estrela, mas boto a mão no seu peito e ela volta a fechar os olhos. Em seguida, sigo Fatima para fora do quarto de Luc e descemos a escada ao encontro de Thea, que nos espera.

Pensando na época em Salten House, o que mais me lembro é dos contrastes. A luminosidade ofuscante que vinha do mar num dia ensolarado de inverno, e o negrume da meia-noite no campo, mais profundo do que qualquer escuridão londrina. A concentração silenciosa das salas de arte, e a cacofonia barulhenta da cantina, com trezentas meninas famintas esperando a comida. E acima de tudo, a intensidade das amizades que surgiram depois de poucas semanas naquela atmosfera de estufa... e as inimizades que vieram junto.

Foi o barulho que me marcou mais, naquela primeira noite. Fatima e eu estávamos desfazendo as malas quando soou a campainha para o jantar e nos movíamos pelo quarto num silêncio que já era amistoso e natural. Quando a campainha tocou estridente e corremos felizes para o corredor, a muralha de barulho com que nos deparamos foi diferente de qualquer coisa que eu tivesse ouvido na minha escola anterior – e só aumentou quando entramos na cantina. O almoço já tinha sido agitado, mas as meninas estavam chegando o dia inteiro e agora o salão estava lotado, o vozerio de trezentas vozes agudas era suficiente para fazer os tímpanos sangrarem.

Fatima e eu ficamos paradas e perdidas, procurando um lugar para sentar, e as meninas nos empurravam de todos os lados, encontrando as amigas, quando avistei Thea e Kate na ponta de uma das mesas compridas de madeira polida. Estavam de frente uma para a outra e havia lugares vagos ao lado das duas. Indiquei para Fatima com a cabeça e começamos a abrir caminho para chegar lá, só que então outra menina passou a nossa frente e percebi que também queria sentar ali. Não haveria lugares suficientes para nós quatro.

— Sente você – eu disse para Fatima, tentando parecer indiferente. – Vou para outra mesa, sem problema.

— Não seja boba. – Fatima me deu um empurrão amigável. – Não vou abandonar você! Tem de haver dois espaços vagos juntos em algum lugar.

Mas ela não se mexeu. Havia alguma coisa no jeito da outra menina que andava na direção de Kate e Thea que não parecia normal, havia uma determinação, uma hostilidade que eu não conseguia decifrar.

— Procurando lugar para sentar? – perguntou Thea docemente quando a menina se aproximou.

Mais tarde eu saberia que era Helen Fitzpatrick, que ela era animada e fofoqueira, mas naquele dia ela deu risada, incrédula e amarga.

— Obrigada, mas prefiro sentar perto do banheiro. Por que cargas d'água você me disse que a Srta. Weatherby estava grávida? Enviei um cartão de felicitações para ela e ela endoideceu. Fiquei seis semanas de castigo.

Thea não falou nada, mas deu para ver que se esforçava para não rir, e Kate, sentada de costas para Helen, formou com a boca *dez pontos* e levantou as mãos abertas para Thea, sorrindo de orelha a orelha.

— E aí? – Helen reclamou.

— Erro meu. Devo ter entendido mal.

— Não me venha com essa! Você é uma merda de uma mentirosa.

— Foi uma brincadeira – disse Thea. – Eu nunca falei que era fato, eu disse que tinha ouvido por aí. Na próxima vez, verifique.

— Vou dar alguns *fatos* para você. Ouvi alguns fatos sobre sua escola anterior, Thea. Conheci uma menina de lá na quadra de tênis. Ela disse que você não regula bem da cabeça e que tiveram de te expulsar. Bem, se quiser saber, eu acho que eles acertaram. Quanto mais cedo te expulsarem daqui, melhor, no que me diz respeito.

Kate levantou e deu meia-volta para encarar Helen. A expressão dela estava bem diferente da simpática que eu tinha visto no trem. Era a imagem de uma raiva surda e fria que me assustou um pouco.

— Sabe qual é o seu problema? – Kate inclinou o corpo para frente de modo que Helen teve de recuar, quase involuntariamente. – Você desperdiça tempo demais ouvindo boatos. Se parasse de acreditar em todas as fofoquinhas maldosas que abundam por aqui, não teria ficado de castigo.

– Foda-se – cuspiu Helen, e então todas elas pularam de susto quando uma voz soou atrás do pequeno grupo.

Era a Srta. Farquharson, Gin.

– Tudo bem aí?

Helen olhou para Thea e pareceu morder a língua.

– Sim, Srta. Farquharson – ela disse, de mau humor.

– Thea? Kate?

– Sim, Srta. Farquharson – disse Kate.

– Ótimo. Olhem só, tem duas meninas novas atrás de vocês, procurando lugar para sentar, e ninguém as convidou. Fatima, Isa, sentem aí nos bancos. Helen, precisa de um lugar para sentar?

– Não, Srta. Farquharson. Jess está guardando um lugar para mim.

– Então sugiro que vá lá sentar.

A Srta. Farquharson deu meia-volta e já estava indo embora, mas parou e sua expressão mudou. Ela se abaixou e cheirou o ar sobre a cabeça de Thea.

– Thea, que cheiro é esse? Por favor, não me diga que andou fumando dentro da escola. A Srta. Weatherby deixou bem claro no último semestre que se isso acontecesse de novo chamaríamos seu pai e trataríamos da suspensão.

Todas ficaram caladas um tempo. Vi os dedos de Thea apertando a beirada da mesa. Ela trocou olhares com Kate e então abriu a boca, mas, para minha surpresa até, fui eu que falei primeiro:

– Ficamos num vagão para fumantes, Srta. Farquharson. No trem vindo para cá. Tinha um homem fumando charuto e a pobre Thea estava sentada ao lado dele.

– Foi horrível – Fatima elaborou. – Muito fedorento mesmo. Fiquei nauseada, apesar de estar perto da janela.

A Srta. Farquharson virou para olhar para nós e vi que estava nos avaliando – eu com minha cara e sorriso de menina e Fatima com seus olhos pretos inocentes e sem maldade. Senti os dedos subindo nervosos no meu cabelo e fiz força para me controlar, trancei os dedos nas costas, como um tipo de camisa de força. A Srta. Farquharson meneou a cabeça bem devagar.

– Que desagradável. Bom, não vamos mais falar disso, Thea. Dessa vez passa. Agora sentem, meninas. As encarregadas do atendimento hoje vão começar a servir daqui a pouco.

Nós sentamos e a Srta. Farquharson se afastou.

– Cacete... – sussurrou Thea.

Ela se esticou para o lado da mesa onde eu estava e apertou minha mão, seus dedos frios contra os meus, ainda trêmulos de nervoso.

– E... nossa, nem sei o que dizer. Obrigada!

– Fala sério – disse Kate.

Ela balançou a cabeça com um misto de alívio e renovada admiração. A fúria de aço que tinha visto na expressão dela quando enfrentou Helen tinha sumido, era como se nunca tivesse existido.

– Vocês duas armaram essa feito profissionais.

– Bem-vindas ao Jogo da Mentira – disse Thea, e olhou para Kate.– Certo?

Kate fez que sim.

– Bem-vindas ao Jogo da Mentira. Ah... – ela deu um enorme sorriso – ... e dez pontos.

Fatima e eu não demoramos muito para descobrir que os quartos da torre eram considerados os melhores. Aliás, ficamos sabendo logo na primeira noite. Eu tinha voltado para o nosso quarto depois de assistir a um filme na sala comum. Fatima já estava lá, deitada na cama, escrevendo o que parecia ser uma carta em papel fino de correio aéreo, com o cabelo preto caindo feito uma cortina de seda escura dos dois lados do rosto.

Ela levantou a cabeça quando entrei e bocejou, e vi que já estava de pijama, uma blusa curta sem mangas e short cor-de-rosa de algodão. A blusa enrolou quando ela espreguiçou e vi uma faixa de barriga sem gordura nenhuma.

– Pronta para dormir? – ela perguntou, sentando na cama.

– Prontíssima.

Sentei no colchão e as molas guincharam. Tirei os sapatos.

– Meu Deus, estou exausta. Tantas caras novas...

– Eu sei disso. – Fatima balançou a cabeça, jogando o cabelo para trás, e deixou a carta dobrada na mesa de cabeceira. – Não aguentava mais conhecer gente depois do jantar, por isso vim para cá. Fiz mal?

– Não seja boba. Acho que é o que eu devia ter feito. Mas não conversei mesmo com ninguém, quase todas as meninas eram mais jovens.

– Qual era o filme?

– *As patricinhas de Beverly Hills* – respondi prendendo um bocejo, então virei de costas e comecei a desabotoar a blusa.

Tinha imaginado um cubículo, como nas histórias de internatos, com cortinas em volta, mas isso, afinal, era só nos dormitórios. As meninas nos quartos tinham de dar privacidade para a companheira quando necessário.

Eu já estava de pijama, procurando minha bolsa de cosméticos no armário, quando um barulho me fez parar e olhar para trás. Tinha parecido uma batida na porta, só que não veio do lado da porta.

– Foi você? – perguntei para Fatima.

Ela balançou a cabeça.

– Já ia perguntar a mesma coisa. Parece que veio da janela.

A cortina estava fechada, nós duas ficamos ouvindo, tensas e parecendo bobas. Eu já ia dispensar aquilo com uma risada e um comentário sobre Rapunzel, quando ouvimos o barulho de novo, mais alto dessa vez. Nós gritamos e rimos de nervoso.

Esse tinha sido definitivamente da janela mais perto da minha cama, por isso fui até lá com passos firmes e abri a cortina.

Não sei o que esperava, mas o que quer que fosse, não era o que eu vi: um rosto branco espiando pelo vidro, cercado pela escuridão. Fiquei um minuto boquiaberta, então me lembrei do que tinha visto do micro-ônibus quando chegava à escola: os tendões coleantes e pretos das escadas de incêndio subindo idênticos dos dois lados do prédio e em volta das torres, e espiei mais de perto. Era Kate.

Ela sorriu de orelha a orelha e fez um movimento de torcer o pulso. Entendi que queria que eu abrisse a janela.

O fecho estava enferrujado e duro, fiquei um tempo tentando e finalmente cedeu, com um guincho agudo.

– Ora – disse Kate apontando para a estrutura precária de metal preto que víamos em silhueta contra o fundo mais claro do mar –, o que vocês estão esperando?

Virei para trás e olhei para Fatima, que deu de ombros e fez que sim com a cabeça. Peguei o cobertor do pé da minha cama, subi no parapeito da janela e saí para a fria escuridão de outono.

Lá fora o ar da noite estava parado e calmo e, enquanto Fatima e eu seguíamos Kate em silêncio subindo os degraus trêmulos de metal da escada de incêndio, pude ouvir as ondas quebrando ao longe na praia de cascalho, e os gritos das gaivotas esvoaçando e seguindo para o mar.

Thea estava à nossa espera no topo da escada quando chegamos à última curva de degraus da torre. Ela usava uma camiseta que mal cobria suas coxas compridas e magras.

– Estenda esse cobertor – ela disse para mim, eu o estendi sobre o aramado e sentei ao lado dela.

– Então agora vocês sabem – disse Kate com um sorriso cúmplice. – Vocês têm o nosso segredo nas mãos.

– E tudo que podemos oferecer pelo seu silêncio – disse Thea com a voz arrastada – é isso – ela ergueu uma garrafa de Jack Daniel's –, e isso – ela pegou um maço de Silk Cut. – Vocês fumam?

Thea bateu no maço e o estendeu para nós com um cigarro para fora.

Fatima balançou a cabeça.

– Não. Mas quero um pouco daquilo – ela indicou o bourbon com a cabeça, e Kate passou a garrafa.

Fatima bebeu um longo gole, estremeceu e secou a boca com um sorriso largo.

– Isa? – disse Thea, ainda oferecendo o cigarro.

Eu não fumava. Havia experimentado uma ou duas vezes na escola em Londres e não gostei. Mais do que isso, sabia que meus pais odiariam se eu fumasse, especialmente meu pai, que tinha fumado quando jovem e sofria recaídas periódicas de falta de amor-próprio e charutos.

Mas ali... ali eu era outra pessoa... uma pessoa nova.

Ali eu não era mais a menina conscienciosa que sempre entregava o dever de casa em dia e que passava o aspirador de pó em casa antes de sair com as amigas.

Ali eu podia ser quem eu quisesse. Ali eu podia ser alguém completamente diferente.

– Obrigada – eu disse.

Peguei o cigarro do maço que Thea oferecia e, quando Kate acendeu seu isqueiro Bic, eu me inclinei para a chama dentro das mãos dela em concha, meu cabelo caiu sobre o braço moreno como uma carícia e dei uma tragada com cuidado, pisquei com a ardência da fumaça nos olhos e torci para não tossir.

– Obrigada pelo que fez mais cedo – disse Thea. – Quero dizer, sobre fumar aqui. Você... você realmente me tirou de uma fria. Não sei o que aconteceria se eu fosse expulsa de novo. Acho que papai poderia me internar de vez.

— Não foi nada. — Soprei a fumaça que subiu, passou dos telhados da escola, indo para uma gloriosa lua branca, quase cheia. — Mas o que você quis dizer, aquilo que falou no jantar? Sobre os pontos?

— É como marcamos — disse Kate. — Dez pontos por enganar alguém completamente. Cinco por uma história inspirada ou por fazer outra jogadora rir. Quinze pontos por derrubar alguém muito besta. Mas os pontos não contam para nada importante, é só... não sei. Para ficar mais divertido.

— É uma versão de uma brincadeira que costumavam fazer em uma das minhas outras escolas — disse Thea, dando uma tragada lânguida do cigarro. — Faziam com as meninas novas. A ideia era convencê-las a fazer alguma coisa idiota — sabe, dizer que era tradição todas as alunas levarem a toalha de banho para as aulas noturnas para apressar o banho à noite, ou persuadi-las que as do primeiro ano só podiam andar no sentido horário na quadra. Coisas ridículas. Quando vim para cá, eu era a menina nova de novo e pensei, que se danem. Dessa vez sou eu que vou mentir. E dessa vez será pra valer. Não vou fazer com as alunas novas, as que não podem se defender. Farei com as que estão no comando, professoras, meninas populares. As que pensam que estão acima disso tudo — ela soprou a fumaça. — Só que a primeira vez que menti para Kate, ela não estourou nem ameaçou me excomungar, ela apenas riu. Foi aí que eu soube. Ela não era como as outras.

— Você também não é — Kate disse em tom de conspiração —, certo?

— Certo — disse Fatima, que bebeu mais um gole da garrafa e sorriu.

Eu apenas meneei a cabeça. Botei o cigarro nos lábios e inalei profundamente dessa vez, senti a fumaça descer para meus pulmões e passar para o sangue. Minha cabeça rodou e a mão que segurava o cigarro tremeu quando o deixei no aramado da plataforma da escada de incêndio, mas não falei nada, torcendo para as outras não notarem a súbita vertigem.

Percebi que Thea me observava e tive a convicção mais estranha de que, apesar da minha compostura, ela não se deixou enganar, sabia exatamente o que estava acontecendo na minha cabeça e o esforço que eu fazia para fingir que estava acostumada com isso, mas ela não me provocou, apenas passou a garrafa.

– Beba aí – ela disse, e as vogais soaram cortantes como vidro e logo depois, como se reconhecesse o próprio autoritarismo, deu um sorriso largo que suavizou a rigidez da ordem. – Você precisa de alguma coisa para aliviar o nervosismo do primeiro dia.

Pensei na minha mãe dormindo sob um lençol num hospital, com veneno pingando nas veias, meu irmão sozinho em seu novo quarto na Charterhouse, meu pai voltando à noite de carro para nossa casa vazia em Londres... meus nervos cantaram, esticados feito cordas de violino, e fiz que sim com a cabeça e peguei a garrafa com a mão livre.

Quando o uísque encheu minha boca, queimou como fogo e tive de lutar contra a necessidade de bufar e tossir, mas engoli e ele escaldou todo o caminho até o estômago, senti as fibras tensas do meu âmago relaxando, só um pouco. Devolvi a garrafa para Kate.

Ela encostou a garrafa nos lábios e quando bebeu não foi um gole cuidadoso como os que Fatima e eu demos, foram dois, três goles grandes sem intervalo nem careta. Era como se bebesse leite.

Quando Kate terminou, secou a boca e seus olhos cintilaram no escuro.

– Por nós – disse ela, levantando a garrafa bem alto, e a luz da lua refletiu no vidro. – Que nós nunca envelheçamos.

Thea, de todas elas, é quem não vejo há mais tempo, por isso a imagem na minha mente quando desço a escada é da menina de dezessete anos atrás, com aquele lindo rosto e o cabelo parecendo uma tempestade chegando num céu com sol.

Quando dou a volta nos degraus balançantes, não é Thea que vejo primeiro, mas a aquarela que Ambrose pintou, no canto da escada, de Thea nadando no Reach. Ambrose pegou a luz do sol na pele dela e o prisma de luz filtrando na água, Thea está com a cabeça jogada para trás, o cabelo comprido grudado no crânio, e isto a deixa ainda mais deslumbrante.

É com esse quadro na cabeça que dou a última volta, imaginando o que esperar... e Thea está lá.

Mais linda do que antes. Nunca imaginei que isso fosse possível, mas é verdade. O rosto está mais magro, as feições mais definidas e o cabelo escuro cortado bem curto. É como se a beleza dela fosse o básico mais simples, livre da cachoeira dos dois tons de cabelo sedoso, da maquiagem e das joias.

Ela está mais velha, mais atraente e mais magra... magra demais. No entanto, exatamente igual.

Eu me lembro daquele brinde de Kate, naquela noite há muito tempo, quando mal nos conhecíamos. *Que nós nunca envelheçamos...*

– Thee – suspiro.

Então vou abraçá-la, sinto os ossos, Fatima também, e dá risada e Thee fala:

– Pelo amor de Deus, vocês duas! Estão me esmagando! E cuidado com as minhas botas, o imbecil me expeliu do táxi na metade do Reach. Praticamente tive de vir chapinhando até aqui.

Ela cheira a cigarro... e álcool, a doçura parece frutas maduras demais no hálito dela, quando ri com a cara no meu cabelo antes de soltar nós duas e ir até a mesa da janela.

– Não consigo acreditar que vocês duas já são mães.

O sorriso é como sempre foi, curvo, meio irônico, escondendo segredos. Ela puxa a cadeira que sempre usou quando nos reuníamos para fumar e beber de madrugada, senta e põe na boca um cigarro Sobranie, preto de ponta dourada.

– Como foi que deixaram párias que nem vocês reproduzirem?

– Pois é. – Fatima puxa a cadeira e senta do outro lado, de costas para o fogão. – Foi mais ou menos isso que eu disse para Ali quando me deram Nadia no hospital para levar para casa. O que eu faço agora?

Kate pega um prato e oferece para Thea, erguendo uma sobrancelha.

– Sim? Não? Você comeu? Sobrou bastante cuscuz.

Thea balança a cabeça e acende o cigarro antes de responder soprando uma nuvem de fumaça.

– Estou bem. Só quero um drinque. E saber por que diabos estamos todas aqui.

– Temos vinho... e vinho... – diz Kate, e olha para a cômoda torta – E... vinho. É isso.

– Meu Deus, você está pegando leve comigo. Nada de destilados? Então está bem, acho que vou querer vinho.

Kate serve em uma das taças verde e azul, uma taça enorme, cabe pelo menos um terço da garrafa, e dá para Thea, que levanta a taça e fica admirando a vela no centro da mesa através das profundezas de rubi.

– A nós – ela diz. – Que nunca envelheçamos.

Mas agora eu não quero beber a isso. Eu quero envelhecer. Quero envelhecer, ver Freya crescer, sentir as rugas no rosto.

Sou salva de comentar quando Thea para com a taça perto da boca e aponta o dedo para o copo de limonada de Fatima.

– Espere aí, espere aí, que merda é essa? Limonada? Você não pode beber e brindar com limonada. Você não emprenhou de novo, não é?

Fatima balança a cabeça e sorri, então aponta para o lenço sobre os ombros.

— Os tempos mudaram, Thea. Isso não é só um acessório de moda.

— Ah, querida, por favor, usar um hijab não significa que você precisa ser uma freira! Recebemos muçulmanos no cassino o tempo todo, um deles me disse que se você beber gim-tônica não conta como álcool, é classificado como remédio, por causa do quinino.

— A, esse conselho é chamado tecnicamente nos círculos teológicos de "besteira" – diz Fatima, ainda sorrindo, mas com vestígio de aço na voz suave. — E B, você tem de pensar nos poderes dissociativos de qualquer pessoa usando um hijab em um cassino, levando em conta os ensinamentos do Corão sobre jogos de apostas.

O silêncio toma conta da sala. Troco um olhar com Kate e respiro fundo para falar, mas não consigo pensar em nada para dizer, senão dizer para Thea calar a boca.

— Você não era tão puritana – Thea fala bebendo o vinho, e sinto Kate ficar tensa ao meu lado, ansiosa, mas Thea sorri, o canto da boca entorta daquele jeito irônico. — Aliás, posso estar enganada, mas lembro especificamente de um jogo de strip-pôquer... Ou será que estou pensando numa Srta. Qureshy diferente?

— Você não era tão pentelha – responde Fatima, mas não há rancor em sua voz, e ela também sorri.

Fatima estende a mão sobre a mesa e dá um soco de leve no braço de Thea; Thea dá risada, um sorriso verdadeiro, real, aquele que é largo e generoso e que zomba dela mesma – brilha, sem que ela possa controlar.

— Mentirosa – diz ela com o sorriso largo, e a tensão evapora, como eletricidade estática descarregando na terra com um estalo inofensivo.

Não sei que horas são quando levanto da mesa para ir ao banheiro. Deve passar muito de meia-noite. Dou uma espiada em Freya na volta e ela está dormindo tranquilamente, braços e pernas abertos, totalmente solta.

Quando desço a escada curva para o lugar onde estão minhas velhas amigas, sou dominada por uma forte sensação de *déjà vu*. Fatima, Thea e Kate estão sentadas em seus lugares de sempre, e por um segundo as cabeças inclinadas em volta da luz bruxuleante da vela poderiam ter quinze anos de novo. Tenho a mais estranha impressão de um disco de vitrola arranhado, que toca repetidamente os ecos do que éramos antes e sinto os fantasmas do passado ali comigo, Ambrose... Luc... Meu coração aperta no peito, uma dor quase física, e por um instante, um breve e perfurante instante, uma imagem aparece diante dos meus olhos, uma cena que tentei com toda a força esquecer.

Fecho os olhos, cubro o rosto com as mãos e tento esfregar a imagem para que ela vá embora e para que, quando abrir os olhos de novo, eu veja só Thea, Fatima e Kate ali. Mas a lembrança permanece, um corpo estendido no tapete, quatro rostos pálidos de choque, manchados de lágrimas...

Sinto alguma coisa gelada encostar na minha mão, viro para trás com o coração disparado e examino a escada que sobe para a escuridão.

Não sei bem quem eu esperava ver... afinal não há mais ninguém aqui além de nós... mas se foi alguém, não está mais presente, só as sombras do quarto e os rostos de quem éramos espiando das paredes.

Então ouço a risada grave de Kate e entendo. Não é um fantasma, e sim uma sombra [Shadow] – o cachorro de Kate com o nariz gelado na minha mão, com olhar pidão e confuso.

– Ele pensa que é hora de dormir – diz Kate. – Espera que alguém o leve para o último passeio lá fora.

– Passeio? – diz Thea, que pega mais um Sobranie e põe a ponta dourada entre os lábios. – Que passeio nada... voto em um mergulho.

– Eu não trouxe meu maiô – digo automaticamente antes de perceber o que a sobrancelha erguida e a expressão maliciosa e provocante significam, e começo a rir, com certa relutância. – Não dá, além do mais a Freya está dormindo lá em cima. Não posso deixá-la sozinha.

– Então não nade para longe! – diz Thea. – Kate, as toalhas!

Kate levanta, bebe um gole de vinho na taça sobre a mesa na nossa frente e vai até um armário perto do fogão. Dentro dele estão toalhas felpudas, desbotadas num tom de cinza-claro. Ela joga uma para Thea e outra para mim. Fatima ergue as mãos.

– Obrigada, mas...

– Qual é? – diz Thea com voz arrastada. – Somos todas mulheres, certo?

– É o que todas dizem, até um bebum aparecer, voltando do bar. Dispenso essa, saúde.

– Como quiser – diz Thea. – Vamos lá, Isa, Kate, não me decepcionem, suas perdedoras.

Ela levanta também e começa a desabotoar a blusa. Já dá para ver que não está usando sutiã.

Eu não quero me despir. Sei que Thea ia rir da minha insegurança, mas não consigo parar de pensar no meu corpo pós-gravidez, os seios cheios de veias azuis e de leite, e as marcas de estrias na barriga ainda flácida. Seria diferente se Fatima fosse nadar também, só que ela não vai, seremos apenas Thea, Kate e eu, as duas magras e elegantes como eram há dezessete anos. Mas eu sei que não vou escapar disso sem uma provocação de Thea. Além disso, uma parte de mim *quer* ir. Não é só o cabelo grudento no pescoço e meu vestido colado no suor das costas. É mais do que isso. Estamos todas aqui. Uma parte de mim quer reviver o passado.

Pego uma toalha e vou lá para fora. Nunca tive coragem de mergulhar primeiro quando éramos adolescentes. Não sei por quê... alguma superstição estranha, medo do que podia estar escondido na água. Se as outras estivessem lá, eu estaria a salvo. Eram sempre Kate ou Thea que lideravam o avanço, em geral correndo pelo cais e pulando abraçadas aos joelhos dobrados, gritando, no meio do Reach, onde a correnteza era forte. E agora eu não tenho coragem de não pular primeiro.

Meu vestido é macio, de algodão elástico, tiro com um único movimento e largo no chão ao meu lado, desprendo o sutiã e dispo a calcinha. Então respiro fundo e desço para a água – rapidamente, antes que as outras saiam e vejam minha nudez fora de forma.

– Oba, Isa entrou na água! – ouço dizerem lá de dentro quando volto para a superfície bufando água, com frio.

Faz calor essa noite, a ponto de transpirar, mas a maré está cheia e o Reach é todo água salgada que entra direto pelo canal.

Conforme espadano na água e bufo enquanto minha pele se acostuma com a temperatura, Thea caminha lentamente para o cais. Ela está nua e vejo pela primeira vez que seu corpo também mudou, drasticamente como o meu, de certa forma. Ela sempre foi magra, mas agora deve estar beirando a anorexia, a barriga côncava, os seios como pires rasos sobre costelas bem visíveis. Mas uma coisa não mudou – a segurança mais completa ao andar com passos leves até a ponta da plataforma, com a luz formando uma sombra comprida e fina sobre a água. Thea nunca teve vergonha da nudez.

– Saiam da minha frente, vadias – diz ela, e então mergulha, um mergulho perfeito, longo e raso. É também estupidamente suicida. O Reach não é muito fundo e é cheio de obstáculos, pedaços de pau enfiados no leito do rio, vestígios de cais antigos e postes de ancoradouro, cestos de lagostas, lixo que desce com a correnteza, bancos de areia que se movem e mudam com as marés e o passar dos anos. Ela poderia ter facilmente quebrado o pescoço, e vejo Kate fazer uma careta horrorizada com as mãos na boca... mas então Thea emerge e sacode a cabeça como um cachorro se secando.

– O que você está esperando? – ela grita para Kate, que dá um longo suspiro de alívio.

– Sua *idiota* – ela diz com algo próximo de raiva na voz. – Tem um banco de areia bem aí no meio, você podia ter se matado.

– Mas não me matei – retruca Thea.

Ela bufa de frio e os olhos brilham. O braço está todo arrepiado quando ela acena para Kate.

– Venha, entre no mar, mulher.

Kate hesita, e naquele instante imagino que talvez saiba o que ela está pensando. Vejo uma imagem mentalmente... um poço raso se enchendo de água, as laterais de areia desmoronando... Então, ela endireita as costas com uma provocação inconsciente em cada osso.

– Está bem.

Kate tira a camiseta, a calça jeans, vira para desprender o sutiã e por último, antes de entrar na água, pega a garrafa de vinho que tinha levado para o cais e toma um gole sôfrego, demorado. Tem alguma coisa na inclinação da cabeça e no movimento da garganta que é insuportavelmente jovem e vulnerável, e por um momento os anos retrocedem, e ela é a mesma Kate sentada na escada de incêndio da Salten House, jogando a cabeça para trás para secar a garrafa de uísque.

Então deixa a garrafa cair sobre a pilha de roupa, se aprupa para o mergulho e eu até sinto as ondinhas na água quando ela se joga, a metros de distância de onde estou, e afunda sob a superfície salpicada de luar.

Fico esperando que ela suba perto de mim... mas ela não aparece. Não há bolhas e é impossível ver onde está, o luar reflete na água e dificulta a visão do que há dentro d'água.

— Kate? – eu chamo boiando, sentindo a angústia aumentar com os segundos passando e nenhum sinal dela. – Thea, onde foi que a Kate se meteu?

Aí sinto alguma coisa agarrando meu tornozelo, uma pegada forte e gelada que me puxa para baixo, para o fundo do Reach. Respiro antes de afundar, mas não tenho tempo de gritar, tento me livrar do que me agarrou.

De repente estou livre, subo para a superfície engasgada, esfrego a água salgada dos olhos e vejo o rosto de Kate com um sorriso de orelha a orelha ao meu lado, me segurando sobre a água.

— Sua praga! – exclamo bufando, sem saber se dou um abraço ou um caldo. – Você podia ter me avisado!

— Isso ia estragar a brincadeira – diz Kate, sem ar, olhos brilhantes, dando risada.

Thea está lá longe, bem no meio do Reach onde a corrente é mais forte e o rio mais fundo, boiando de costas ao sabor da maré, nadando para se manter no mesmo lugar.

— Venham para cá – ela chama. – Está muito lindo.

Fatima assiste do cais enquanto Kate e eu nadamos para junto de Thea, que está boiando suspensa no reflexo das estrelas. Boiamos de costas também, sinto as mãos dela segurando as minhas e flutuamos como uma constelação de corpos, brancos ao luar, de mãos dadas, dedos apertando, batendo na água e soltando, depois agarrando de novo.

— Venha, Fati – chama Thea. – Isso aqui está maravilhoso.

E está mesmo. Agora que o choque do frio já passou, ficou surpreendentemente quente e a lua está quase cheia. Quando mergulho, consigo vê-la cintilando, refratada em milhares de cacos pontudos que furam a água barrenta e leitosa do Reach.

Volto para a superfície e vejo que Fatima chegou mais perto da lateral do cais, está sentada na beirada, molhando os dedos na água, quase triste.

— Não é a mesma coisa sem você – Kate implora. – Anime-se... você sabe que quer vir pra cá...

Fatima balança a cabeça e fica de pé. Imagino que vai voltar lá para dentro. Mas é engano meu. Boiando, vejo que ela respira fundo e depois mergulha, de roupa e tudo, os lenços adejando como asas de um pássaro no vento da noite, e bate na água com estalo.

– Ora, ora! – grita Thea. – Ela mergulhou!

Nós avançamos abrindo caminho na água com braçadas de peito até ela, rindo e tremendo com uma espécie de histeria, Fatima ri também, se livra dos lenços e nos abraça para flutuar enquanto a correnteza leva suas roupas.

Estamos juntas mais uma vez.

E naquele breve instante, é a única coisa que importa.

É tarde da noite. Tínhamos saído da água rindo e xingando, arranhamos as canelas na madeira podre e cheia de farpas, secamos o cabelo e a pele arrepiada com as toalhas. Fatima tirou a roupa molhada balançando a cabeça, inconformada com a própria estupidez, e agora estávamos deitadas e sonolentas no velho sofá de Kate, de pijama e camisola, um emaranhado de braços e pernas cansados e de cobertas macias e bem usadas, fofocando, lembrando, contando as histórias antigas – *vocês lembram*...

O cabelo de Fatima está solto e molhado e seu rosto parece mais jovem com essa moldura, bem mais parecida com a menina que era. É difícil acreditar que tem marido e dois filhos. Enquanto olho para ela, rindo de alguma coisa que Kate disse, o relógio de parede toca baixinho duas vezes e ela vira para olhar.

– Ai, droga. Não acredito que já são duas horas! Eu preciso dormir.

– Você não é páreo... – diz Thea.

Ela não parece nada cansada, aliás parece que ficaria ali horas e horas, os olhos brilham e ela bebe os últimos goles de uma taça de vinho.

– Noite passada eu só comecei o meu turno à meia-noite!

– Mas é exatamente isso. Para você está tudo bem – diz Fatima. – Algumas de nós passamos anos nos condicionando aos horários rígidos do trabalho, de nove às cinco, e a dois filhos pequenos. É difícil sair disso. Olha só, Isa também está bocejando!

Todas olham para mim e tento, sem sucesso, segurar o bocejo que já está no meio, então dou de ombros e sorrio.

– Desculpem, o que posso dizer? Perdi o pique junto com a minha cintura. Mas Fatima tem razão... Freya acorda às sete. Tenho de dormir algumas horas antes disso.

– Então vamos – diz Fatima, levantando e espreguiçando. – Para a cama.

– Esperem – diz Kate em voz baixa, e percebo que de todas nós ela era a mais quieta naquela última parte da noite.

Fatima, Thea e eu contamos nossas histórias preferidas, anedotas zombando umas das outras, desencavamos lembranças... mas Kate ficou em silêncio o tempo todo, guardando os pensamentos. E agora a voz dela é uma surpresa, por isso nós três viramos para ela. Kate está encolhida na poltrona, o cabelo solto sombreia o rosto, e tem alguma coisa na expressão que nos abala. Meu estômago dá cambalhotas.

– O que foi? – pergunta Fatima, com a voz ressabiada.

Ela senta de novo, mas na beira do sofá, enrolando nos dedos o lenço que tinha posto na proteção do fogão para secar.

– O que é, Kate?

– Eu... – Kate começa a falar, mas para e olha para o chão. – Ai, meu Deus – diz, meio que para ela mesma. – Não sabia que ia ser tão difícil.

E de repente sei o que ela vai falar e não sei se quero ouvir.

– Desembucha – diz Thea com voz áspera. – Fale logo, Kate. Já enrolamos muito tempo, é hora de nos contar por quê.

Por que o quê? Kate poderia retrucar. Mas nem precisa. Nós sabemos o que Thea quer dizer. Por que estamos ali. O que aquela mensagem de texto queria dizer, aquelas três palavrinhas: *preciso de vocês*.

Kate respira fundo, levanta a cabeça com o rosto na sombra.

Mas para surpresa minha, ela não diz nada. Em vez disso, levanta, vai até a pilha de jornais no pote ao lado do fogão que ficava ali para atear fogo na lenha. Ela estende para nós o que está em cima, *Salten Observer*, sem dizer nada, personificando todo o medo que tinha escondido aquela noite longa e inebriada.

Tem a data de ontem e a manchete na primeira página é muitos simples.

OSSO HUMANO ENCONTRADO NO REACH.

REGRA NÚMERO DOIS
INSISTA NA SUA HISTÓRIA

—M erda – a voz que rompe o silêncio é de Fatima, e me surpreende com a veemência. – *Merda*.

Kate deixa o jornal cair, eu o pego e examino a página. A polícia foi chamada para identificar os restos encontrados na margem norte do Reach, em Salten...

Minha mão treme tanto que mal consigo ler, e frases desconexas se misturam quando examino a página do jornal. *Porta-voz da polícia confirmou... restos de ossos humanos... testemunha anônima... mau estado de conservação... moradores chocados... área interditada para o público...*

– Eles... – a voz de Thea falha, coisa que raramente acontece, e ela reinicia a frase: – Eles sabem...

Ela para.

– Eles sabem de quem é? – completo para ela com a voz áspera e rouca, olhando para Kate, que está de cabeça baixa sob o peso das nossas perguntas.

O jornal treme na minha mão, com ruído de folhas secas caindo.

– O corpo?

Kate balança a cabeça, mas nem precisa falar o que sei que todas nós estamos pensando: *ainda não...*

– É só um osso. Pode não ter ligação nenhuma, não é? – diz Thea, que depois faz uma careta. – Porra, quem estou tentando enganar? *Merda!*

Ela bate na mesa o punho da mão que segura a taça, o vidro quebra e cacos se espalham por toda parte.

– Ah, Thee – diz Kate bem baixinho.

– Deixe de ser a rainha do dramalhão, Thee – disse Fatima, zangada.

Ela vai até a pia pegar um pano e uma escova.

– Você se cortou? – pergunta, virando a cabeça para trás.

Thea balança a cabeça com o rosto muito pálido, mas deixa Fatima examinar sua mão, secando os respingos de vinho com uma toalhinha de chá. Quando Fatima empurra a manga da blusa de Thea para cima, vejo o que o luar lá fora escondia – riscos de cicatrizes brancas na parte de dentro do braço, fechados há muito tempo, mas ainda visíveis, e não consigo evitar fazer uma careta e desviar o olhar, lembrando de quando aqueles cortes eram recentes e estavam em carne viva.

– Sua idiota – diz Fatima, mas seu toque é suave quando tira os cacos de vidro da palma da mão de Thea, e há um certo tremor na sua voz.

– Eu não posso fazer isso – diz Thea balançando a cabeça, e pela primeira vez percebo que está muito embriagada, que só *parece* bem. – Não de novo, não agora. Até boatos... os cassinos são ultrarrígidos, vocês sabem disso? E se a polícia se envolver... – a voz dela falha, e vem o ruído de um soluço querendo sair. – Merda, eu posso perder minha licença de jogo. Nunca mais poder trabalhar.

– Olha, estamos *todas* no mesmo barco – diz Fatima. – Pensa que alguém quer uma médica com questões desse tipo pendendo sobre a cabeça? Ou uma advogada? – ela inclina a cabeça para mim. – Isa e eu temos tanto a perder quanto você.

Ela não menciona Kate. Nem precisa.

– Então o que vamos fazer? – Thea pergunta, olha para mim, para Kate, para Fatima. – Merda. Por que diabos você nos chamou?

– Porque vocês tinham o direito de saber – diz Kate, com a voz trêmula. – E porque eu não consegui pensar em um jeito mais seguro de contar para vocês.

– Temos de fazer o que devíamos ter feito anos atrás – diz Fatima com veemência. – Acertar nossa história antes de nos interrogarem.

– A história é o que sempre foi – diz Kate.

Ela puxa o jornal de mim e o dobra para não vermos a manchete, quase cortando a página com as unhas. Suas mãos tremem.

– A história é que não sabemos de nada. Não vimos nada. Não podemos fazer nada além disso – não podemos mudar a nossa história.

— Eu quis dizer, o que vamos fazer agora? – Thea pergunta mais alto. – Ficamos? Vamos embora? Fatima tem o carro dela. Nada nos obriga a ficar aqui.

— Você fica – diz Kate, e a voz dela tem um tom que lembro muito bem – uma determinação tão absoluta que era impossível discutir. – Você fica, porque, no que diz respeito a todos os interessados, você veio para o jantar de amanhã.

— O quê? – Thea estranha e pela primeira vez lembro que as outras não sabem disso. – Qual jantar?

— O jantar das alunas.

— Mas não fomos convidadas – diz Fatima. – Certamente não vão nos deixar voltar, não é? Não depois do que aconteceu.

Kate dá de ombros e, à guisa de resposta, vai até o quadro de cortiça ao lado da pia, tira uma tachinha que prende quatro convites brancos e volta com os cartões na mão.

— Parece que vão – diz ela estendendo os convites para nós.

A Associação das Antigas Alunas da Salten House convida

....

para o Baile de Verão das Alunas.

No espaço de cada cartão está escrito nossos nomes, a mão, com caneta-tinteiro azul-marinho.

Kate Atagon
Fatima Chaudhry (nascida Qureshy)
Thea West
Isa Wilde

Kate fica segurando os cartões em leque como cartas de baralho, parece nos convidar a pegar um, fazer uma aposta.

Mas não estou olhando para os nomes, nem para o dourado da gravação do próprio texto. Estou vendo em todos eles o furo feito pela tacha que os prendia ao quadro de cortiça. E pensando que por mais que batalhássemos para sermos livres, era assim que sempre terminava, nós quatro empaladas juntas pelo passado.

Arte era um bônus para a maioria de nós na Salten House, que a escola chamava de "enriquecimento", a não ser que você estivesse estudando para uma prova, e eu não estava, por isso foi só depois de algumas semanas, quando os dias na Salten já tinham se tornado quase rotina, que conheci os estúdios de arte e Ambrose Atagon.

Como quase todas as escolas de arte, Salten agrupa as alunas em casas da escola, cada uma batizada com o nome de uma deusa grega. Fatima e eu fomos postas na mesma casa, de Ártemis, a deusa da caça, por isso nosso enriquecimento aconteceu mais ou menos ao mesmo tempo e nós nos vimos procurando os estúdios numa manhã gelada de outubro, depois do café da manhã, andando para lá e para cá no quadrado entre prédios, à procura de alguém mais experiente do que nós para perguntar.

– Onde é, afinal? – Fatima repetiu pela décima vez, e talvez pela oitava vez respondi:

– Eu não sei, mas vamos encontrar. Pare de dar piti.

Assim que falei isso, uma segundanista agarrada a um enorme bloco de papel de aquarela passou por nós indo para as salas de matemática, e eu gritei:

– Ei, você! Está indo para a arte?

Ela virou com o rosto corado de pressa.

– Estou, e atrasada. O que é?

– Temos aula de arte também, estamos perdidas, podemos seguir você?

– Sim, mas apressem-se.

Ela passou correndo por uma arcada coberta de cerejas-da-neve e por uma porta de madeira que nunca vimos antes, escondida nas sombras do arbusto de cereja-da-neve.

Lá dentro havia o inevitável lance de escada – nunca estive tão em forma desde que saí de Salten –, subimos e subimos atrás dela, dois ou três andares, até eu começar a imaginar para onde estávamos indo.

Finalmente os lances de escada se abriram para um pequeno patamar que tinha uma porta de vidro aramado, que a menina abriu.

Dava para uma grande galeria com teto abobadado, paredes baixas e o telhado em arco com ponta triangular. O espaço sobre nossas cabeças tinha um traçado xadrez de vigas de sustentação e escoras de onde pendiam esboços para secar e equilibrados com itens estranhos, provavelmente usados para composições de natureza-morta – uma gaiola vazia, um alaúde quebrado, um sagui empalhado com olhos tristes e inteligentes.

Não havia janelas porque as paredes eram baixas demais, só claraboias no telhado abobadado, e entendi que devíamos estar nos sótãos sobre as salas de matemática. O espaço era todo iluminado pelo sol de inverno, cheio de objetos e quadros, completamente diferente de qualquer outra sala de aula que eu tinha visto até então – todo pintado de branco, estéril e extremamente "clean" – parei na porta curtindo a impressão estonteante.

– Desculpe, Ambrose – disse a menina, ofegante, e fiquei atônita de novo.

Ambrose? Outra coisa estranha. Os outros professores da Salten eram sempre mulheres e as chamávamos de senhorita e o sobrenome delas, independente do estado civil.

Ninguém, ninguém mesmo, usava os primeiros nomes.

Virei para ver a pessoa a quem a menina tinha se dirigido tão informalmente.

E foi a primeira vez que vi Ambrose Atagon.

Uma vez tentei descrever Ambrose para um antigo namorado, antes de conhecer Owen, mas achei quase impossível. Tenho fotografias, mas elas só mostram um homem de altura média, cabelo preto enrolado e ombros curvados por viver debruçado sobre algum desenho. Tinha o rosto magro e móvel de Kate, e os anos de desenho ao sol e de franzi-lo para se proteger da luz forte da baía tinham criado rugas que paradoxalmente faziam com que ele parecesse mais jovem do que seus quarenta e cinco anos, e não mais velho. E ele tinha os olhos azul-cobalto iguais aos de Kate, a única coisa notável que possuía, mas nem eles ganham vida numa foto como acontece nas minhas lembranças – porque Ambrose era muito vivo –, sempre trabalhando, rindo, amando... as mãos nunca paravam de mexer, sempre enrolando um cigarro, desenhando ou bebendo uma taça do tinto seco que guardava em garrafas de dois litros embaixo da pia no moinho – tão rascante que ninguém mais bebia.

Só um artista do quilate do próprio Ambrose poderia capturar toda aquela vida, as contradições da sua concentração imóvel e da energia incansável, e a atração misteriosa e magnética de um homem com aparência bem comum.

Mas ele nunca fez um autorretrato. Não que eu saiba. Uma ironia, porque ele desenhava tudo e qualquer coisa em volta dele – os pássaros no rio, as meninas na Salten House, as frágeis flores do alagado que estremeciam e eram levadas pela brisa do verão, o vento encrespando o Reach...

Ele desenhava Kate obsessivamente, enchia a casa com esboços de Kate comendo, nadando, dormindo, brincando... e mais tarde me desenhou, desenhou Thea e Fatima, mas sempre pedia nossa permissão. Ainda lembro da voz dele, a fala fragmentada e um pouco grave, muito parecida com a de Kate:

– Você, hum, se importa se eu te desenhar?

E nós nunca nos importávamos. Mas talvez devêssemos.

Numa longa tarde de verão, ele me desenhou, sentada à mesa da cozinha com uma alça do vestido caída do ombro, sustentando o queixo com as mãos, olhando fixamente para ele. E ainda consigo lembrar da sensação do sol no meu rosto, do calor do meu olhar para ele e do choque que sentia cada vez que ele levantava a cabeça do desenho, olhava para o meu rosto e nossos olhos se encontravam.

Ele me deu o desenho, mas não sei o que aconteceu com ele. Dei para Kate, porque não havia onde escondê-lo na escola e não parecia certo mostrar para meus pais, nem para as meninas da Salten House. Não teriam entendido. Ninguém teria entendido.

Depois do desaparecimento dele, correram boatos – sobre o passado dele, as acusações relacionadas a drogas, o fato de não ter qualificação para lecionar.

Mas naquele primeiro dia eu não sabia nada disso. Não fazia ideia do papel que Ambrose teria nas nossas vidas, e nós na dele, nem como os efeitos do nosso encontro continuariam reverberando nos anos seguintes. Eu fiquei lá parada, segurando a alça da minha mochila e bufando, enquanto ele endireitava as costas depois de examinar, todo curvado, o desenho de uma aluna no cavalete. Ele olhou para mim com aqueles olhos azuis, e sorriu, um sorriso que enrugava a pele acima da barba e os cantos dos olhos.

— Oi — ele disse gentilmente, largou o pincel emprestado e secou as mãos no avental de pintor. — Acho que não nos conhecemos. Sou Ambrose.

Abri a boca para falar, mas não saiu nada. Foi efeito de alguma coisa na intensidade do olhar dele. Como se pudéssemos acreditar, na hora que ele olhava para nós, que ele nos dava valor e gostava de nós. Que não havia ninguém mais no universo que importasse tanto quanto nós. Que estávamos sozinhos no meio de uma sala cheia de gente.

— Eu… Eu sou Isa — consegui dizer, finalmente. — Isa Wilde.

— Sou Fatima — disse Fatima.

A mochila dela fez barulho ao ser largada no chão, e vi que ela olhou em volta deslumbrada, como se estivesse na caverna de tesouros de Aladim, tão diferente da sem-gracice do resto da escola.

— Ora, Fatima — disse Ambrose —, e Isa, é um prazer conhecer vocês.

Ele segurou a minha mão, mas não a apertou para cumprimentar, conforme eu esperava. Em vez disso, apertou meus dedos entre os dele, feito um grampo, como se prometêssemos alguma coisa um para o outro. As mãos dele eram quentes e fortes, e havia tanta tinta profundamente entranhada nas linhas das articulações e em volta das unhas que deu para ver que nem escovando muito ia sair.

— E agora… — ele disse, acenando para trás — Entrem. Escolham um cavalete. E o mais importante, sintam-se em casa.

Foi o que fizemos.

As aulas de Ambrose eram diferentes, aprendemos isso de estalo. Primeiro notei as coisas óbvias — que Ambrose atendia pelo primeiro nome, que nenhuma das meninas usava gravata ou blazer, por exemplo.

— Nada pior do que uma gravata arrastando na sua aquarela — ele comentou naquele primeiro dia, quando disse para tirarmos as nossas.

Mas era mais do que isso – algo além da praticidade. Era um relaxamento da formalidade. Um espaço muito necessário para respirar, no meio de toda a conformidade estéril da Salten House.

Na aula, ele era profissional – apesar de todas as meninas que davam em cima dele, desabotoando as blusas até onde ele pudesse ver seus sutiãs quando se debruçavam sobre a tela. Ele mantinha distância – física e metaforicamente. Naquele primeiro dia, quando me viu atrapalhada com o desenho, ele parou atrás de mim e tive uma lembrança vívida da antiga professora de arte, Srta. Driver, que costumava se inclinar sobre os ombros das alunas para fazer alterações, de modo que podíamos sentir o calor dela pressionando as costas, e sentir o cheiro de suor.

Ambrose, diversamente, ficou mais distante, coisa de trinta centímetros atrás de mim, em silêncio, avaliando, olhando da minha folha para o espelho que eu tinha posto na mesa diante do meu cavalete. Estávamos fazendo autorretratos.

– Está uma porcaria, não é? – eu disse, sem esperança.

Então mordi a língua, esperando uma reprimenda pela linguagem rude. Mas pareceu que Ambrose nem notou. Ele só ficou ali semicerrando os olhos, quase sem me notar, com a atenção concentrada no papel. Estendi o lápis achando que ele faria correções, como fazia a Srta. Driver. Ele pegou o lápis meio distraído, mas não rabiscou nada na folha. Em vez disso, olhou para mim.

– Não está uma porcaria – ele disse muito sério. – Mas você não está vendo, está desenhando o que pensa que está lá. Olhe bem. Veja de verdade sua imagem no espelho.

Virei para o espelho e me esforcei para olhar para o meu rosto, e não para o de Ambrose, com rugas, acima do meu ombro. Só vi defeitos – as espinhas no queixo, um pouco de gordura de criança na linha do maxilar, o meu cabelo rebelde que escapava do elástico.

– O motivo de não estar convincente é que você está desenhando as feições, não a pessoa. Você é mais do que uma coleção de rugas de expressão e de dúvidas. A pessoa que vejo quando olho para você... – ele parou de falar e eu esperei, sentindo seu olhar em mim, tentando não me encolher sob a intensidade dele. – Vejo uma pessoa corajosa – ele finalmente disse. – Vejo alguém que está se esforçando muito. Vejo alguém que está nervosa, mas que é mais forte do que pensa. Vejo alguém preocupada, que não precisa estar.

Senti meu rosto pegar fogo, mas as palavras, que seriam insuportavelmente piegas vindas de qualquer outra pessoa, soaram perfeitas na voz rouca de Ambrose.

– Desenhe isso – ele disse.

Ambrose devolveu o lápis e seu rosto se abriu num sorriso, enrugando as bochechas e formando linhas nos cantos dos olhos, como se alguém tivesse desenhado ali naquele momento.

– Desenhe a pessoa que eu vejo.

Não encontrei nada para dizer. Só meneei a cabeça.

Ouço a voz dele na minha cabeça agora, cortada e rouca, muito parecida com a de Kate. *Desenhe a pessoa que eu vejo.*

Ainda tenho esse desenho em algum lugar, e mostra uma menina com a expressão aberta para o mundo, nada a esconder, além da própria insegurança. Mas essa pessoa, a pessoa que Ambrose viu e na qual acreditou, não existe mais.

Talvez nunca tenha existido.

Freya acorda quando entro na ponta dos pés no quarto de Luc (não consigo pensar naquele quarto como qualquer outra coisa) e tento botá-la para dormir de novo, mas ela não quer de jeito nenhum e no fim das contas a levo para a minha cama – cama do Luc – e a amamento deitada, apoiada em um braço por cima do corpinho compacto para não deixar meu peso cair em cima dela quando eu adormecer.

Fico assim deitada, observando Freya, esperando que o sono me leve, e penso em Ambrose... e Luc... e Kate, completamente sozinha agora, naquela casa que desmorona lentamente, com aquela linda pedra de moinho amarrada no pescoço. Está escapando, mergulhando nas areias movediças do Reach e, se ela não soltar, será arrastada junto.

A casa balança e range ao vento, suspiro e viro o travesseiro para o lado mais fresco.

Devia estar pensando em Owen e na nossa casa, mas não estou. Penso naqueles dias do passado, os dias longos e lânguidos de verão que passamos ali, bebendo, nadando e dando risada, enquanto Ambrose desenhava e Luc observava nós todos com aqueles olhos amendoados e preguiçosos.

Pode ser o quarto, mas Luc está muito presente para mim, como não esteve em dezessete anos. Deitada ali de olhos fechados, com os fantasmas das coisas dele à minha volta, o frescor dos seus lençóis na pele, tenho a mais estranha sensação de que ele está deitado ao meu lado – um estranho quente e magro de pernas e braços bronzeados e cabelo despenteado.

A impressão é tão real que me forço a virar de lado e abrir os olhos para desfazer a ilusão, e é claro que estamos só Freya e eu na cama, e balanço a cabeça.

Onde quero chegar? Sou tão errada quanto Kate, assombrada pelos fantasmas do passado.

Mas lembro de estar ali deitada uma noite, muito tempo atrás, e tenho aquela sensação de novo, do disco arranhado que toca seguidamente as mesmas vozes e faixas.

Eles estão aqui: Luc, Ambrose e não só eles, nós também, os fantasmas do nosso passado, as meninas magras e risonhas que fomos antes daquele verão que terminou com um desastre cataclísmico e nos deixou cheias de cicatrizes, tentando seguir em frente, mentindo não mais como um jogo, e sim para sobreviver.

Aqui, nessa casa, os fantasmas de quem éramos são tão reais quanto as mulheres dormindo em volta e acima de mim. Sinto a presença deles e entendo por que Kate não consegue partir.

Estou quase dormindo, pálpebras pesadas, pego meu celular para ver a hora e me rendo ao sono. Quando vou pôr o aparelho na mesa de cabeceira, a luz da telinha ilumina as tábuas irregulares do assoalho e alguma coisa chama minha atenção. É a ponta de uma folha de papel aparecendo entre as tábuas, com alguma coisa escrita. Será uma carta? Alguma coisa escrita por Luc que ficou perdida ou foi escondida ali?

Meu coração acelera como se eu estivesse me intrometendo na privacidade dele, e de certa forma estou, mas puxo delicadamente a ponta do papel e ele sai, empoeirado e com teias de aranha.

A folha tem muitos rabiscos, parece um desenho, mas, com a iluminação fraca da tela do celular, não consigo ver direito. Não quero acender a luz e acordar Freya, por isso vou até a janela aberta com as cortinas balançando à brisa do mar e levanto o papel num ângulo que receba a claridade da lua.

É uma aquarela de uma menina, de Kate, eu acho, e parece ser de Ambrose, mas não tenho certeza. E não posso saber ao certo porque o desenho está todo riscado com linhas pretas que cobrem violentamente o rosto da menina e chegaram a rasgar o papel em alguns lugares. Há furos feitos com a ponta de um lápis onde deviam ser os olhos, se não estivessem escurecidos pelos riscos grossos. Ela foi apagada, rasgada, completamente destruída.

Fico um instante ali parada com a folha de papel tremulando com a brisa do mar, querendo entender o que aquilo significa. Será que foi Luc? Mas não acredito que ele faria uma coisa dessa, ele *adorava* Kate. Será que foi a própria Kate? Por mais impossível que pareça, é mais fácil acreditar que tenha sido ela.

Enquanto tento desvendar o mistério daquela coisa impregnada de ódio, uma lufada de vento faz a cortina voar e arranca o papel dos meus dedos. Tento pegar, mas o vento é mais rápido, e tudo que me resta é ficar olhando o desenho esvoaçando para o Reach e afundando na água barrenta e leitosa.

Não sei o que era, mas, qualquer que fosse o significado daquilo, já era. Volto para a cama tremendo, apesar do calor da noite, e penso que talvez tenha sido melhor assim.

O cansaço devia bastar para eu dormir bem, mas não funciona. Adormeço com o rosto rabiscado na cabeça, mas quando sonho é com a Salten House, os corredores compridos e as escadas intermináveis, a busca incessante de salas que não encontrava, lugares que não existiam. Nos sonhos, sigo as outras por corredores e mais corredores e ouço a voz de Kate lá na frente: *É por aqui... estamos quase lá!* E o desabafo de Fatima atrás dela, *Você está mentindo de novo...*

Uma hora qualquer, Shadow acorda e late, ouço uma voz dizendo para ele calar, passos, o barulho de uma porta. Kate fazendo Shadow sair.

Depois silêncio. Ou o silêncio possível naquela casa velha e assombrada por fantasmas, com sua incessante resistência rangente à força dos ventos e das marés.

A segunda vez que acordo é com o som de vozes lá fora, cochichos alarmados de preocupação, sento na cama ainda sonolenta e confusa. É de manhã, o sol atravessa as cortinas finas e Freya se move um pouco banhada pelo sol ao meu lado. Ela choraminga e eu a amamento, mas as vozes lá fora nos distraem. Freya fica levantando a cabeça para espiar em volta, estranha o quarto e a luz diferente, muito diferente do sol amarelo e poeirento que entra no nosso apartamento de Londres nas tardes de verão. Essa luz é clara e forte – dói nos olhos e é cheia do movimento do rio, dança no teto e nas paredes como piscinas e retalhos.

E ouço as vozes o tempo todo... vozes baixas e preocupadas, até Shadow gane triste como um contraponto musical.

Acabo desistindo, embrulho Freya no seu cobertor e a mim num robe e desço descalça, sentindo os degraus velhos de madeira da escada na sola dos pés. A porta do moinho que dá para o mar está aberta e o sol entra por ali, mas mesmo antes de virar na escada já sei que tem alguma coisa errada. Vejo sangue no chão de pedra.

Paro na virada da escada, aperto Freya contra meu coração disparado, como se ela pudesse acalmar aquelas batidas dolorosas. Nem percebo o quanto estou apertando minha filha, só quando ela emite um ruído de protesto e sinto que meus dedos estão afundando nas perninhas gorduchas e macias. Eu me concentro para relaxar as mãos e fazer meus pés descerem a escada até o térreo, onde estão as manchas de sangue.

Quando chego perto, vejo que não são gotas espalhadas, como pensei no topo da escada, e sim pegadas de patas. As pegadas de Shadow. Elas entram pela porta da frente, dão uma volta e saem de novo, como se alguém o tivesse enxotado.

As vozes vêm do lado de terra do moinho, calço minhas sandálias e saio, piscando com o sol.

Lá fora, Kate e Fatima estão de costas para mim. Shadow sentado ao lado de Kate, ainda ganindo. Está de coleira e preso numa guia pela primeira vez desde que cheguei, uma guia bem curta, puxada por Kate.

– O que aconteceu? – pergunto nervosa, elas viram para mim e, quando Kate recua, vejo o que seus corpos me impediam de ver antes.

Levo um susto e cubro a boca com a mão livre. Quando consigo falar, minha voz treme um pouco:

– Ai, meu Deus... Está morta?

Não é só a visão, já vi a morte antes, é o choque, o inesperado, o contraste da massa ensanguentada diante de nós com a glória azul e dourada da manhã de verão. A lã está molhada, a maré alta deve ter encharcado o corpo e agora o sangue pinga lentamente pelas frestas da passarela para as águas rasas e lamacentas. A maré está baixa, só restaram poças de água e o sangue é suficiente para manchá-las de vermelho ferrugem.

Fatima meneia a cabeça com tristeza. Botou o lenço na cabeça para sair e parece mais a médica de trinta e poucos anos que é, não a menina da noite anterior.

– Bem morta.

– É... foi o... – não completo porque não sei bem como dizer, mas olho para Shadow.

Ele está com sangue no focinho e gane de novo quando uma mosca pousa em seu nariz, balança a cabeça para espantá-la e se lambe com a língua comprida e cor-de-rosa.

Kate dá de ombros. Parece preocupada.

– Eu não sei. Não acredito, ele nunca fez mal a uma mosca, mas é... bem, ele é capaz. Tem força suficiente.

– Mas como?

Assim que as palavras saem da minha boca, olho para a parte cercada da praia que marca a entrada do moinho. O portão está aberto.

– Merda.

– Isso. Nunca o teria deixado sair se soubesse.

– Ah, meu Deus, Kate. Sinto muito. A Thea deve...

– Thea deve o quê?

Uma voz sonolenta atrás de nós, viro e vejo Thea protegendo os olhos da luz forte do sol, o cabelo todo despenteado e um cigarro apagado entre os dedos.

Ai, Deus.

– Thea, não quis dizer... – paro, me aprumo sem jeito, mas é *verdade*, não importa como soou, não estava querendo botar a *culpa* em Thea, só entender como aquilo aconteceu.

Então ela vê a massa ensanguentada de carne e lã na nossa frente.

– Porra. O que aconteceu? O que isso tem a ver comigo?

– Alguém deixou o portão aberto – digo com pesar –, mas não quis dizer que...

– Não importa quem deixou o portão aberto – Kate interrompe com firmeza. – A culpa foi minha de não verificar se estava fechado antes de botar Shadow para fora.

– Seu cachorro fez *isso*? – pergunta Thea pálida, recua um passo para longe de Shadow e seu focinho ensanguentado. – Ah, meu Deus.

– Não sabemos se foi ele – diz Kate, bem irritada.

Fatima parece preocupada, e sei que está pensando o mesmo que eu: se não foi Shadow, quem foi?

– Venham – diz Kate, dá meia-volta, uma nuvem de moscas esvoaçam das entranhas da ovelha esparramadas na passarela e voltam logo para o seu banquete. – Vamos entrar, vou ligar para os fazendeiros e descobrir quem perdeu uma ovelha. *Merda*. Isso era a última coisa que precisávamos.

Sei o que ela quer dizer. Não é só a ovelha aparecendo quando estamos de ressaca e sem dormir direito, é tudo. É o cheiro no ar. A água batendo nos nossos pés, que não é mais a água boa, está poluída com sangue. É a sensação da morte se aproximando do moinho.

Kate faz quatro ou cinco ligações para encontrar o fazendeiro dono da ovelha, depois esperamos, tomando café e procurando ignorar o zumbido das moscas que ouvimos mesmo de porta fechada. Thea voltou para a cama e Fatima e eu nos distraímos com Freya, cortando uma torrada para ela brincar, porque ela não come de verdade, só espreme nas gengivas.

Kate anda de um lado para outro inquieta, feito tigre enjaulado, das janelas que dão para o Reach até o pé da escada e de novo, e de novo. Está fumando e a fumaça em ondas do cigarro artesanal é o único sinal de que seus dedos tremem um pouco.

De repente ela levanta a cabeça como fazem os cães e um segundo depois ouço o que ela já tinha ouvido: o barulho de pneus na entrada da casa. Kate vira de repente e vai lá para fora, fecha a porta do moinho depois de sair. Através da madeira ouço vozes, uma profunda e cheia de frustração, a outra de Kate, baixa, se desculpando.

– Sinto muito... – eu ouço, e depois – ... a polícia?

– Você acha que devemos ir lá fora? – pergunta Fatima, constrangida.

– Não sei – descubro que estou torcendo os dedos na bainha do meu robe. – Ele não parece exatamente zangado... acha que devemos deixar a Kate cuidar disso?

Fatima está segurando Freya, por isso eu levanto e vou para a janela que dá para a praia. Vejo Kate e o fazendeiro bem juntos, cabeças abaixadas sobre a ovelha morta. Ele parece mais triste do que com raiva, e Kate põe a mão no ombro dele, um gesto de consolo que não é bem um abraço, mas quase.

O fazendeiro fala alguma coisa que eu não ouço e Kate faz que sim com a cabeça, depois juntos se abaixam, pegam a ovelha pelas pernas, carregam a pobrezinha pelo cais instável e jogam sem cerimônia na traseira da picape do fazendeiro.

– Vou pegar minha carteira – ouço Kate dizer quando o fazendeiro fecha a porta traseira e, quando ela volta para a casa, vejo algo pequeno com sangue nos dedos dela, uma coisa que ela guarda no bolso do casaco antes de chegar ao moinho.

Saio de perto da janela rapidamente, a porta abre e Kate entra, balançando a cabeça como alguém querendo se livrar de uma lembrança desagradável.

– Está tudo bem? – pergunto.

– Não sei – diz Kate. – Acho que sim.

Ela lava as mãos na torneira e vai até a cômoda pegar a carteira, mas quando abre a parte das notas de dinheiro, desanima.

– Merda.

– Precisa de dinheiro? – Fatima pergunta logo, levanta e passa Freya para mim. – Minha carteira está lá em cima.

– Também tenho dinheiro vivo – eu digo, querendo finalmente fazer algo de útil. – Quanto você precisa?

– Duzentos, eu acho – diz Kate. – É mais do que vale a ovelha, mas ele tem direito de envolver a polícia e isso eu não quero.

Faço que sim com a cabeça e vejo Fatima descendo a escada com a bolsa na mão.

– Tenho cento e cinquenta – diz ela. – Lembrei que em Salten nunca houve caixa eletrônico, por isso saquei algum dinheiro no posto de gasolina do caminho por Hampton's Lee.

– Vamos dividir – eu levanto, seguro Freya agitada sobre o ombro e vasculho a bolsa que deixei pendurada no corrimão da escada. Minha carteira está cheia de notas. – Eu tenho bastante, esperem um pouco...

Conto o dinheiro, cinco notas novinhas de vinte libras, controlando Freya, que tenta agarrar cada nota que passa. Fatima junta cem do dinheiro dela e põe em cima. Kate dá um sorriso triste.

– Obrigada, meninas, pago assim que chegarmos em Salten, agora eles têm um caixa eletrônico no correio.

– Não precisa – diz Fatima, mas Kate já fechou a porta do moinho, ouço a voz dela lá fora e o resmungo do fazendeiro quando ela dá o dinheiro, depois o barulho dos pneus quando ele dá marcha a ré no caminho, com a ovelha morta na traseira da picape.

Kate volta bem pálida, mas parece aliviada.

– Graças a Deus... acho que ele não vai chamar a polícia.

– Então você não acha que foi o Shadow? – pergunta Fatima, mas Kate não responde, ela vai até a pia lavar as mãos de novo.

– Você está com sangue na manga – eu digo e ela olha.

– Ah, meu Deus, é mesmo. Quem ia pensar que a ovelha velha teria tanto sangue?

Kate dá um sorriso torto e sei que está pensando na Srta. Winchelsea e no *Macbeth* que ela nunca encenou. Tira o casaco e deixa cair no chão, depois enche um balde de água.

– Posso ajudar? – pergunta Fatima.

Kate balança a cabeça.

– Não, tudo bem. Vou lavar a passarela e depois tomar um banho. Estou me sentindo suja.

Sei o que ela quer dizer. Também me sinto suja com o que vi, e não ajudei sequer o fazendeiro a jogar a ovelha na traseira da picape. Estremeço quando ela sai e fecha a porta, ouço o barulho da água que ela joga e o esfregar da vassoura lá de fora. Levanto e boto Freya no carrinho.

– Você acha que foi o Shadow? – pergunta Fatima baixinho, quando arrumo Freya.

Balanço os ombros e nós duas olhamos para Shadow tristíssimo e encolhido num tapete na frente do fogo apagado. Ele parece envergonhado, olhar triste, e, quando sente que estamos olhando para ele, olha para nós confuso, depois lambe o focinho de novo e geme um pouco. Ele sabe que alguma coisa está errada.

– Não sei – respondo.

Mas sei que nunca deixarei Shadow e Freya juntos, só os dois. O casaco de Kate está jogado no chão perto da pia e eu o pego porque preciso fazer alguma coisa, ajudar de alguma forma, por mais insignificante que seja.

– Kate tem máquina de lavar?

– Acho que não. – Fatima olha em volta. – Ela costumava lavar suas roupas na lavanderia da escola. Você lembra que Ambrose lavava todas as roupas de pintura na pia a mão? Por quê?

– Eu ia pôr o casaco para lavar, mas acho que vou só botar de molho, não é?

– Água fria é melhor para tirar mancha de sangue.

Não vejo onde poderia ficar uma máquina de lavar, então tampo o ralo da pia, abro a torneira e pego o casaco de Kate do chão. Antes de pôr na pia, verifico os bolsos para evitar molhar alguma coisa de valor. Só quando senti na mão uma coisa mole e pegajosa lembrei que Kate tinha pegado aquilo na passarela e guardado no bolso disfarçadamente.

Quando tiro do bolso não reconheço o que é, uma coisa branca e vermelha amassada entre meus dedos, nojenta, e ponho as mãos na água da pia. A coisa se desdobra como uma pétala, vai afundando na pia, eu pesco de volta.

Nem sei o que imaginei que pudesse ser, mas não estava esperando isso.

É um bilhete, o papel todo manchado de sangue e gasto nas bordas, as letras escritas com esferográfica estão borradas, mas ainda legíveis.

Por que não joga essa no Reach também?, diz o bilhete.

A sensação que me domina é diferente de qualquer outra que tive na vida. Pânico puro, destilado.

Fico paralisada, sem dizer nada, nem respiro. Parada ali com a água vermelha de sangue escorrendo entre os dedos, o coração aos pulos no peito, o rosto quente e vermelho com a onda escarlate de culpa e de medo.

Eles sabem. Alguém *sabe*.

Olho para Fatima e noto que ela não está me vendo, não tem ideia do que acabou de acontecer. Está debruçada sobre seu celular, enviando alguma mensagem de texto para Ali, ou coisa parecida. Chego a abrir a boca, mas é só um segundo, meu instinto assume o controle e fecho de novo.

Sinto os dedos se fechando em volta da bola de papel molhado, apertando, espremendo até virar uma massa, sinto as unhas na palma da mão rasgando e amassando o papel até virar flocos brancos e vermelhos, até acabar, sumir, não restar nem uma palavra.

Com a mão livre, tiro a tampa do ralo, deixo a água com sangue ir embora, escorrer do casaco, mergulho os dedos enquanto desaparece ralo adentro, e deixo o papel destruído flutuar na espiral da água descendo. Então abro a torneira fria e limpo todos os vestígios do bilhete, cada fibra, cada cisco da acusação, até parecer que nunca existiu.

Eu tenho de sair.

São dez horas, Kate está no banho, Thea voltou a dormir e Fatima está trabalhando com o laptop aberto na frente da janela, de cabeça baixa, verificando atentamente seus e-mails.

Freya está sentada no chão e tento brincar com ela sem fazer barulho para não incomodar Fatima. Estou lendo para ela o livrinho que ela adora, com os bebês brincando de esconder, mas esqueço de virar a página, ela bate no livro e faz um barulhinho como se dissesse anda logo, vira mais rápido!

– Onde está o bebê? – pergunto baixinho, mas estou distraída, não participo direito da brincadeira.

Shadow ainda está deitado e triste no canto, continua lambendo o focinho, e tudo que eu desejo é pegar Freya, abraçá-la e tirá-la dali.

Lá fora ouço o zumbido dos insetos e penso de novo nas entranhas expostas da ovelha, espalhadas na passarela. Na hora que abro a página para mostrar o rosto surpreso do bebê espiando, vejo uma farpa da madeira do assoalho bem ao lado da perninha gorducha e perfeita de Freya.

Esse lugar em que passei tantos momentos felizes de repente se enche de ameaças.

Levanto e pego Freya no colo, ela se assusta e deixa o livro cair.

– Vou dar um passeio – digo em voz alta.

Fatima mal levanta a cabeça.

– Boa ideia. Aonde vai?

– Não sei. Provavelmente até o centro de Salten.

– Tem certeza? São uns quatro ou cinco quilômetros até lá.

Engulo um suspiro de irritação. Sei que é longe, tão bem quanto ela. Fiz esse caminho a pé muitas vezes.

– Sim, tenho certeza – digo friamente. – Não será problema, tenho sapatos bons para isso e o carrinho de Freya é bem forte. E podemos pegar um táxi para voltar, se bater cansaço.

– Tudo bem, divirtam-se.

– Obrigada, mamãe – digo eu, deixando a irritação levar a melhor, ela olha para mim e sorri de orelha a orelha.

– Opa... eu estava fazendo isso? Desculpe, juro que não vou dizer para você levar um casaco e fazer xixi antes de sair...

Eu sorrio enquanto prendo Freya no carrinho. Fatima sempre soube me fazer rir, e é difícil ficar aborrecida quando estou rindo.

– O xixi pode não ser um mau conselho – eu digo enquanto calço minhas sandálias de caminhada. – O assoalho pélvico não é mais como antes.

– E eu não sei? – diz Fatima distraída, teclando uma resposta. – Lembre daqueles exercícios Kegel. E contraia!

Rio de novo e espio pela janela. O sol castiga a água faiscante do Reach e as dunas tremelicam com o calor. Preciso lembrar do protetor solar de Freya. Onde foi que eu guardei?

– Vi na sua bolsa de banheiro – diz Fatima, falando com um lápis na boca.

Levanto a cabeça, surpresa.

– O que você disse?

– Protetor solar, você acabou de resmungar enquanto remexia na bolsa do carrinho da Freya. Mas eu vi lá em cima, no banheiro.

Meu Deus, eu realmente pensei em voz alta? Devo estar ficando louca. Devo ter me acostumado tanto a ficar sozinha com Freya na licença-maternidade que comecei a falar comigo mesma, verbalizando os pensamentos para ela no silêncio do nosso apartamento... será?

Essa ideia é assustadora. O que mais eu posso ter falado?

– Obrigada – digo para Fatima. – Fica de olho na Freya um minuto para mim?

Ela faz que sim com a cabeça, subo correndo para o banheiro e as sandálias de caminhada fazem barulho nos degraus de madeira.

Tento abrir a porta e está trancada, ouço barulho de água e lembro que Kate está no banho.

– Quem é? – a voz dela soa abafada e com eco atrás da porta.

– Desculpe – respondo –, esqueci que você estava aí. Deixei o protetor solar de Freya aí dentro, você pode pegar para mim?

– Espere aí.

Ouço barulho de água de novo, depois um clique na porta e outro barulho de água quando Kate volta para a banheira.

– Pode entrar.

Abro a porta discretamente, mas ela está totalmente submersa embaixo de icebergs de espuma, o cabelo preso no alto da cabeça, exibindo o pescoço fino e comprido.

– Desculpe – repito –, não vou demorar.

– Sem problema. – Kate estica a perna para fora da banheira e começa a raspá-la. – Nem sei por que tranquei a porta. Não há nada aqui que vocês não tenham visto antes. Você vai sair?

– Vou dar uma caminhada. Talvez até Salten, ainda não sei.

– Ah, olha, se te der meu cartão, você pode sacar duzentas libras para eu poder pagar o que devo a você e à Fatima?

Já achei o protetor solar e fico girando o tubo com as mãos.

– Kate, eu... olha, Fatima e eu não...

Meu Deus, que dificuldade... como explicar? Kate sempre foi muito orgulhosa. Não quero ofendê-la. Como posso dizer o que estou realmente pensando, que Kate, com sua casa caindo aos pedaços e o carro enguiçado, evidentemente não pode pagar duzentas libras, enquanto Fatima e eu podemos?

Fico procurando as palavras certas e vem logo uma imagem na minha cabeça, que me distrai tanto quanto uma picada de alfinete quando você está vasculhando a bolsa à procura da carteira.

É o bilhete, grudento de sangue. *Por que não joga essa no Reach também?*

De repente fico nauseada.

– Kate – resolvo desabafar –, o que realmente aconteceu lá fora? Com o Shadow?

O rosto dela fica inexpressivo na hora. É como se fechassem uma janela.

– Eu devia ter fechado o portão – ela diz friamente –, só isso.

E eu sei, eu *sei* que ela está mentindo. Kate fica distante feito uma estátua – e eu sei.

Juramos nunca mentir uma para a outra.

Olho fixo para ela, meio submersa na água cheia de espuma, para a boca que não revela nada, lábios finos e sensíveis selados, sem revelar a verdade. Penso no bilhete que destruí. Kate e eu sabemos que ela está mentindo, e estou quase pagando o blefe, mas não ouso. Se ela está mentindo, deve ter um motivo para isso, e tenho medo de descobrir qual é esse motivo.

– Está certo.

Tenho consciência da minha covardia e dou meia-volta para sair do banheiro.

– Meu cartão está na carteira – diz Kate quando fecho a porta. – A senha é 8431.

Mas quando desço ruidosamente a escada ao encontro de Fatima e de Freya, que ainda dorme, nem tento lembrar. Não tenho intenção nenhuma de pegar o cartão dela, nem o dinheiro.

Ao ar livre, empurrando o carrinho de Freya no caminho de areia que segue a margem do Reach para longe do moinho, começo a sentir que a atmosfera opressiva vai diminuindo.

O dia está calmo e silencioso, as gaivotas boiam tranquilamente na maré que avança, as garças observam o lodaçal muito concentradas e jogam a cabeça para baixo para pegar com o bico minhocas e besouros desavisados.

O sol esquenta minha nuca, arrumo o toldo do carrinho de Freya e limpo o resíduo de protetor solar que espalhei em suas pernas e braços para passar no meu pescoço.

O cheiro de sangue continua nas minhas narinas, e desejo uma lufada de ar para afastá-lo de mim. Será que foi o Shadow? Não sei dizer. Tento lembrar das entranhas expostas e do cachorro ganindo. Aquilo era o rasgado de presas fortes, ou cortes com uma faca? Eu simplesmente não sei.

Mas uma coisa é certa. Shadow não podia ter escrito aquele bilhete. Então quem foi? Estremeço ao sol, a maldade daquilo de repente ataca meus ossos. No mesmo instante, sinto vontade de pegar minha bebê e apertá-la contra o peito, abraçá-la como se pudesse fazê-la voltar para dentro de mim, como se eu pudesse protegê-la dessa rede de segredos e mentiras que está se fechando à minha volta, me arrastando de volta para um erro antigo do qual pensei que tínhamos escapado. Estou começando a entender que não foi assim, nenhuma de nós escapou. Passamos dezessete anos fugindo e nos escondendo, cada uma do seu jeito, mas não funcionou, agora eu sei. Talvez sempre soubesse.

No final da pista de areia, o caminho abre para uma estrada que de um lado vai dar na estação e do outro atravessa a ponte para a cidade de Salten. Paro na ponte, empurrando Freya devagar para frente e para trás, examinando a paisagem conhecida. O campo ali é bem plano e dá para ver até bem longe daquele ponto privilegiado da ponte. Na minha frente, preto contra a água brilhante do Reach, está o moinho, parecendo pequeno assim distante. À esquerda, do outro lado do rio, só vejo casas e as estreitas passagens entre muros da cidadezinha de Salten.

E à direita, bem distante mesmo, vejo uma forma branca que brilha sobre a copa das árvores, quase invisível contra o horizonte clareado pelo sol. Salten House. De onde estou é impossível definir o caminho que fazíamos para dar a volta no alagado quando escapávamos para fora dos limites da propriedade. Talvez o mato tenha crescido e tomado tudo, mas agora me maravilho com a nossa burrice, lembro da primeira vez, naquela noite gelada de outubro, já tinha escurecido quando saímos pela janela e descemos a escada de incêndio com lanternas na boca e botas nas mãos para não acordar as professoras com o barulho da estrutura de ferro.

Lá embaixo, calçávamos as botas de borracha ("Sapatos *não*", lembro de Kate dizendo, "mesmo depois do verão que tivemos, continua um lodaçal") e partíamos, correndo através dos campos de hóquei, abafando o riso, até estarmos bem longe dos prédios, para ninguém escutar.

A primeira parte era sempre perigosa, especialmente quando os dias ficavam mais longos e ainda era claro muito depois do toque de recolher. Da Páscoa em diante, qualquer professora que espiasse pela janela teria visto nós quatro fugindo na grama aparada dos campos, as pernas compridas de Thea ganhando terreno na frente, Kate no meio, Fatima e eu bufando atrás.

Mas naquela primeira vez já estava praticamente um breu completo e corremos sob a proteção da escuridão até chegar aos arbustos e árvores cortados que marcavam o início do lodaçal e poder soltar o riso e acender as lanternas.

Kate foi na frente e nós a seguimos por um labirinto escuro de canais e valas cheios de água preta salobra que cintilava com o facho das lanternas.

Pulamos cercas e subimos os degraus dos muros de pedra, saltamos sobre valas e prestamos muita atenção nas instruções que Kate dava: "Pelo amor de Deus, mantenham-se na beirada aqui, o terreno à esquerda é pantanoso... Usem os degraus aqui, se abrirem aquele portão é impossível fechá-lo de novo e os carneiros vão fugir... Vocês podem usar esse monte de grama para pular a vala, estão vendo onde estou agora? É a parte mais firme da margem."

Ela andava livremente pelo alagado desde pequena e, apesar de não saber o nome de nenhuma flor, de não conhecer a metade dos pássaros que incomodávamos na nossa caminhada, ela reconhecia cada retalho de grama, cada poço traiçoeiro de lama, cada riacho e cada vala e cada colina, e até no escuro ela nos guiava sem erro pelo labirinto de trilhas de ovelhas, pântanos e valas com água estagnada, até que finalmente pulávamos uma cerca e lá estava o Reach, águas cintilantes ao luar, e lá no alto, acima da margem de areia, distante, o moinho, com a luz acesa na janela.

– Seu pai está em casa? – perguntou Thea, e Kate balançou a cabeça.

– Não, ele saiu, foi fazer alguma coisa na cidade, eu acho. Deve ser o Luc.

Luc? Foi a primeira vez que ouvi falar de Luc. Ele era algum tio? Irmão? Tinha quase certeza de que Kate tinha dito que era filha única.

Antes de poder fazer algo além de franzir a testa confusa para Thea e Fatima, Kate já estava andando de novo, subindo um caminho e desta vez sem olhar para trás para verificar se estávamos acompanhando, porque ali o terreno era firme, arenoso, e corri para alcançá-la.

Ela parou na porta do moinho, à espera de Fatima, que era a última e chegou meio ofegante, e então a abriu.

– Bem-vindas, todas.

E eu entrei no moinho pela primeira vez.

Não mudou quase nada, isto é que é notável, quando me lembro daquela primeira vez que vi o lugar – os quadros nas paredes eram um pouco diferentes, tudo menos decadente, mas a escada de madeira em caracol, as janelas assimétricas projetando sua luz dourada no Reach, estava tudo igual. A noite de outubro era fria e havia fogo no fogão a lenha, e a primeira coisa que chamou a minha atenção quando Kate abriu a porta foi um bafo quente, e a luz do fogo, a fumaça da lenha misturados com o cheiro de terebintina, tinta a óleo e água do mar.

Tinha alguém lá, sentado numa cadeira de balanço de madeira na frente do fogo, lendo um livro, e ele olhou para nós surpreso quando entramos.

Era um menino, mais ou menos da nossa idade, ou, para ser exata, cinco meses mais novo do que eu, descobri depois. Era só um ano mais velho do que meu irmão caçula, mas totalmente diferente em tudo do pequeno Will branco e rosado. Tinha braços e pernas bem bronzeados, o cabelo preto cheio de pontas, como se ele mesmo tivesse cortado, e as costas meio curvadas de alguém tão alto que precisava se preocupar com as portas baixas.

– Kate, o que você está fazendo aqui? – a voz dele era grave e um pouco rouca, com um toque que não consegui distinguir, um sotaque que não era o mesmo de Kate. – Papai saiu.

– Oi, Luc – disse Kate na ponta dos pés para beijá-lo no rosto, um beijo seco, de irmãos. – Desculpe não ter avisado. Precisava sair daquele lugar e, ora, não podia deixar as outras apodrecendo na escola. Você conhece Thea, lógico. E essa é Fatima Qureshy.

– Oi – disse Fatima com timidez.

Ela estendeu a mão e Luc a apertou, meio sem jeito.

– E essa é Isa Wilde.

– Oi – eu disse.

Ele virou e sorriu para mim, e vi que seus olhos eram quase dourados, como os de um gato.

– Meninas, esse é Luc Rochefort, meu... – ela parou, trocou olhares com Luc e ele sorriu, enrugando a pele bronzeada no canto da boca. – Meu irmão de criação, acho eu? Bom, que seja. Estamos todas aqui. Não fique aí parado, Luc.

Luc sorriu de novo, então baixou a cabeça e voltou para a sala, dando espaço para nós.

– Querem beber alguma coisa? – ele disse quando entramos, Fatima e eu mudas com a presença de um desconhecido, menino ainda por cima, depois de passarmos tanto tempo trancadas só com meninas.

– O que tem aí? – perguntei.

– Vinho – disse ele dando de ombros. – Côtes du Rhône.

De repente descobri que sotaque era aquele, que eu devia ter sabido por causa do nome dele. Luc era francês.

– Vinho está bom – eu disse. – Obrigada.

Peguei o copo que ele ofereceu e bebi tudo de uma vez.

Era tarde, estávamos bêbadas e trôpegas de tanto álcool, risadaria e dança com os discos que Kate tinha posto na vitrola, e ouvimos barulho na porta, todas viramos para lá e vimos Ambrose chegar com o chapéu na mão.

Fatima e eu congelamos, mas Kate foi trocando as pernas, tropeçou no tapete e deu risada quando o pai a segurou e lhe deu dois beijos, um em cada bochecha.

– Papai, não vai nos entregar, vai?

– Pegue uma bebida para mim – ele disse, jogou o chapéu na mesa e passou a mão no cabelo de Luc, que estava deitado no sofá. – E eu não vi vocês.

Mas ele viu, é claro. E é o próprio desenho que desfaz a mentira dele, o pequeno quadro a lápis pendurado no vão da escada, do lado de fora do antigo quarto de Kate. É um esboço do sofá, naquela primeira noite mesmo, com Luc, Thea e eu embolados feito uma ninhada de cachorrinhos, braços e pernas entrelaçados ao ponto de ser difícil determinar onde eu terminava e Thea ou Luc começavam. Fatima está sentada no braço do sofá e as pernas dela servem de encosto para Thea. E aos nossos pés está Kate, encostada no sofá gasto, joelhos dobrados até o queixo, olhando para o fogo. Ela segura um copo de vinho e estou com os dedos enrolados no cabelo dela.

Foi a primeira noite que deitamos e bebemos e rimos encolhidas nos braços umas das outras, com as chamas do fogão esquentando nossos rostos, nos aquecendo, junto com o vinho – mas não foi a última. Íamos sempre para lá, atravessamos campos duros de geada, ou cheios de carneirinhos, uma atração que não acabava, como de mariposas para uma chama que brilhava na escuridão dos pântanos, nos chamando. E voltávamos de lá nas claras madrugadas da primavera para assistir cheias de sono às aulas de francês, ou seguindo nosso lento caminho dando risada pelo alagado numa manhã de verão, a água salgada secando no nosso cabelo.

Nem sempre tínhamos de fugir. Depois das duas primeiras semanas de cada semestre, os fins de semana eram "abertos", isto é, podíamos ir para casa, ou para a casa de amigos, desde que nossos pais dessem permissão. Nossa casa não era opção para Fatima nem para mim, com papai sempre no hospital com mamãe e os pais dela no Paquistão. E Thea... bem, eu nunca perguntei, mas era claro que havia algo de muito errado, uma coisa que a impedia de voltar para a casa dos pais.

Mas não havia nada no regulamento que dissesse que não podíamos acompanhar Kate, e era o que fazíamos, em geral arrumávamos as malas e atravessávamos o alagado com ela, sexta à noite, depois das provas, e voltávamos domingo à noite para a chamada.

No início era um fim de semana ou outro... depois vários... e por fim quase todos, até o estúdio de Ambrose ficar entupido de desenhos de nós quatro, até eu conhecer tão bem o moinho quanto o pequeno quarto que dividia com Fatima. Aliás, conhecia até melhor, porque meus pés passaram a conhecer os caminhos do alagado de cor, quase tão bem quanto Kate.

— O Sr. Atagon deve ser um santo – disse a Srta. Weatherby, minha supervisora, com um sorriso meio tenso, enquanto eu saía com a Kate em mais uma noite de sexta.

— Dando aulas para vocês a semana toda e depois hospedando de graça todo fim de semana. Tem certeza de que seu pai concorda com isso, Kate?

— Tudo bem com ele – diz Kate com firmeza. – Ele fica muito feliz porque posso levar minhas amigas.

— E meu pai deu permissão – acrescento.

Com alegria, meu pai ficou tão aliviado de saber que eu estava curtindo Salten, sem ser mais uma preocupação para ele querendo ir para casa, que teria assinado um pacto com o próprio diabo. Uma pilha de autorizações assinadas com antecedência era nada, em comparação.

— Não é que eu não queira que você passe os fins de semana com Kate – disse a supervisora mais tarde, tomando chá na sala dela, com ar de preocupação. – Estou contente de você ter feito amizades. Mas lembre que parte de ser uma jovem equilibrada é ter várias amigas. Por que não passa os fins de semana com as outras meninas? Ou fica aqui? A escola não fica vazia nos fins de semana.

— Tem alguma coisa no regulamento que determina o número de fins de semana que posso passar fora? – perguntei, bebendo o chá.

— Não há exatamente isso no regulamento...

Fiz que sim com a cabeça, sorri, bebi o chá que ela ofereceu e saí na sexta-feira seguinte para ficar na casa de Kate exatamente como antes.

E a escola não podia fazer nada.

Até que acabaram fazendo.

Quando chego na parte da estrada que leva para a cidade de Salten, já estou transpirando, com muito calor, e paro à sombra de alguns carvalhos sentindo o suor escorrer entre os seios, empoçando no sutiã.

Freya dorme tranquilamente com a boca bem desenhada um pouco aberta, abaixo para beijá-la de leve, sem querer acordá-la, estico as costas e sigo em frente, com os pés um pouco doídos, para a cidade.

Não viro ao som de um carro atrás de mim, mas ele desacelera ao meu lado, o motorista põe a cabeça para fora para espiar e vejo quem é – Jerry Allen, gerente do pub Salten Arms, na velha picape que usava para ir e vir da loja atacadista. Só que agora está mais velha e mais destruída ainda, era mais ferrugem do que picape. Por que Jerry continua dirigindo uma carroça daquela com mais de trinta anos e toda enferrujada? O bar nunca foi uma mina de ouro, mas está parecendo que ele enfrenta tempos difíceis.

Jerry debruça na janela realmente curioso, acho que está imaginando que tipo de turista é suficientemente louca para andar pela estrada principal na hora mais quente do dia.

Ele está quase passando e sua expressão muda, ele dá uma buzinada que me faz pular de susto, e para o carro na beira da estrada, formando uma nuvem de poeira que me faz tossir e engasgar.

– Eu te conheço – diz ele quando eu chego à picape que ainda está com o motor ligado.

A voz dele tem um toque de malícia vitoriosa, como se tivesse me pegado no pulo. Não falo o que estou pensando, que nunca neguei isso.

– Você é uma daquele grupo que costumava sair com Kate Atagon – uma daquelas meninas que...

Tarde demais ele percebe a direção que a conversa está tomando, pigarreia e cobre a boca com a mão, tentando esconder a confusão num ataque de tosse de fumante.

– Sim – eu digo, mantenho a voz neutra porque não quero que ele veja minha reação às suas palavras. – Sou Isa. Isa Wilde. Oi, Jerry.

– Toda crescida... – diz ele, e seus olhos lacrimejam um pouco quando olha para mim. – E ainda por cima com um bebê!

– Menininha – eu digo. – Freya.

– Ora, ora, ora – ele resmunga sem sentido e dá um sorriso de gengiva, exibe a falta de dentes e o de ouro que sempre me fez estremecer por algum motivo que nunca entendi. Ele me examina em silêncio um tempo, das sandálias poeirentas às manchas de suor no meu vestido de verão, então ele inclina a cabeça para trás, na direção do Reach. – Notícia terrível, não é? Cercaram metade da margem, diz Mick White, mas não dá para ver daqui. Equipes da polícia, cães farejadores, aquelas barracas brancas... mas o que acham que isso vai adiantar agora, eu não sei. O que está enterrado lá já está lá sob chuva e vento há muito tempo, pelo que disse o pai de Judy Wallace. Foi ela que encontrou e, segundo o relato de Mick, o cachorro deles quebrou bem no meio do cotovelo, estava quebradiço como um graveto. Isso e o sal, acho que não sobrou muito.

Não sei o que dizer. Uma coisa pegajosa sobe na minha garganta, por isso só meneio a cabeça, ressabiada, e parece que ele tem uma ideia de repente.

– Está indo para a cidade? Entre aí, eu dou uma carona.

Olho para ele, para o rosto vermelho, para a picape caindo aos pedaços, com o banco de madeira e sem cinto de segurança, que dirá uma cadeirinha para Freya, e me lembro que sempre sentíamos o cheiro de uísque no hálito dele, até na hora do almoço.

– Obrigada – respondo e tento sorrir –, mas estou curtindo a caminhada.

– Não faça cerimônia – ele aponta o polegar para a traseira da picape. – Tem bastante espaço aí atrás para o carrinho, e são quase dois quilômetros até a cidade. Vocês vão tostar!

Não sinto cheiro de uísque, estou longe demais da picape para sentir, mas sorrio de novo e balanço a cabeça.

– Obrigada, sinceramente, Jerry. Mas estou bem, prefiro ir andando.

– Como quiser – ele diz sorrindo de orelha a orelha, e o dente de ouro faísca quando engrena a marcha do carro.

– Vá ao bar quando terminar suas compras e beba uma gelada por conta da casa, pelo menos.

– Obrigada – respondo, mas o agradecimento é abafado pelo ruído dos pneus na terra e pela nuvem de poeira quando ele se afasta. Eu tiro o cabelo da frente dos olhos e continuo a caminhar para chegar à cidade.

Salten Village sempre me assombrou um pouco, e não sei explicar por quê. Em parte, são as redes. Salten é uma cidade de pesca, ou era. Agora só saem do porto barcos de recreio, mas há algumas embarcações de pesca comercial que ainda usam o cais. Como tributo a isso, as casas da cidade são enfeitadas com redes, uma celebração decorativa da história da cidade, imagino. Algumas pessoas dizem que é para dar sorte, e talvez tenha começado assim, mas agora eles mantêm a tradição só para os turistas, é assim que eu vejo.

Os viajantes de passagem por ali, indo para as praias de areia na costa, ficam loucos pelas redes, tiram fotos das casinhas bonitas de pedra e madeira embrulhadas nas redes, enquanto os filhos compram sorvete e baldes de plástico de cores berrantes. Algumas redes parecem novas em folha, como se tivessem sido compradas diretamente do vendedor de artigos de pesca e não conhecessem o mar, mas outras eram usadas, com os rasgões que as tornavam inúteis ainda visíveis, pedaços de algas e de flutuadores ainda enroscados nos fios.

Jamais gostei delas, desde o primeiro momento em que as vi. São tristes e predadoras ao mesmo tempo, como teias gigantescas que vão engolindo as casinhas lentamente. Dá ao lugar uma atmosfera melancólica, como aquelas cidades abafadas do Sul dos Estados Unidos em que a erva de passarinho pende cerrada das árvores e balança ao vento.

Algumas casas têm só uma faixa modesta de rede entre os andares, mas outras são todas decoradas, com redes apodrecendo de um lado ao outro, enroladas sobre as portas e tampando as janelas, enroscadas em vasos de plantas e nos fechos de persianas e maçanetas.

Não suporto a ideia de abrir a janela tarde da noite e sentir a rede grudenta contra o vidro, impedindo a entrada de luz, senti-la embaraçada nos dedos quando tentamos abrir a janela, os fios se partindo quando tentamos liberar o fecho.

Se pudesse, tiraria todos os vestígios das tristes relíquias, como quem limpa um cômodo na primavera, eliminando as aranhas.

Talvez eu não goste do simbolismo. Porque, afinal de contas, para que servem as redes, senão para pegar e prender coisas?

Vou andando pela estreita rua principal e vejo que parece que elas cresceram e se espalharam, apesar do lugar parecer mais decadente e menor. Todas as casas têm redes e dez anos atrás devia ser só a metade, se tanto, e tenho a impressão de que as redes foram arrumadas de propósito, para esconder a decadência de Salten, cobrindo pintura descascada e madeira apodrecida. Há lojas fechadas também, placas desbotadas anunciando que estão à venda balançam com o vento e fico chocada com a aparência generalizada de ruína. Salten nunca foi interessante, a separação da escola e da cidade sempre nítida. Mas agora parece que muitos turistas desapareceram, indo para a França ou para a Espanha, e fico desolada de ver que a loja daquela esquina, que vendia sorvete e estava sempre colorida, cheia de baldes e pazinhas, não existe mais, a vitrine cheia de poeira e teias de aranha.

O correio continua lá, mas a rede sobre a entrada é nova, larga e cor de laranja, com um furo antigo remendado ainda aparente.

Olho para cima quando empurro a porta com as costas, para entrar com o carrinho de ré na loja minúscula. *Não caia em cima de mim*, eu rezo. Imagino aquele emaranhado de fios em volta de mim e de Freya como uma teia asfixiante.

O sino toca alto quando entro, mas não há ninguém atrás do balcão e ninguém aparece quando vou até o caixa eletrônico no canto, onde ficavam as caixas de papelão. Não pretendo pegar o dinheiro da Kate, mas as cem libras que dei para ela me deixaram quase sem nada e quero ter certeza de ter o suficiente na minha carteira para...

Paro. Para quê? É uma pergunta que não quero responder. Comprar mantimentos? Pagar para Kate os convites do baile das alunas? Essas duas coisas certamente, mas não são o verdadeiro motivo. Tenho de ter dinheiro suficiente para ir embora às pressas, se for preciso.

Estou digitando minha senha e ouço uma voz atrás de mim, uma voz grave e rouca, parece de homem, mas sei que não é, antes mesmo de virar para ver.

– Ora, ora, ora, vejam o que o gato trouxe pra cá.

Pego o dinheiro da boca do caixa e guardo meu cartão, depois dou meia-volta e lá atrás do balcão está Mary Wren – matriarca da cidade, talvez a coisa mais parecida que Salten tem de líder comunitária. Ela trabalhava no correio quando eu estudava, mas agora, por algum motivo, a aparição dela me pega desprevenida. Eu achava que naqueles anos todos desde que saí da Salten ela devia ter se aposentado, ou seguido em frente na vida. Mas parecia que não.

– Mary – eu disse e me forcei a sorrir quando guardava a carteira na bolsa –, você não mudou nada!

É verdade e mentira ao mesmo tempo. O rosto dela continua o mesmo, chato, largo e com as marcas do tempo, os olhos pequenos, escuros e penetrantes também. Mas o cabelo, que era um rio comprido e preto até a cintura, está todo cinza agora. Ela está de trança, que começa grossa, cinzenta e vai minguando até uma ponta fininha que mal tem volume para sustentar o elástico.

– Isa Wilde – ela sai de trás do balcão e para com as mãos na cintura, pesada e firme como sempre, feito pedra. – Já que estou viva e respiro. O que a trouxe de volta?

Hesito um minuto e olho para uma pilha de semanários locais que ainda apresentam a manchete "Osso humano encontrado no Reach".

Então me lembro da mentira de Kate para o motorista do táxi.

– Nós... eu... é o baile de verão – consegui dizer –, na Salten House.

– Bem – ela me examina de alto a baixo, nota meu vestido de linho grudento e molhado de suor, Freya dormindo no carrinho. – Devo dizer que estou surpresa. Pensei que não voltariam mais para cá. Muitos jantares e bailes aconteceram e nem sinal de você ou do seu grupinho exclusivo.

Grupinho exclusivo é uma expressão pesada, mas não posso negar. Nós formávamos um; Kate, Thea, Fatima e eu. Nós nos satisfazíamos e não sentíamos necessidade de outras pessoas, a não ser como alvos de nossas piadas e brincadeiras. Achávamos que podíamos enfrentar qualquer coisa, qualquer pessoa, desde que tivéssemos umas às outras. Éramos arrogantes e irresponsáveis, essa é a verdade. Meu comportamento naquela época não me deixa orgulhosa e não gosto dos lembretes de Mary, mas não posso negar a justeza da sua escolha de palavras.

— Você vê sempre a Kate, não é? — eu digo superficialmente, tentando mudar de conversa.

Mary faz que sim com a cabeça.

— Ah, é claro. Temos o único caixa eletrônico da cidade, por isso ela vem aqui com certa regularidade. E ela não saiu daqui quando muita gente sairia. As pessoas respeitam isso, apesar do jeito dela.

— *Jeito dela?* — repito, sem conseguir disfarçar certa irritação na voz.

Mary ri com facilidade, o corpo volumoso sacode todo, mas a risada tem um quê de tristeza.

— Você conhece a Kate — ela diz. — É muito fechada, vivendo lá onde mora. Ambrose nunca foi tão solitário assim, ele estava sempre aqui na cidade, no pub, tocando seu violino na banda. Podia morar lá no Reach, mas era um de nós, sem dúvida. Mas Kate... — ela olha para mim de cima a baixo e repete: — Ela é muito fechada.

Engulo em seco e tento pensar em um modo de mudar de assunto.

— Soube que Mark agora é policial, é isto mesmo?

— É — diz Mary. — E é bem conveniente ter alguém que mora aqui. Ele trabalha em Hampton's Lee, mas, como é daqui, vem mais vezes do que alguém de fora viria.

— Ele ainda mora com você?

— Ah, sim, você sabe como é, os proprietários de segundos imóveis elevam os preços, para os jovens é muito difícil economizar para ter casa própria agora, com os ricos de Londres vindo para cá e se apossando das casas.

Ela me avalia com o olhar de novo, e desta vez noto que olha mais para a cara bolsa de bebê, e minha grande bolsa Marni, presente de Owen que não deve ter custado menos de 500 libras, deve ter custado muito mais, aliás.

— Deve ser difícil — eu digo sem jeito. — Mas acho que pelo menos eles injetam dinheiro na cidade, não é?

Mary bufa debochando da ideia.

— Esses não. Eles trazem a própria comida de Londres na mala do carro, não são vistos nas lojas por aqui. O açougue Baldock's the Butcher fechou, você viu?

Faço que sim sem dizer nada, tenho uma estranha sensação de culpa, e Mary balança a cabeça.

– E Croft & Sons, os padeiros. Sobrou pouca coisa além do correio e do pub. E esses não devem durar muito mais se a cervejaria conseguir o que quer. Não está rendendo o suficiente, sabe? Será convertido em apartamentos em menos de um ano. Só Deus sabe o que Jerry fará depois. Sem aposentadoria, sem economias...

Ela se aproxima e empurra o toldo do carrinho de Freya.

– Então agora você tem uma filha?

– Sim.

Vejo os dedos grossos e fortes de Mary traçando uma linha no rosto da minha filha dormindo. Há manchas de um tom vermelho escuro embaixo das unhas e nas cutículas. Deve ser tinta dos carimbos do correio, mas não consigo evitar a ideia de que é sangue. Tento não reagir a isso com uma careta.

– Freya.

– Você não é mais Wilde?

Balanço a cabeça.

– Continuo Wilde. Não sou casada.

– Bem, ela é bonitinha. – Mary endireita as costas. – Vai enlouquecer os meninos daqui a uns anos, pode ter certeza.

Aperto os lábios mesmo sem querer e os dedos na alça de espuma do carrinho. Mas me controlo para respirar fundo e engolir a resposta desaforada que queria dar para ela. Mary Wren é uma figura poderosa na cidade – mesmo dezessete anos atrás ninguém a contradizia, e imagino que nada tenha mudado desde então, principalmente agora que o filho dela é da polícia.

Achei que ia me livrar de tudo aquilo quando saí da Salten House, daquela rede complicada de alianças locais, do relacionamento difícil entre a cidade e a escola, que Ambrose negociava com facilidade, comparado com o resto de nós. Tive vontade de afastar o carrinho de Freya de Mary, dizer para ela cuidar da própria vida. Mas não posso me dar ao luxo de ir contra ela. Não só pelo bem de Kate, que mora lá, é por todas nós. A escola lavou as mãos quanto a nós muito tempo atrás – e Salten, quando se é rejeitado pela cidade e pela escola, sabe ser um lugar muito hostil.

Estremeço apesar do calor que faz, e Mary olha para mim.

– Alguém andou na sua cova?

Balanço a cabeça e tento sorrir, ela dá risada e exibe dentes amarelos, manchados.

– É bom vê-la de volta – ela diz naturalmente, dando um tapinha no toldo do carrinho de Freya. – Parece que foi ontem que você estava aqui, todas vocês, comprando balas e tudo o mais. Lembra daquelas histórias que sua amiga costumava inventar? Como era o nome dela... Cleo?

– Thea – digo em voz baixa.

Sim, eu lembro.

– Ela me disse que o pai dela era procurado por ter matado a mãe dela, e quase me fez acreditar. – Mary ri de novo, o corpo todo balança e faz o carrinho de Freya balançar também. – Claro que isso foi antes de saber que vocês eram grandes mentirosas, todas vocês.

Mentirosas. Uma palavra, jogada com tanta naturalidade na conversa... será minha imaginação, ou de repente há certa hostilidade na voz de Mary?

– Bem... – mexo de leve no carrinho para livrar as dobras do toldo dos dedos dela. – É melhor eu ir... Freya vai querer almoçar...

– Não se prenda por mim – diz Mary bem-humorada.

Baixo a cabeça à guisa de um pedido de desculpa submisso, e ela recua quando começo a manobrar o carrinho para sair da loja.

Estou no meio de uma laboriosa manobra de três pontos no corredor estreito entre as gôndolas e percebo tarde demais que devia ter saído de costas, como entrei, quando toca o sino da porta.

Viro a cabeça para ver, puxando o carrinho. Não reconheço logo a pessoa na porta e, quando descubro quem é, meu coração pula no peito como um passarinho batendo inutilmente na grade da gaiola.

A roupa dele está manchada e amassada, como se tivesse dormido com ela, e tem uma mancha roxa no rosto, cortes nos punhos. Mas o que chama mais minha atenção, como um golpe no meio do peito, é quanto ele mudou... e quanto não mudou. Ele sempre foi alto, mas a elegância leve não existe mais e o homem parado lá preenche todo o espaço da porta com os ombros, exalando sem esforço algum uma força contida.

Mas o rosto dele, as maçãs salientes, os lábios finos e... meu Deus, os olhos...

Fico boba com o choque, tento recuperar o fôlego e ele não me vê logo, só cumprimenta Mary com um movimento de cabeça e chega para trás, espera educadamente que eu saia com o carrinho. Só quando falo o nome dele com a voz rouca e entrecortada é que ele levanta a cabeça e me vê, ele *realmente* olha para mim pela primeira vez, e o rosto dele muda.

— Isa?

Alguma coisa cai no chão, as chaves que ele segurava. A voz dele é exatamente como lembro, grave e lenta, com aquele estranho contraponto na pronúncia, o único vestígio da sua língua materna.

— Isa, é... é você mesmo?

— Sim. — Tento engolir, tento sorrir, mas o choque parece ter congelado meus músculos da face. — Pensei... pensei que você estava... você não tinha ido para a França?

A expressão dele é dura, impassível, os olhos dourados não revelam nada e há uma certa frieza na sua voz, como se escondesse alguma coisa.

— Eu voltei.

— Mas por que... não entendo, por que Kate não contou...?

— Isso você tem de perguntar para ela.

Dessa vez tenho certeza de que não estou imaginando, há sim uma frieza na voz dele.

Não entendo. O que aconteceu? Sinto que tateio cegamente num quarto cheio de objetos preciosos e frágeis que oscilam e giram a cada passo em falso que dou. Por que Kate não contou para nós que Luc tinha voltado? E por que ele está tão... Mas não consigo dar um nome à emoção que a presença silenciosa de Luc irradia. O que *é*? Não é choque, não totalmente, não agora que a surpresa da minha presença já passou. É uma emoção contida, em guarda, que dá para notar que ele está evitando demonstrar. Uma emoção mais próxima de...

A palavra chega quando ele dá um passo para frente, bloqueando a minha saída do correio.

Ódio.

Engulo em seco.

— Você... você está bem, Luc?

— Bem? — ele repete em tom de riso, mas sem um pingo de alegria. — *Bem?*

— Eu só...

– Como pode perguntar isso? – ele diz, elevando a voz.

– O quê?

Tento recuar, mas não tenho para onde ir, Mary Wren está bem atrás de mim. Luc bloqueia a porta, com o carrinho entre nós, e só consigo pensar que, se ele atacar, vai machucar Freya. O que aconteceu para fazê-lo mudar tanto assim?

– Acalme-se, Luc – Mary avisa atrás de mim.

– Kate sabia – Luc fala com a voz trêmula. – Vocês sabiam para onde estavam me mandando voltar.

– Luc, eu não... eu não poderia...

Aperto tanto a alça do carrinho de Freya que os nós dos dedos ficam brancos. O que mais quero é sair dali. Ouço um zumbido dentro da cabeça, uma mosca-varejeira batendo sem parar na janela, e de repente lembro horrorizada da ovelha mutilada e das moscas nas entranhas espalhadas...

Ele fala alguma coisa em francês que não entendo, mas parece chulo, cheio de asco.

– Luc – Mary fala mais alto –, saia do caminho e controle-se, ou quer que eu chame o Mark?

Um momento de silêncio, prenhe de espera e do ruído da varejeira, sinto meus dedos apertando mais ainda a alça do carrinho. Então Luc dá um passo lento e exagerado para trás e acena para a porta.

– *Je vous en prie* – diz ele sarcasticamente.

Empurro o carrinho com força, ele esbarra no batente da porta e Freya acorda com um grito de susto, mas não paro. Saímos, a porta fecha atrás de nós e o sino ecoa nos meus ouvidos. Vou andando rápido pela rua, ampliando ao máximo a distância entre nós e aquela loja, até que as casas da cidade sejam apenas formas ao longe no ar quente de verão, e só então pego no colo minha filha que chora.

– Está tudo bem – ouço minha voz trêmula falando ao ouvido dela.

Seguro Freya junto ao ombro com uma das mãos e com a outra empurro o carrinho de qualquer jeito pela estrada poeirenta na volta para o moinho.

– Está tudo bem, o homem mau não nos machucou, não é? O que dizem, paus e pedras podem quebrar meus ossos, mas palavras nunca? Pronto, pronto, meu amor. Ah, pronto, pronto, Freya. Não chore, querida. Por favor, não chore.

Mas ela não para. Chora e chora, a sirene ligada de uma criança inconsolável, acordada com um susto de um sono gostoso. Só quando as gotas caem na cabeça de Freya eu noto que estou chorando também, sem sequer saber por quê. Será de choque? Ou raiva? Ou apenas de alívio por termos saído de lá?

– Pronto, pronto – repito, no ritmo dos meus pés no asfalto, e não sei mais se estou falando para Freya ou para mim mesma. – Vai dar tudo certo, eu juro. Vai ficar tudo bem.

Mas quando digo isso e respiro o cheiro do cabelo macio e suado dela, o cheiro quente da minha filha querida, as palavras de Mary voltam e ecoam na minha cabeça como uma acusação.

Grande mentirosa.

REGRA NÚMERO TRÊS

NÃO DEIXE QUE DESCUBRAM

Grande mentirosa.
Grande mentirosa.

As palavras acompanham meus passos quando ando e corro ao mesmo tempo para sair de Salten, e vão ficando mais agudas com os gritos de Freya.

Por fim, quando devíamos estar a quase um quilômetro de distância de Salten, eu não aguento mais, minhas costas pegam fogo por carregar Freya e os gritos dela perfuram minha cabeça feito pregos. *Grande mentirosa. Grande mentirosa.*

Paro na beira da estrada, ponho o freio no carrinho e sento num pedaço de tronco de árvore para desabotoar o sutiã de amamentação e dar de mamar para Freya. Ela dá um gritinho de felicidade e levanta as mãozinhas gorduchas, mas, antes de pegar o peito, ela para um pouco, olha para mim com aqueles luminosos olhos azuis e sorri. Sua expressão diz com clareza: *Francamente! Sabia que você ia acabar entendendo.* Só posso devolver o sorriso, apesar da dor nas costas e na garganta de tanto engolir o medo e a raiva de Luc.

Grande mentirosa.

As palavras chegam flutuando através de todos aqueles anos, e enquanto Freya mama, eu fecho os olhos e lembro. Lembro de como começou.

Era janeiro, escuro e frio, eu acabava de voltar do feriado de fim de ano com meu pai e meu irmão – palavras que não foram ditas, o peru seco e duro da ceia e presentes que minha mãe não tinha escolhido, com o nome dela escrito com a letra do meu pai.

Thea e eu viajamos juntas de Londres, mas perdemos o trem que devíamos pegar, então também perdemos o micro-ônibus que nos levaria da estação para a escola. Fiquei na sala de espera me protegendo do vento gelado e fumando um cigarro enquanto Thea ligava para a escola para saber o que devíamos fazer.

– Eles devem chegar às cinco e meia – Thea disse ao desligar o celular, e nós duas olhamos para o relógio grande pendurado na plataforma. – Não são nem quatro ainda. Que droga.

– Podemos ir a pé? – perguntei.

Thea balançou a cabeça tremendo com o vento da plataforma.

– Não com as malas.

Enquanto esperávamos, resolvendo o que íamos fazer, chegou outro trem, o parador de Hampton's Lee, com todas as crianças que estudavam na escola Hampton. Procurei Luc, mas ele não estava lá. Devia ter ficado até mais tarde envolvido em algum programa extracurricular, ou matando aula. As duas coisas eram bem possíveis.

Mas Mark Wren apareceu, andando pela plataforma de ombros curvados e cabeça baixa, exibindo a acne que tinha na nuca.

– Oi – disse Thea quando ele passou por nós. – Oi, você é Mark, não é? Como vai para Salten? De carona?

Ele balançou a cabeça.

– Ônibus. Deixa as crianças de Salten em um pub e segue para Riding.

Thea e eu nos entreolhamos.

– Ele para na ponte? – perguntou Thea, e Mark balançou a cabeça de novo.

– Normalmente não. Mas o motorista talvez pare, se você pedir.

Thea ergueu uma sobrancelha, e eu fiz que sim com a cabeça. Assim podíamos economizar uns três quilômetros, pelo menos, e iríamos a pé o resto do caminho.

Pegamos o ônibus. Fiquei perto das malas no setor de bagagens, mas Thea seguiu Mark Wren pelo corredor até onde ele sentou com a mala no colo feito um escudo, e deu para ver o pomo de adão dele subindo e descendo de nervoso. Ela piscou quando passou por mim.

– Casa da Kate fim de semana que vem? – disse Thea para mim na sala de estar das alunas aquela noite, quando ia para a sala de estudo.

Fiz que sim com a cabeça, ela piscou e me fez lembrar do encontro no ônibus. Lola Ronaldo trocou de canal com o controle remoto e rolou os olhos nas órbitas.

– Casa da Kate de novo? Por que cargas d'água vocês passam tanto tempo lá? Jess Hamilton e eu vamos assistir um filme em Hampton's Lee. Vamos jantar no Fat Fryer, mas Fatima disse que não podia ir porque ia para a casa da Kate com você. Por que vocês ficam nessa chatice de Salten todo fim de semana? Estão de olho em alguém?

Meu rosto esquentou pensando no irmão de Kate, lembrando da última vez em que nadamos no moinho. Era um dia extraordinariamente quente de outono, o sol do fim de tarde parecia fogo na água, refletido das janelas do moinho até tudo parecer um grande fogaréu. Tínhamos ficado de molho a tarde toda, absorvendo o último sol do ano, e então Kate aceitou um desafio de Thea, se despiu e nadou nua no Reach. Não sei onde Luc estava quando Kate mergulhou, mas ele apareceu quando ela nadava de volta do meio do canal.

– Esqueceu alguma coisa?

Ele mostrou o biquíni dela e deu um sorriso zombeteiro.

Kate gritou e espantou as gaivotas, que bateram as asas e a água dourada e vermelha dançou junto com elas.

– Seu filho da mãe! Devolva isso!

Mas Luc só balançou a cabeça e, quando ela nadou para perto, começou a jogar pedaços de alga que a maré trazia para o moinho. Kate retaliou espirrando água, depois agarrou o tornozelo e puxou a perna dele. Os dois afundaram juntos na baía, braços e pernas entrelaçados e só as bolhas que subiam mostravam onde eles estavam.

Um minuto depois, Kate emergiu, nadou para a passarela e, quando saiu da água, vi que ela segurava a sunga de banho de Luc, rindo triunfante, ao passo que ele foi nadando para longe, xingando e rindo e ameaçando todo tipo de vingança.

Eu *tentei* não olhar, tentei ler meu livro, ouvir Fatima fofocando com Thea, tentei me concentrar em qualquer coisa, menos no corpo nu de Luc brilhando na água, mas meus olhos não desgrudavam dele, dourado, bronzeado e atlético no calor do sol de outono, e aquela imagem apareceu na minha frente agora, provocando uma emoção estranha, entre vergonha e desejo.

– É Thea – eu disse de repente, com o rosto vermelho sob o olhar de Lola. – Ela morre de amor por alguém na cidade. Ela espera encontrá-lo se passarmos bastante tempo lá.

Era mentira. Mas era para me safar, uma mentira contra uma de nós. Assim que falei, soube que tinha cruzado uma linha. Mas agora não dava mais para desfazer.

Lola olhou para Thea, que já ia longe, e depois para mim, sem saber o que pensar. Naquela época, nós já tínhamos a reputação de fazer os outros de bobos e de inventar histórias, e deu para ver que ela não sabia se aquilo era verdade ou não, mas se tratando de Thea, quem podia saber?

– Ah, é? – ela disse. – Não acredito em você.

– É verdade – eu disse, aliviada de ter conseguido distraí-la.

Então um impulso idiota me fez acrescentar um detalhe fatal:

– Olha, não diga que eu contei, mas... é o Mark Wren. Eles vieram juntos na viagem de ônibus da estação para cá – falei mais baixo ainda, inclinada para ela por cima do livro que estava lendo. – Ele botou a mão na coxa dela... você pode imaginar o resto.

– *Mark Wren?* Aquele garoto cheio de espinhas que mora em cima do correio?

– O que posso dizer? – Dei de ombros. – Thea não liga para aparências.

Lea fez ar de deboche e se afastou.

Só pensei de novo naquela cena na semana seguinte. Nem lembrei de contar para Kate, para ela marcar meus pontos no livro. O jogo já tinha se tornado menos uma competição e mais um objetivo propriamente dito. Que não era ganhar de Fatima, Thea e Kate, e sim enganar todo mundo – era "nós" contra "os outros".

Passamos a noite de sábado no moinho e, na tarde de domingo, nós quatro fomos andando até Salten para comprar petiscos e tomar um chocolate quente no pub, que era dois por um, já que era baixa estação no café da cidade, isso, se tivéssemos paciência para aguentar as gracinhas de Jerry.

Fatima e Kate estavam sentadas no banco da janela, Thea e eu no bar. Ela pedia nossos chocolates e eu esperava para ajudar a levar as xícaras para a mesa.

– Por favor, eu pedi o último *sem* creme – ouvi Thea dizer meio irritada quando o atendente empurrou a caneca fumegante sobre o balcão.

Ele suspirou e começou a tirar o creme de cima, mas Thea insistiu:

– Assim não, obrigada. Quero outra caneca.

Fiz uma careta ao ouvir seu tom autoritário, aquele jeito de falar que transformava uma observação normal em uma ordem arrogante.

O atendente do bar xingou baixinho quando virou para jogar fora um chocolate quente cuidadosamente preparado, e vi uma das mulheres que serviam no bar rolar os olhos nas órbitas e formar com a boca algum comentário sem som para a colega. Não entendi as palavras, mas ela olhava com desprezo para mim e para Thea. Cruzei os braços sobre o peito, tentei me encolher e ficar invisível e desejei não estar usando meu vestido abotoado na frente. O botão de cima tinha quebrado, o decote estava mais profundo do que o normal e eu tinha plena consciência do pedaço da renda do sutiã que insistia em aparecer e do jeito que as mulheres olhavam para nós duas, para o meu decote e para a calça jeans rasgada de Thea, que exibia a calcinha de seda vermelha nos rasgões da moda.

Enquanto esperava que Thea me desse as canecas, Jerry chegou atrás de mim com uma bandeja de copos usados. Ele ergueu a bandeja acima do ombro para se espremer entre as pessoas diante do bar, e fiquei chocada ao reconhecer a pressão do pênis dele em mim quando passou. O bar estava cheio, mas não tão lotado a ponto de explicar aquela esfregação deliberada na minha nádega.

– Com licença – ele disse com uma risadinha. – Não se preocupe comigo.

Senti o rosto pegar fogo e falei com Thea:

– Vou ao banheiro, você dá conta das canecas?

— Claro. — Ela mal olhou para mim quando contava o dinheiro e eu disparei para a porta do banheiro feminino, quase chorando.

Quando entrei no cubículo para pegar papel para assoar o nariz, notei o que tinham escrito na porta. Estava rabiscado com delineador, borrado e meio apagado:

Mark Wren é um pervertido safado, dizia. Não entendi. Parecia uma acusação sem sentido. Mark Wren? O tímido e discreto Mark Wren?

Tinha outra coisa escrita perto da pia, de outra cor:

Mark Wren passa o dedo nas meninas da Salten House dentro do ônibus.

E para completar, na porta que dava para o bar, escrito com marcador:

Mark Wren é um agressor sexual!!!

Saí do banheiro com o rosto quente.

— Podemos ir? — perguntei a seco para Kate, Fatima e Thea.

Thea olhou para mim sem entender.

— O que houve? Você nem tocou no seu chocolate!

— Preciso contar uma coisa para vocês e não quero falar aqui.

— Tudo bem — disse Kate.

Ela se serviu de uma última colher de marshmallow e Fatima procurou sua bolsa. Naquele instante, abriram a porta do bar com estrondo e Mary Wren apareceu.

Eu não esperava que ela viesse para a nossa mesa. Claro que ela conhecia Kate e era muito amiga de Ambrose, mas nunca havia prestado atenção nas amigas de Kate.

Só que ela veio. Atravessou o bar e veio direto, olhou para mim, para Thea e depois para Fatima, apertando os lábios.

— Qual de vocês é Isa Wilde? — perguntou com sua voz rouca e grave.

Engoli em seco.

— E... eu.

— Muito bem — ela botou as mãos na cintura e se inclinou sobre nós, ali sentadas.

O vozerio do pub silenciou e vi que as pessoas prestavam atenção, espichavam o pescoço para ver por cima das costas largas de Mary.

– Escute aqui, menina. Eu não sei como as pessoas se comportam onde você foi criada, mas as daqui se importam com o que dizem delas. Se você sair por aí espalhando mentiras sobre o meu filho de novo, vou quebrar todos os ossos do seu corpo. Está entendendo? Vou quebrá-los ao meio, um por um.

Abri a boca, mas não consegui falar. Uma vergonha profunda cresceu dentro de mim e me deixou paralisada.

Kate parecia chocada, e percebi que não fazia ideia do que era aquilo.

– Mary – disse ela –, você não pode...

– Fique fora disso – Mary avisou. – Mesmo fazendo parte, não é mesmo? Todas vocês. Eu sei como vocês são.

Ela cruzou os braços, olhou em volta e vi que de forma perversa estava gostando daquilo, do nosso choque e da nossa vergonha.

– Vocês são grandes mentirosas, todas vocês, e se eu fosse responsável por vocês, daria uma surra de chicote em cada uma.

Kate levou um susto e quase levantou do meu lado como se fosse brigar, mas Mary botou a mão pesada no ombro dela e a forçou a sentar de novo nas almofadas.

– Nada disso. Imagino que aquela escola seja moderna demais para isso, e seu pai bonzinho demais, mas eu não sou, e se você prejudicar meu filho de novo... – ela me encarou com aqueles olhos negros azulados, sem piscar – vai viver para se arrepender de ter nascido.

Então ela endireitou as costas, deu meia-volta e foi embora.

A porta bateu com força depois que ela saiu, algumas pessoas deram risada e o zunzum do bar começou a voltar, barulho de copos, o vozerio dos homens perto do balcão. Mas senti que os moradores da cidade olhavam para nós, especulando sobre o que Mary tinha dito, e eu tive vontade de afundar no chão.

– Meu Deus! – exclamou Kate, pálida, com as maçãs do rosto rosadas de raiva. – Qual é o problema dela? Papai vai ficar furioso quando...

– Não. – Agarrei o casaco dela. – Não, Kate, não faça isso. Foi culpa minha. Não conte para o Ambrose.

Eu não ia suportar. Não podia suportar que todos soubessem daquela estúpida mentira que contei. A ideia de repetir aquilo para Ambrose e vê-lo decepcionado...

– Não conte para ele – repeti.

Senti as lágrimas ardendo, mas não eram de tristeza, eram de vergonha.

– Eu mereci. Fiz por merecer o que ela falou.

O que eu quis dizer lá sentada e muda diante da ira de Mary era que tinha errado. Foi um erro e peço desculpas.

Mas não falei nada. E depois disso, quando fui ao correio, ela me atendeu normalmente e nada mais foi dito sobre o fato. Mas dezessete anos depois, enquanto amamento minha filha e tento sorrir para aquela carinha risonha e rechonchuda, as palavras de Mary Wren ecoam em meus ouvidos e penso que eu estava certa. Realmente merecia aquelas palavras. Nós todas merecíamos.

Grandes mentirosas.

Kate, Thea e Fatima estavam sentadas à mesa pintada de pátina quando cheguei esbaforida no moinho, com calor e dor nos pés, a garganta totalmente seca.

Shadow late avisando quando a porta bate na parede, fazendo as canecas tilintarem sobre a cômoda, e os quadros batem na parede em solidariedade.

— Isa! — exclama Fatima, surpresa. — Parece que viu um fantasma!

— E vi mesmo. Por que você não nos contou, Kate?

As palavras formaram uma pergunta na minha cabeça. Ditas em voz alta, soaram como uma acusação.

— Contei o quê? — Kate levanta, confusa e preocupada. — Isa, você acabou de ir e voltar a pé de Salten em três horas? Deve estar exausta. Levou uma garrafa com água?

— Que se dane a água — eu disse com raiva.

Kate volta com um copo de água da torneira e põe suavemente na mesa. Eu preciso engolir saliva para aliviar a dor na garganta antes de beber a água.

Tomo um gole, depois outro maior, e despenco no sofá. Fatima serviu salada num prato para mim e levou até onde eu estava.

— O que aconteceu? — Ela senta ao meu lado no sofá segurando o prato, preocupada. — Você disse que viu um fantasma?

— Sim, eu vi um fantasma. — Espio por cima da cabeça de Fatima, olho diretamente para Kate. — Vi Luc Rochefort na cidade.

Kate faz uma careta antes mesmo de eu terminar a frase e senta de repente na ponta do sofá, como se não confiasse nas próprias pernas.

— Merda.

– Luc? – Fatima olha para mim e para Kate. – Mas pensei que ele tivesse voltado para a França depois do...

Kate move a cabeça com tristeza, mas é impossível dizer se é um sim ou um não, ou uma combinação das duas coisas.

– O que aconteceu com ele, Kate?

Abraço Freya com mais força, lembrando da cara dele fechada, da fúria que senti nele na pequena loja do correio.

– Ele estava...

– Com raiva – Kate completa e, apesar de pálida, pega o tabaco no bolso com as mãos firmes –, não é?

– Isso é dizer pouco. O que aconteceu?

Ela começa a enrolar o cigarro bem devagar, e lembro disso na escola, que Kate sempre ganhava tempo, jamais se apressava para responder. Quanto mais difícil a pergunta, mais ela demorava para responder.

Thea larga o garfo, pega o vinho e o maço de cigarros e vem para perto de nós.

– Anda, Kate. – Ela senta no chão aos nossos pés e tenho uma lembrança dolorosa de todas as noites que passamos assim, juntas no sofá, observando o rio, o fogo, fumando, rindo, conversando...

Agora não há mais risos, só o farfalhar do papel do cigarro que Kate enrola para lá e para cá no joelho, mordendo o lábio. Quando o cigarro está pronto, ela lambe o papel e então fala:

– Ele voltou para a França. Mas não... por conta própria.

– O que quer dizer? – pergunta Thea, que bate com o cigarro dela no chão e olha para Freya, e sei que ela quer fumar, mas vai esperar que Freya saia da sala.

Kate suspira e põe os pés descalços no sofá, ao lado de Fatima, e afasta o cabelo do rosto.

– Não sei quanto vocês sabem do passado de Luc... Vocês sabem que papai e a mãe de Luc, Mireille, viveram juntos, anos atrás, certo? E moraram conosco aqui.

Faço que sim com a cabeça, sabíamos disso tudo. Luc e Kate eram pequenos, quase pequenos demais para lembrar, disse Kate, mas ela lembrava vagamente de festas na beira do rio, de Luc caindo na água uma vez, quando era muito pequeno, e que ele não sabia nadar.

— Quando papai e Mireille se separaram, Mireille levou Luc de volta para a França e passamos anos sem vê-lo, então papai recebeu um telefonema de Mireille – ela não conseguia controlar Luc, ele era muito rebelde, o serviço social tinha se envolvido no caso dele... queria saber se ele podia passar as férias de verão aqui, dar um descanso para ela. Vocês conhecem papai, claro que ele concordou. Bom, quando Luc chegou, vimos que a história era mais complicada do que Mireille havia contado. Luc estava aprontando sim, mas tinha... motivos. Mireille tinha os problemas dela também... tinha recomeçado a se drogar e não deve ter sido a melhor mãe para Luc.

— E o pai de Luc? – pergunta Fatima. – Ele não se manifestou sobre o filho ter ido embora para a Inglaterra, para ficar com um homem desconhecido?

Kate sacode os ombros.

— Não sei se havia algum pai. Pelo que Luc contava, Mireille estava na pior quando ele nasceu. Nem tenho certeza se ela sabia quem...

Ela deixa a frase incompleta, respira fundo e recomeça:

— De qualquer modo, ele voltou para morar conosco quando tínhamos o quê, uns treze, catorze anos? E as férias se alongaram por um semestre... o semestre virou um ano... depois outro... então Luc foi matriculado na escola de Hampton's Lee e passou a morar conosco definitivamente, e vocês sabem... ele estava indo bem. Acho que estava feliz.

Sabemos disso também, mas ninguém interrompe.

— Mas depois que papai... – Kate engole em seco, e sei que a parte ruim está chegando, o tempo que nenhuma de nós suporta lembrar. – Depois que papai... se foi, Luc... não podia mais ficar aqui. Tinha só quinze anos, eu fiz dezesseis naquele verão, mas para Luc ainda faltavam meses, ele era menor de idade e, além disso, o serviço social assumiu o controle... – ela engole de novo e vejo as emoções passando pelo seu rosto, sombras de nuvens cobrindo o vale.

— Ele foi mandado de volta – diz ela de repente. – Ele queria ficar aqui comigo, mas eu não tive escolha. – Ela estende as mãos abertas como se implorasse. – Vocês entendem, não é? Eu tinha dezesseis anos, não havia como ser a guardiã legal de um menino francês perdido e sem os pais na Inglaterra. Fiz o que fui obrigada a fazer! – ela exclama com desespero na voz.

– Kate – Fatima põe a mão no braço dela e fala com voz suave –, somos só nós aqui, você não precisa se justificar. *Claro* que não teve escolha. Ambrose não era o pai de Luc... o que mais você podia ter feito?

– Eles o mandaram de volta – diz Kate, como se não tivesse ouvido, com as feições inexpressivas, lembrando. – E ele não parava de escrever para mim, ele implorava, dizia que papai tinha prometido cuidar dele, me acusava de traí-lo, me acusava...

Os olhos dela se enchem de lágrimas e ela pisca para afastá-las, com enorme tristeza e dor. Shadow percebe essa tristeza e, sem entender, vai deitar aos seus pés. Kate se abaixa e acaricia o pelo branco.

– Poucos anos atrás ele voltou para cá, arrumou um emprego na Salten House, de jardineiro. Achei que todos aqueles anos deviam ter contribuído para que ele amadurecesse, entendesse que eu não tive opção. Mal consegui me manter longe de um lar para crianças, que dirá ele. Mas ele não entendeu. Não tinha me perdoado. Uma noite me encurralou voltando pela margem do rio e, meu Deus – ela esconde o rosto com as mãos –, Fatima, as histórias! Você deve ouvi-las sempre, já que é médica, mas eu nunca... as surras, o abuso, meu Deus, o que ele... – a voz dela falha – o que ele sofreu... não suportei ouvir, mas ele não parava de falar, contou tudo para mim como se quisesse me punir... o que os namorados da mãe fizeram com ele quando era pequeno, mais tarde, quando voltou para a França e foi levado para uma instituição, o homem do lar de crianças que costumava... que costumava...

Mas ela não consegue terminar a frase. A voz se dissolve em lágrimas e ela cobre o rosto outra vez.

Vejo Fatima e Thea chocadas, e olho para Kate. Quero falar alguma coisa. Quero consolá-la, mas só consigo lembrar de como eles eram, os dois, os rostos risonhos brincando no Reach, o silêncio, concentrados sobre o tabuleiro de um jogo... Eles eram muito próximos... mais próximos do que meu irmão e eu éramos. E agora isso.

Por fim, é Fatima que larga o prato de comida e levanta, abraça Kate, balança com ela sem dizer nada, para lá e para cá, para lá e para cá.

Ela fala alguma coisa bem baixinho, e acho que ouço as palavras direito.

– Não foi culpa sua – ela repete sem parar. – Não foi culpa sua.

Eu já devia saber. É isso que penso sentada ao lado do berço de Freya, tentando fazê-la dormir, com a garganta doendo de engolir o choro.
Eu devia *saber*.

Porque estava tudo ali na minha frente para eu ver. As cicatrizes nas costas de Luc quando ele nadava no Reach, as marcas nos ombros que achei que fossem cicatrizes de injeções malfeitas, mas quando perguntei ele só fez uma careta e balançou a cabeça.

Estou mais velha agora, menos inocente. Entendo o que são aquelas pequenas marcas redondas de queimadura e fico nauseada com a minha cegueira.

Explicam muito bem o que eu nunca entendi, o silêncio de Luc e a adoração canina que sentia por Ambrose. O fato de não querer falar da França, por mais que insistíssemos, e o jeito com que Kate apertava a mão dele, e mudava de assunto por ele.

Isso tudo explicava até o que nunca compreendi, por que ele deixava os meninos da cidade provocarem, zombarem dele, e só engolia, engolia, engolia... até explodir. Lembro de uma noite no pub, os meninos da cidade implicavam com Luc sem parar, dizendo que ele saía com as meninas "sebosas" da Salten House. A posição de Luc, nem tanto a cidade, nem tanto a escola, sempre foi muito difícil. Kate era pró-Salten House, e Ambrose navegava os dois mundos sem dificuldade. Mas Luc tinha de negociar uma complicada divisão de classe entre a escola pública em Hampton's Lee que frequentava com a maioria das crianças da cidade e a ligação da sua família com a escola particular na colina.

Mas ele conseguia. Suportava as provocações, os comentários "nossas meninas não são boas para você, companheiro?" e as observações veladas sobre meninas ricas gostarem de "um pouco de violência". Aquela noite no pub ele só␣sorria e balançava a cabeça. Mas no fim da noitada, quando anotavam os últimos pedidos, um dos rapazes da cidade se abaixou e sussurrou alguma coisa no ouvido de Luc ao passar por ele.

Não sei o que ele disse. Só vi a expressão de Kate mudar. Mas Luc levantou tão rápido que a cadeira dele caiu para trás, e deu um soco forte no menino, bem no nariz, como se tivesse perdido o controle. O menino caiu engasgado e gemendo. Luc ficou parado de pé ao lado do menino que sangrava pelo nariz e chorava, como se nada houvesse acontecido.

Alguém do bar deve ter avisado Ambrose. Ele estava sentado na cadeira de balanço à nossa espera, quando entramos, sem sinal de sorriso no rosto que normalmente exprimia bom humor. Ele levantou ao nos ver.

– Papai – disse Kate, antes de Luc poder falar –, não foi culpa do Luc...

Mas Ambrose balançou a cabeça antes que ela terminasse a frase.

– Kate, isso é entre mim e Luc. Luc, posso ter uma conversa com você no seu quarto, por favor?

Eles fecham a porta do quarto de Luc para não ouvirmos a discussão, só os altos e baixos das vozes, a decepção completa e a repreensão de Ambrose, os pedidos e, por fim, a raiva de Luc. Nós nos encolhemos lá embaixo na sala de estar, diante do fogo que nem precisávamos porque a noite estava quente, mas Kate tremia e as vozes lá em cima soaram mais altas.

– Você não entende!

Ouvi a voz de Luc entrecortada, furiosa, incrédula. Não ouvi a resposta de Ambrose, só o tom de sua voz, equilibrado e paciente, e depois o estrondo, quando Luc jogou alguma coisa na parede.

Ambrose desceu sozinho, seu cabelo crespo todo despenteado, como se tivesse passado as mãos nele diversas vezes. Com fisionomia cansada, pegou a garrafa de vinho sem rótulo embaixo da pia, encheu um copo e bebeu de uma vez, suspirando.

Kate levantou quando Ambrose afundou na poltrona diante dela, mas Ambrose balançou a cabeça, sabendo para onde ela ia.

– Eu não iria se fosse você. Ele está muito aborrecido.

– Eu vou subir – disse Kate, desafiando o pai.

Ela passou pela cadeira de Ambrose, ele a agarrou pelo pulso e Kate parou, olhando para ele com expressão de rebeldia.

– E então? O que vai ser?

Esperei com o coração na boca que Ambrose explodisse, como meu pai faria. Pude até ouvi-lo furioso com Will por ter retrucado: *Eu levaria uma surra se enfrentasse meu pai desse jeito, seu merdinha.* E *Quando eu dou uma ordem, trate de obedecer, ouviu bem?*

Mas Ambrose... Ambrose não gritou. Nem disse uma palavra. Segurou o pulso de Kate, mas com delicadeza, os dedos nem fechavam em volta do braço dela, e pude ver que não era isso que a mantinha ali parada.

Kate olhou para o pai, buscando a resposta no rosto dele. Nenhum dos dois se moveu, mas a expressão dela mudou, como se lesse alguma coisa nos olhos dele que ninguém mais entenderia, então ela suspirou e abaixou a mão.

– Está bem – ela disse.

Eu sabia que Kate tinha entendido o que Ambrose queria dizer, sem precisar de palavras.

Ouvimos mais um estrondo lá em cima, que rompeu o silêncio, e todos pulamos assustados.

– Ele está destruindo o quarto – disse Kate baixinho, mas ela não deu mais um passo na direção da escada, só caiu sentada no sofá. – Ah, papai, não suporto isso.

– Não vai... não pode fazê-lo parar? – Fatima perguntou para Ambrose, incrédula, de olhos arregalados.

Ambrose fez uma careta ao ouvir o barulho de vidro quebrando lá em cima, e então balançou a cabeça.

– Se eu pudesse faria, mas há alguns tipos de sofrimento que só param de doer quando atacamos tudo em volta assim. Talvez ele precise fazer isso. Eu só queria... – Ele esfregou o rosto e de repente assumiu a aparência de todos os anos que tinha vivido. – Eu só queria que ele não quebrasse as coisas dele. Deus sabe que ele não tem muitas. Está fazendo mal a ele, mais do que a mim. O que *aconteceu* naquele pub?

– Ele engoliu, papai – disse Kate, pálida de tristeza. – Realmente não reagiu. Você sabe como eles são, é aquele garoto, Ryan ou Roland, ou seja lá como se chame. O grandão de cabelo preto. Sempre provocava. Mas Luc estava aguentando muito bem, apenas ria, tratava como infantilidade. Mas então Ryan disse outra coisa e Luc... perdeu o controle.

– O que ele disse? – perguntou Ambrose, inclinado para frente na poltrona, mas pela primeira vez vi o bloqueio entre Kate e o pai.

Kate ficou totalmente imóvel, uma espécie de reserva desconfiada por trás da máscara inexpressiva no rosto.

– Eu não sei – foi só o que ela disse, a voz, de repente, fria e estranha. – Não ouvi.

Ambrose não puniu Luc e Fatima balançou a cabeça reprovando isso a caminho de casa porque todas sabíamos que, por mais relaxado que ele fosse, Ambrose nunca teria tolerado aquele tipo de comportamento de Kate. Haveria recriminações, reprimendas e os consertos seriam tirados da mesada dela.

Com Luc, no entanto, Ambrose parecia um poço inesgotável de paciência. E agora eu entendia por quê.

Freya dorme, respira suave e ritmadamente, e eu espreguiço, perdida em lembranças, espiando o estuário na direção de Salten, recordando do Luc que conheci antes de ele ir para a França e tentando entender por que a raiva dele no correio tinha me abalado tanto.

Afinal, eu já sabia que aquela fúria estava nele. Tinha visto dirigida para outras pessoas e às vezes contra ele mesmo. E então entendi. Não foi a raiva dele que me assustou. Foi vê-lo com toda aquela raiva de nós.

Porque naquele tempo, por mais furioso que ele estivesse, sempre tratava nós quatro como se fôssemos porcelana finíssima, quase como se fôssemos algo precioso demais para ser tocado. E só Deus sabe como eu queria... eu queria ser tocada, queria demais. Lembro de estar deitada ao lado dele no cais, com o sol queimando nossas costas, de virar para olhar para o rosto dele, ver os olhos fechados e sentir um desejo tão grande que pensei que ia me fulminar, o desejo de que ele abrisse os olhos e me segurasse.

Mas ele não fez nada disso. E eu, com o coração batendo tão forte que quase dava para ouvir, tomei a iniciativa e colei os lábios nos dele.

Não sei o que esperava que acontecesse, mas não foi nada do que aconteceu.

Ele abriu os olhos na mesma hora, me afastou com um empurrão e gritou *"Ne me touche pas!"*, levantou e recuou tão sem jeito que quase caiu na água, com o peito subindo e descendo, bufando, olhar alucinado, como se tivesse sofrido uma emboscada dormindo.

Senti o rosto vermelho-fogo, como se o sol me queimasse viva, e levantei também, dei um passo para trás sem pensar, para longe daquela incompreensão furiosa.

– Desculpe – consegui dizer. – Luc?

Ele não falou nada, só olhou em volta, parecia não saber onde estava e não entender o que tinha acontecido. Naquele momento, foi como se nem me reconhecesse, como se eu fosse uma estranha. Então o reconhecimento apareceu nos olhos dele e a vergonha também. Ele deu meia-volta e correu, ignorando meus gritos "Luc! Luc, desculpe!".

Na hora, eu não entendi. Não sabia o que tinha feito de errado, nem que Luc pudesse reagir de forma tão violenta ao que, afinal, não passava de pouco mais do que um beijo fraterno que eu já dera nele cem vezes.

Mas agora... agora acho que sei que experiências estão por trás daquela reação apavorada, e meu coração se parte por ele. Mas estou ressabiada também, porque aquele momento me deu uma pequena mostra do que senti de novo no correio.

Sei o que é ter Luc como inimigo. Eu o vi atacar.

E não consigo parar de pensar na ovelha morta, na fúria e no sofrimento que motivou aquele ato, nas entranhas expostas e espalhadas como segredos podres na água limpa e azul.

E agora estou com medo.

— O que você vai fazer? – pergunta Fatima baixinho, entregando-me uma xícara de porcelana rachada.

Acabamos de almoçar. Fatima e eu estamos lavando a louça... ou melhor, ela está lavando e eu secando. Freya brinca no tapete da lareira.

Kate e Thea saíram para fumar e passear com Shadow, posso vê-las pela janela, voltando devagar pela margem do Reach, cabeças baixas, conversando, a fumaça dos cigarros se dispersando no vento de verão. Estranho, estão caminhando na direção contrária da que eu escolheria, para o norte, em direção à estrada para Salten, em vez de para o sul, em direção à praia. Um caminho bem menos interessante.

– Não sei. – Seco a xícara e ponho na mesa. – E você?

– Eu... sinceramente, também não sei. Todos os meus instintos estão berrando para eu ir para casa, porque não podemos mudar nada ficando aqui, e pelo menos em Londres é menos provável que a polícia bata à nossa porta.

Estremeço com as palavras dela e olho para a porta, imaginando Mark Wren atravessando a ponte estreita e batendo na madeira empretecida... e tento imaginar o que eu diria. Lembro da determinação veemente de Kate ontem à noite – *Não sabemos de nada. Não vimos nada*. Esse foi o script daqueles dezessete anos. Se continuarmos a afirmar isso, não vão poder provar nada, certo?

– É que eu quero apoiar Kate – continua Fatima.

Ela larga a esponja e empurra o lenço para trás, deixando um pouco de espuma no rosto.

– Mas uma reunião na escola, se nunca comparecemos às outras? Será que é uma boa ideia?

– É, eu sei. – Ponho outra xícara na mesa. – E eu também não quero ir. Mas vai ser pior ainda se desistirmos na última hora.

– Eu sei. Sei de tudo isso. Regra número dois – insista na sua história. E entendo. Pelo sim, pelo não, ela comprou as merdas de convites e disse para todo mundo que era por isso que estávamos aqui, de modo que é melhor fazer isso. Mas o que fizeram com aquela ovelha...

Ela balança a cabeça e recomeça a lavar a louça do almoço. Olho para o rosto dela enquanto esfrega os pratos.

– O que *foi* aquilo? Você viu melhor do que eu. Foi o Shadow mesmo?

Fatima balança a cabeça outra vez.

– Eu não sei – diz ela. – Só vi dois ataques de cachorro e talvez seja diferente quando atacam gente, mas não parecia...

Sinto um aperto no estômago e não sei se devo contar para ela. Se a polícia entrar no caso, talvez seja melhor Fatima não saber, não ter nada para esconder, mas nós juramos nunca mentir umas para as outras, não foi? E isso é uma espécie de mentira, é mentir por omissão.

– Havia um bilhete – resolvo contar. – Kate viu, mas escondeu no bolso. Eu encontrei quando fui lavar o casaco dela.

– *O quê?* – Fatima levanta a cabeça assustada, larga o pano de prato e vira para mim. – Por que não contou para nós?

– Porque não queria preocupá-las. E não queria...

– O que dizia?

– Dizia... – engulo em seco porque era quase insuportável repetir aquelas palavras, e me forço a pronunciá-las. – Dizia: *Por que não joga essa no Reach também?*

Ouço o estalo quando Fatima deixa cair a xícara que segurava, ela empalidece e fica sem expressão, feito máscara de horror do teatro emoldurada pelo lenço escuro na cabeça.

– O que você disse? – A voz dela sai muito rouca.

Mas não consigo repetir, e sei muito bem que ela ouviu, está assustada demais para admitir o que eu já concluí, que alguém sabe e que pretende nos punir pelo que aconteceu.

– Não. – Ela balança a cabeça. – *Não.* É impossível.

Largo o pano e vou para o sofá onde Freya está brincando, sento e ponho as mãos no rosto.

– Isso muda tudo – diz Fatima, alarmada. – Precisamos ir embora daqui, Isa. Temos de ir *já*.

Barulho lá fora de patas e pés na passarela. Levanto a cabeça e vejo Kate e Thea batendo a areia e a lama dos pés e entrando pela porta da praia. Kate chega rindo, sem o estresse que exibiu nas últimas vinte e quatro horas, mas sua expressão muda quando olha para Fatima, para mim e para Fatima de novo.

– O que houve? – pergunta ela. – Está tudo bem?

– Eu vou embora. – Fatima pega os cacos da xícara no chão e joga no escorredor, depois seca as mãos no pano de prato e vem para o meu lado. – Preciso voltar para Londres. Isa também.

– Não – a voz de Kate soa firme, urgente. – Vocês não podem.

– Venha comigo! – diz Fatima desesperada, e faz um gesto com a mão indicando o moinho. – Você não está segura aqui, e sabe disso. Isa, conte para elas do bilhete!

– Que bilhete? – pergunta Thea, assustada. – Alguém pode explicar?

– Kate recebeu um bilhete – desembucha Fatima –, dizendo: *Por que não joga essa no Reach também?* Alguém sabe, Kate! É o Luc? Você contou para ele? A questão aqui é essa?

Kate não responde. Só balança a cabeça, sofrendo em silêncio, mas não sei bem para que está dizendo não, para a ideia de ter contado para Luc, ou para a ideia de ter sido ele, ou se está mesmo respondendo para Fatima.

– Alguém *sabe* – Fatima repete com a voz mais alta e aguda. – Você tem de ir embora daqui!

Kate balança a cabeça de novo, fecha os olhos e os aperta com a ponta dos dedos como se não soubesse o que dizer, mas Fatima insiste:

– Kate, está me ouvindo?

– Não posso ir embora, Fati. Você sabe por quê.

– Por que não? Por que não pode simplesmente fazer as malas e partir?

– Porque nada mudou, quem escreveu aquele bilhete não procurou a polícia, então está só especulando ou tem mais a perder do que nós. Ainda estamos a salvo. Mas se eu fugir, vão saber que tenho algo a esconder.

– Bem, então fique, se quiser. – Fatima dá meia-volta para pegar a bolsa e os óculos escuros na mesa. – Mas eu não vou ficar. Não há motivo para eu ficar aqui.

– Há sim – agora a voz de Kate soa áspera. – Uma noite pelo menos. Raciocine, Fatima. Fique para o jantar das alunas. Se for embora antes, vai detonar o motivo de ter vindo para cá. Se não for para ir ao jantar, por que vocês vieram para cá agora, depois de tanto tempo?

Ela não diz qual é o motivo. Nem precisa. Ainda mais com a manchete berrando no jornal local.

– Puta que pariu – Fatima resmunga de repente, bem alto e com muita raiva.

Ela larga a bolsa no chão, vai até a janela e bate de leve com a testa no vidro canelado.

– *Puta que pariu.*

Ela vira para Kate com raiva.

– Por que cargas d'água você nos fez vir para cá, Kate? Para nos responsabilizar tanto quanto você?

– O quê?

A expressão de Kate é de alguém que levou um tapa, e ela dá um passo para trás.

– Não! Meu Deus, Fatima, claro que não! Como pode dizer isso?

– Então por quê? – grita Fatima.

– Porque não havia outra maneira de contar para vocês! – berra Kate.

O rosto cor de oliva fica vermelho, não sei se de vergonha ou de raiva. Quando fala de novo é para Shadow, como se não aguentasse olhar para nós.

– Qual era a alternativa? Mandar um e-mail? Porque não sei quanto a vocês, mas isso é uma coisa que não quero que meu computador grave. Telefonar e falar com seus maridos ao lado ouvindo? Pedi para vocês virem para cá porque achei que mereciam saber cara a cara e porque pareceu a opção mais segura, e sim, para ser sincera, porque sou um poço de egoísmo e *precisava* de vocês.

Kate fica meio ofegante e penso que vai cair no choro, mas não, em vez disso é Fatima que atravessa a sala para abraçá-la.

– Desculpe – ela consegue balbuciar. – Eu não devia... eu sinto muito.

– Eu também sinto – diz Kate com a voz abafada pelo lenço de Fatima. – Isso tudo é minha culpa.

– Pare – Thea interrompe, chega perto e abraça as duas. – Kate, estamos todas no mesmo barco, não é só você. Se não tivéssemos feito aquilo...

Ela não termina a frase, nem precisa. Nós todas sabemos o que fizemos, de que forma aquele verão modorrento e ensolarado acabou, levando Ambrose com ele.

– Fico essa noite – Fatima resolve –, mas não quero ir ao jantar. Depois de tudo que aconteceu, como pode pensar em voltar lá, Kate? Depois do que fizeram?

– Temos os convites... – Thea diz devagar. – Isso não basta? Não podemos dizer que resolvemos não ir na última hora, que o carro de Fati enguiçou, alguma coisa assim. Isa? O que você acha?

As três viram para mim, três rostos muito diferentes fisicamente, mas com expressões idênticas: preocupação, medo, expectativa.

– Acho que devemos ir – respondo.

Não quero ir, quero ficar aqui na quietude e no calor do moinho. Salten House é o último lugar ao qual desejaria voltar. Mas Kate já comprou os convites para nós, e não podemos desfazer isso. Se não formos, haverá quatro lugares vazios às mesas e quatro nomes sem presença na entrada. As pessoas sabem que viemos para cá, numa cidade pequena como essa não existem segredos. Se não comparecermos, vão querer saber por quê. Por que mudamos de ideia. E o pior de tudo, por que viemos para cá, se não foi pelo jantar. E não podemos enfrentar perguntas.

– Mas e Freya? – pergunta Fatima.

Ela tem razão. Eu nem tinha pensado em Freya. Olhamos para minha filha, que brinca satisfeita, deitada de costas no tapete, mastigando um pedaço de plástico escandalosamente colorido. Ela percebe que estamos olhando para ela, olha para nós e dá risada, uma risada borbulhante e feliz que faz com que eu queira agarrá-la junto ao peito.

– Será que posso levá-la? – pergunto.

Kate parece confusa.

– Merda, nem pensei na Freya. Espere um pouco.

Ela pega o celular, vejo que abre o site da escola e clica na aba de alunas.

– Jantar... jantar... achei. FAQs... convites para visitantes... ah, droga.

Leio em voz alta por cima do ombro dela:

– Companheiros e filhos maiores são bem-vindos, mas lamentamos que esse evento formal não seja adequado para bebês ou crianças com menos de dez anos. Podemos fornecer uma lista de babás temporárias, ou de hotéis com creche para quem precisar.

– Que maravilha.

– Desculpe, Isa. Mas tem meia dúzia de moças da cidade que viriam ficar com ela.

Engulo a observação de que não é tão simples. Freya nunca aceitou bem mamadeiras e, mesmo se aceitasse, eu não tinha levado o equipamento para tirar o leite.

Eu podia botar a culpa nas mamadeiras, mas seria mentira, porque a verdade mesmo é que eu simplesmente não quero deixá-la.

– Vou ter de fazê-la dormir antes de alguém chegar para cuidar dela – digo sem ânimo. – Ela não vai dormir com uma desconhecida, não dorme nem com Owen, que dirá alguém que nunca viu. Que hora começa o jantar?

– Às oito – diz Kate.

Merda. Vai ser relâmpago. Freya às vezes dorme às sete, às vezes está acordada e cantarolando às nove. Mas não há como remediar isso.

– Dê-me o número – peço para Kate. – Eu ligo. É melhor eu falar com elas diretamente, para ver se sabem mínimo sobre bebês.

Kate faz que sim com a cabeça.

– Desculpe, Isa.

– Ela ficará bem – diz Fatima, solidária, põe a mão no meu ombro e o aperta um pouco. – A primeira vez é sempre mais difícil.

Sinto uma onda de irritação. Ela não teve a intenção de dar uma de mãe experiente, mas não conseguiu evitar, e o pior de tudo é que sei que está certa, ela tem dois filhos e muito mais experiência do que eu, já fez isso e sabe como é. Mas ela não conhece Freya e, mesmo achando que lembra do nervosismo da primeira vez que deixou seu bebê com uma estranha, não lembra *realmente*, não com a imediatidade visceral que sinto nessa hora.

Deixei Freya com Owen algumas vezes. Mas nunca assim... nunca com alguém que nunca vi.

E se acontecer alguma coisa?

– Passe os números para mim – peço de novo para Kate, ignorando Fatima, sacudindo o ombro para ela tirar a mão, pego Freya no colo e subo para o quarto, com a lista de números de telefone na mão fechada, tentando não ceder ao choro.

Já é tarde. O sol vai se retirando do céu, as sombras sobre o Reach mais longas e Freya cabeceia no meu seio, ainda agarrada ao colar frágil de fios de prata torcidos que raramente uso, com medo de que ela puxe e arrebente os elos.

Ouço as outras conversando lá embaixo. Estão prontas há séculos, enquanto tento fazer Freya dormir e fracasso. Mas ela captou meu nervosismo, fez uma careta de nojo com o cheiro incomum do perfume que botei atrás das orelhas, bateu zangada na seda preta do vestido justo demais que peguei emprestado de Kate. Está tudo errado: o quarto estranho, o berço improvisado na cama estranha, a luz entrando através da cortina fina demais.

Toda vez que a ponho no colchão que serve de berço ela pula, balança os braços e me agarra, os gritos zangados se elevam feito sirene sobre o barulho do rio e das vozes baixas no térreo.

Mas agora parece que dorme realmente, a boca meio aberta, um pouco de leite escorre de um canto.

Limpo logo para não manchar o vestido emprestado, levanto e, para não fazer barulho, vou, pé ante pé, até a caminha no canto.

Mais baixo... mais baixo... vou abaixando devagar, sinto as costas reclamarem e finalmente ela está no colchão, minha mão firme na barriga dela, tentando fundir o momento de eu *estar* ali com o momento de *não* estar mais da forma mais suave possível, para não ser notado.

Acabo endireitando as costas e prendo a respiração.

– *Isa!* – ouço um chamado sussurrado lá de baixo na escada, cerro os dentes, grito *cale a boca!* dentro da minha cabeça, mas não ouso falar em voz alta.

Freya continua a dormir, vou na ponta dos pés para o corredor, desço a escada bamba com o dedo na frente da boca, as outras vibram ao me ver e logo fazem silêncio ao perceber meu gesto.

Elas estão juntas ao pé da escada, olhando para mim. Fatima com um deslumbrante *shalwar kameez* de seda vermelha bordada com pedras que achou numa loja de trajes a rigor em Hampton's Lee aquela tarde. Thea tinha se recusado a ceder aos ditames do convite indicando traje a rigor e usava a calça jeans de elastano toda justa, com uma blusa de alcinhas que começava dourada na bainha e ia escurecendo até o preto no decote. Lembrei tanto do cabelo dela quando era menina que fiquei com um nó na garganta. Kate usava um vestido rosa de lenços com a bainha assimétrica que podia ter custado um centavo ou centenas de libras, tinha soltado o cabelo que caía sobre os ombros e ainda estava molhado.

Desço a escada com aquele nó na garganta sem saber por quê. Talvez seja a compreensão repentina do quanto adoro as três, ou a consciência de que deixaram de ser meninas e viraram mulheres de um dia para outro. Talvez seja a luz do sol se pondo que ilumina os rostos delas sobrepondo-se à lembrança de quando eram meninas – brilhantes, um tanto ressabiadas, um pouco cansadas, porém mais lindas do que minhas lembranças de quando eram meninas, e ao mesmo tempo com a pele do rosto lisa, ar esperançoso como pássaros prestes a alçar voo para um futuro desconhecido.

Penso em Luc e na raiva que transparecia no correio, as ameaças veladas, e sinto uma fúria repentina – não posso suportar que eles sofram. Nenhum deles.

– Pronta? – pergunta Kate sorrindo, mas, antes de dar minha resposta, ouço uma tosse no canto e vejo Liz, a menina da cidade que ia ficar cuidando da Freya, parada ao lado da cômoda.

Ela é assustadoramente jovem – foi a primeira coisa que pensei quando ela chegou e bateu na porta de leve. Ela disse ao telefone que tinha dezesseis anos, mas agora que a vejo, não sei se acredito. Tem cabelo castanho-claro e o rosto é largo e inexpressivo, difícil de interpretar, mas parece nervosa.

Thea olha para seu celular.

– Temos de ir.

– Esperem – eu digo, e recomeço o discurso que já tinha ensaiado duas vezes –, o copo com meu leite na geladeira, a chupeta que Freya não gosta, mas que sempre torço para que adote, onde as fraldas estão guardadas e o que fazer se ela não se acalmar.

– Você tem o meu número – eu digo pela vigésima vez enquanto Fatima muda o pé de apoio para lá e para cá e Thea suspira –, certo?

– Bem aqui – Liz dá uma batidinha no bloco em cima da cômoda, ao lado da pilha de notas de dez libras que é o pagamento dela por aquela noite.

– E o leite na geladeira; não sei se ela vai querer, não está acostumada com esses copinhos, mas vale tentar se ela acordar.

– Não se preocupe, senhorita – os olhos pequenos de Liz são azuis e sem malícia. – Minha mãe sempre diz que ninguém cuida melhor do meu irmãozinho do que eu. Fico com ele o tempo todo.

Isso não me tranquiliza muito, mas faço que sim com a cabeça.

– Venha, Isa – diz Thea, impaciente, parada na porta com a mão na maçaneta. – Nós temos de ir agora.

– Está bem.

Sinto o erro que estou cometendo dar um nó nas minhas entranhas quando vou para a porta, mas que escolha eu tenho? A distância entre mim e Freya aumenta, estica feito uma corda em volta do meu pescoço que aperta enquanto eu ando.

– Vou tentar escapar de lá mais cedo, mas ligue para mim, está bem? – digo para Liz, ela faz que sim e eu vou me afastando dela, de Freya, cada passo amplia o vazio no meu peito.

Então estou na ponte instável de madeira, sentindo o sol nas costas e o vazio diminui um pouco.

– Então sou eu que vou dirigindo? – diz Fatima, pegando as chaves.

Kate olha para o relógio.

– Não sei. São quinze quilômetros pela estrada, e é bem possível encontrar um trator a essa hora. Eles estão todos trabalhando até tarde nos campos com esse tempo, e só têm um caminho. Se ficarmos presas atrás de um podemos ficar lá horas.

– E aí? – Fatima faz cara de tão horrorizada que chega a ficar cômica. – Está querendo dizer que devemos ir a pé?

– Seria mais rápido. São só três quilômetros se atravessarmos o alagado.

– Mas eu estou com sapatos de salto!

— Então troque pelos seus Birkenstocks — Kate aponta com movimento da cabeça para os sapatos de Fatima deixados do lado de fora da porta. — Mas será mais fácil ir a pé. Fica seco com esse tempo.

— Então vamos — diz Thea, e me surpreende. — Vai ser como nos velhos tempos. E de qualquer forma, vocês sabem como vai estar o estacionamento da escola. Vamos ficar presas, sem poder tirar o carro de lá até as outras filas irem embora.

Foi essa lembrança que nos fez mudar de ideia. Vejo nos olhos de Fatima que ela não quer ficar presa na escola, como nenhuma de nós quer, sem poder sair de lá. Ela rola os olhos nas órbitas, mas acaba tirando os sapatos de salto e calça os Birkenstocks. Eu troco os meus, também de saltos, pelas sandálias que usei para ir a pé até a cidade, e faço uma careta quando aperta os mesmos pontos doloridos da longa caminhada. Kate já está usando sapatilhas, assim como Thea, que não precisa ficar mais alta.

Dou uma última espiada na janela do quarto em que Freya dorme e sinto aquela pontada doída. Então olho para a trilha, para o sul, na direção da costa, e respiro fundo.

Partimos.

É como nos velhos tempos, seguimos a mesma trilha que sempre usávamos para voltar para Salten House. A noite está linda, o céu riscado de nuvens cor-de-rosa que refletem o pôr do sol, o caminho arenoso devolve o calor do dia para nossos pés.

Na metade da trilha pela costa, Kate para de repente e diz:

— Vamos cortar caminho por aqui.

Na hora, nem vejo para onde ela aponta, só um minuto depois. É uma abertura na cerca viva cerrada e cheia de espinhos, um mourão quebrado que mal dá para ver no meio do emaranhado do espinheiro.

— O quê? — Thea ri. — Você está brincando?

— Eu... — Kate parece sem jeito. — Eu só achei que... seria mais rápido.

— Não seria não — diz Fatima, confusa. — Você sabe que não. É uma rota menos direta e, de qualquer modo, não posso passar por aí, minha roupa ficaria em frangalhos. Qual é o problema com o mourão mais adiante? Aquele que sempre usamos para voltar para a escola?

Kate respira fundo, e tenho a impressão de que vai insistir, mas então ela dá meia-volta e segue pela trilha na nossa frente.

– Tudo bem – ela resmunga tão baixo que não tenho certeza se ouvi direito.

– Aquilo foi estranho – cochicho para Fatima, que faz que sim com a cabeça.

– É, eu sei, o que está acontecendo? Mas eu não exagerei, não é? Olha só... – ela aponta para a seda frágil, esvoaçante, para as pedras que enroscavam em tudo. – Não acha? Eu não podia passar por aqueles arbustos cheios de espinhos de jeito nenhum.

– Claro que não – respondo, e aceleramos o passo para alcançar Kate que vai se afastando. – Não sei o que passava na cabeça dela.

Mas eu sei, sim. Assim que chegamos ao lugar em que sempre virávamos, lembro perfeitamente e nem acredito que tenha esquecido. E ali também entendo por que Kate levou Thea para o norte, subindo o Reach, na caminhada que fizeram aquela tarde, em vez de ir para o sul, na direção do mar.

Porque no lugar em que nossa trilha vira para a direita, passando de um mourão, indo para o alagado, a trilha da costa segue para o mar e ao longe, quase escondida por uma duna de areia, vejo uma forma branca e a fita azul e branca da polícia.

É uma barraca do tipo que usam para proteger o lugar em que estão coletando amostras para a perícia.

Meu coração aperta e fico nauseada. Como pudemos ser tão burras?

Thea e Fatima entendem também, no mesmo instante. Percebo pela mudança na expressão delas e trocamos olhares chocados às costas de Kate, que caminha na nossa frente para o mourão, evitando olhar para a beleza da praia e do mar cintilante até onde a vista alcança, e, no meio disso tudo, aquela barraquinha despretensiosa que modificou tudo.

– Desculpe – eu digo quando Kate passa a perna sobre a cerca, com a seda rosa esvoaçando ao vento. – Kate, nós nem pensamos...

– Está tudo bem – ela diz outra vez, com a voz áspera e seca, e não está tudo bem.

Como podíamos ter esquecido? Nós sabíamos muito bem. Era por isso que estávamos ali, afinal de contas.

– Kate... – diz Fatima, arrependida, mas Kate já passou do mourão e segue com passos largos, de costas para nós, de modo que não vemos a expressão dela, só podemos olhar umas para as outras, arrasadas, nos sentindo culpadas, e depois corremos para alcançá-la.

– Kate, eu sinto muito – digo de novo, seguro o braço dela, mas ela afasta minha mão.

– Esqueçam – ela diz, e sinto como um soco no estômago, uma acusação que não posso refutar, porque já tinha esquecido.

– Parem – diz Thea em tom de comando que eu não ouvia fazia anos.

Ela costumava falar assim com facilidade, naquele tom que estala e praticamente nos obriga a ouvir, mesmo sem obedecer. *Pare. Beba isso. Dê-me aquilo. Venha cá.*

Em algum momento, ela parou. Parou de dar ordens para todo mundo, ficou com medo da própria autoridade. Mas isso volta, só um instante e Kate vira, para no capim podado pelos carneiros com cara de resignação.

– O que foi?

– Kate, olha... – o tom autoritário não existe mais.

A voz de Thea é conciliadora, insegura, reflete tudo que sentimos ali em volta dela, sem saber o que dizer, sem saber o que pensar do insuportável "tudo bem", sabendo que não podemos.

– Kate, nós não...

– Sentimos muito – diz Fatima. – Desculpe, sentimos mesmo, devíamos ter entendido. Mas não fique assim... estamos aqui por você, e você sabe disso, não é?

– E eu devia agradecer mais? – Kate faz uma careta e tenta sorrir. – Eu sei, eu...

Mas Fatima interrompe:

– *Não.* Não é isso que estou dizendo. Caramba, Kate, quando foi que *gratidão* ficou entre nós? – ela cospe a palavra como se fosse um xingamento. – Gratidão? Não me insulte. Estamos muito além disso, não estamos? Certamente estávamos. O que eu quis dizer foi que você pensa que está sozinha, pensa que é a única que se preocupa, e *não* é nada disso. E devia considerar isso, todas nós – ela faz um gesto incluindo nosso pequeno grupo, nossas sombras pretas e compridas cobrindo o alagado ao sol poente –, uma prova disso. Nós *amamos* você, Kate. Olhe só para nós, Isa veio com a bebê, Thea largou o trabalho avisando na última hora, eu deixei Ali, Nadia e Sam, todos eles, por *você*. É isso que você significa para mim, para nós. É assim que nunca vamos decepcionar você. Entendeu?

Kate fecha os olhos e imagino que talvez chore, ou nos dê uma bronca, mas ela não faz isso, estende os braços no ar, seguramos suas mãos, e ela nos puxa, aperta meu pulso com os dedos fortes, como se nós a mantivéssemos à tona.

– Vocês... – diz ela e sua voz falha, então nos abraçamos, nós quatro juntas como quatro árvores enganchadas aos ventos do mar, formando um único ente vivo, braços entrelaçados, testa contra testa, calor humano contra calor humano, e posso senti-las, seus passados tão trançados com o meu que não há como nos separar, a nenhuma de nós.

– Amo vocês – Kate diz com a voz embargada, e eu repito para ela, ou penso que repito, o coro de vozes emocionadas deve incluir a minha, mas não sei, não sei onde eu termino e as outras começam.

– Vamos entrar juntas – diz Fatima com firmeza. – Estão entendendo? Eles nos dobraram uma vez, não farão isso de novo.

Kate faz que sim com a cabeça, endireita as costas e seca os olhos com os dedos por baixo do rímel.

– Certo.

– Então estamos combinadas? Frente unida?

– Frente unida – diz Thea, um tanto triste, e eu meneio a cabeça.

– Unidas venceremos – digo eu, e logo preferia não ter dito, porque a outra parte da expressão, divididas cairemos, fica pairando no ar feito eco silencioso.

Vocês lembram...
Era o refrão da nossa conversa no último quilômetro e meio da caminhada pelo alagado.

Vocês se lembram de quando Thea foi pega com vodca na garrafa de esportes na partida de hóquei de despedida com Roedean?

Vocês se lembram de quando Fatima disse para a Srta. Rourke que *fodasse* era caneta em urdu?

Vocês se lembram de quando escapamos para nadar à noite, Kate foi pega pela correnteza da maré e quase se afogou?

Vocês se lembram – vocês se lembram – *vocês se lembram...*

Eu pensava que me lembrava de tudo, mas, agora que as lembranças me cobrem como enchente, percebo que não, de tudo não. Não assim, não com tanta nitidez ao ponto de sentir o cheiro da maresia, de ver Kate com pernas e braços trêmulos e brancos ao luar, enquanto a carregávamos pela praia. Eu lembrava, mas não de todos os detalhes, as cores, a sensação da grama do campo sob meus pés e o vento do mar no rosto.

Mas é quando atravessamos o último campo e pulamos a última cerca que Salten House aparece e a ficha cai de verdade. Estamos de *volta*. Estamos mesmo, realmente de volta. Essa ideia é perturbadora, sinto o estômago apertar quando as outras ficam em silêncio, porque sei que devem estar lembrando, como eu, aquelas *outras* lembranças, as que tentamos esquecer. Eu me lembro da cara de Mark Wren quando um grupo de alunas da quinta série o encontrou na estrada da costa um dia, com a nuca vermelha assim que as risadinhas e os cochichos começaram, lembro do jeito que ele baixou a cabeça e olhou para Thea, era puro sofrimento. Lembro-me da expressão de medo de uma aluna do primeiro ano fugindo de Fatima e de mim no corredor, porque devia ter ouvido histórias sobre nós – sobre nossas línguas ferinas e nossa capacidade de enganar a todos. E lembro também da expressão da Srta. Weatherby naquele último dia...

De repente me agrada ver que Salten House mudou, muito mais do que a cidadezinha de Salten, que parecia toda feita de pedra e sal. Diferente do moinho que só decaiu com os anos, a escola está nitidamente mais moderna agora, não tenho lembrança disto. Qualquer que fosse a impressão que quisessem dar no passado, Salten House nunca foi das mais renomadas no meu tempo. Era, como Kate havia dito, "a última chance" em muitos aspectos – o tipo de lugar que teria vaga para uma aluna matriculada às pressas por ter problemas em casa, que não faria perguntas sobre uma menina expulsa de três outras escolas. Lembro que notei quando cheguei lá naquele primeiro dia, muito tempo atrás, que a pintura estava descascando e manchada de sal, os gramados amarelos depois de um verão muito quente. Havia mato crescendo no cascalho da entrada e entre os Bentleys e Daimlers muitos pais dirigiam Fiats, Citroëns e Volvos velhos.

Mas agora o lugar lembra... dinheiro. Não há outra forma de descrever.

A silhueta do prédio alto forma sombras compridas no gramado de croqué e nas quadras de tênis é a mesma, mas a pintura branca e barata deu lugar a um creme profundo e caro, que suaviza as arestas sutilmente, efeito enfatizado pelas flores que puseram nas jardineiras das janelas, e pelas trepadeiras que plantaram nos cantos e estão começando a se enroscar na fachada.

Os gramados estão mais ricos e verdes, e quando passamos por eles ouvimos um clique baixinho e pequenos aspersores sobem da grama e começam a aspergir uma névoa fina de água, um luxo inimaginável no tempo em que estudamos lá. Os outros prédios e as passarelas cobertas aumentaram em número, de modo que as meninas não precisam correr de uma sala de aula para outra para escapar da chuva. E quando passamos pelas quadras de tênis com grama sintética, vejo que os tatames que machucavam os joelhos foram renovados e substituídos por uma espécie de esponja verde emborrachada.

O que não mudou foram as quatro torres, que continuam como sentinelas, uma em cada canto do bloco principal, com a estrutura preta das escadas de incêndio ainda subindo em espiral como hera pós-industrial.

Queria saber se as janelas das torres ainda dão espaço para meninas magras de quinze anos passarem e se as meninas escapam agora como antes... E duvido.

É o meio do ano, claro, e o lugar está estranhamente silencioso... ou quase. Quando atravessamos os campos de esportes, os carros sobem a estrada de entrada e ouço vozes vindas da frente do prédio.

Minhas orelhas ardem e logo penso, *pais e mães!* com a mesma sensação de perigo que tem um coelho imaginando *gaviões!* Mas então me dou conta – não são pais e mães, são meninas. Meninas que envelheceram. *Nós.*

Só que não éramos nós. Porque era sempre nós e eles. Esse era o problema de ter uma "patota", como diria Mary Wren. Quando nos definimos entre muros, quem está dentro e quem está fora. As pessoas do outro lado do muro não são mais apenas eles, são *eles*. Os de fora. A oposição. O inimigo.

É uma coisa que não entendia naqueles primeiros dias na Salten House. Fiquei tão feliz de encontrar amigas, tão contente de ter descoberto meu canto, que não compreendi que cada vez que escolhia ficar do lado de Kate, Thea e Fatima, estava escolhendo ficar *contra* os outros. E que logo eles ficariam contra mim.

Afinal de contas, um muro ou parede não é só para manter os outros fora. Pode ser também para prender gente.

– Ai. Meu. Deus.

A voz flutua no ar, damos meia-volta juntas, nós quatro, virando na direção da origem do som.

Uma mulher se aproxima de nós sobre os saltos altos que amassam e resvalam no cascalho.

– Thea? Thea West? E... ah, meu Deus, você deve ser Isa Wilde, certo?

Na hora dá um branco e não consigo lembrar o nome dela. Mas logo vem, é Jess Hamilton. Capitã de hóquei da quinta série e muito cotada para liderar a equipe na sexta. Será que ela conseguiu? Mas antes de poder abrir a boca para dizer oi, ela avança.

– Fatima! Quase não a reconheci com esse lenço! E Kate também! Não acredito que vocês estão aqui!

– Bem... – Thea ergue uma sobrancelha e faz um gesto com a mão indicando o grupo – Pode acreditar. É tão incrível assim termos chegado tão longe na vida? Sei que eu tinha um pôster que dizia *viva rápido, morra jovem* na parede do dormitório, mas não era para interpretar literalmente.

– Não! – Jess dá uma risada aguda e bate no ombro de Thea de brincadeira. – Você sabe que não é isso. É que... – ela para de falar um segundo e nós sabemos o que está realmente pensando, mas ela se recupera e continua: – É só que, ora, vocês nunca compareceram a nenhum desses eventos, nenhuma de vocês, nem a Kate, que mora a cinco minutos daqui. Nós tínhamos perdido a esperança!

– Que bom saber que sentiram a nossa falta – diz Thea com um sorriso torto.

Depois de um momento de silêncio constrangedor, Kate recomeça a andar.

– Puxa vida – diz Jess, acertando o passo conosco quando damos a volta para a entrada principal –, o que vocês estão fazendo? A Kate eu sei, claro. Não foi surpresa ter se tornado artista. E você, Isa, vou tentar adivinhar... alguma coisa relacionada com educação?

– Não – respondo e faço força para sorrir. – Funcionária pública. A não ser que conte tentar dar um curso relâmpago de direito para os ministros. E você?

– Ah, eu tenho muita sorte. Alex – meu marido – se deu tremendamente bem no *boom* da ponto.com, entrou e saiu na hora certa. Por isso somos pai e mãe de Alexa e Joe em tempo integral.

As sobrancelhas de Thea quase desaparecem embaixo da franja.

– Vocês têm filhos? – pergunta Jess, e eu quase não respondo, mas percebo que ela está perguntando para mim diretamente, e faço que sim com a cabeça.

– Tenho. Uma menininha, Freya. Está com quase seis meses.

– Em casa com a babá?

– Não. – Consigo dar mais um sorriso. – Nós não temos babá. Ela está na casa da Kate, com uma babysitter.

– E você, Fatima? – continua Jess. – Devo dizer que não sabia que você tinha se tornado... – ela indica o lenço com a cabeça. – Você sabe. Uma *muçulmana* – ela pronuncia a última palavra como se não quisesse articular uma ideia considerada tabu.

O sorriso de Fatima é ainda mais seco do que o meu, mas ela não deixa transparecer.

– Sempre fui muçulmana – diz ela com firmeza. – Só não seguia bem quando estava na escola.

– E o que... você sabe, o que a fez mudar de ideia?

Fatima dá de ombros.

– Filhos. Tempo. Amadurecimento. Quem sabe?

Percebo que Fatima não quer falar sobre o assunto, ou então não com Jess, não agora.

– Então você casou? – quer saber Jess.

Fatima faz que sim com a cabeça.

– Com outro médico. Eu sei, eu sei. Que clichê, não é? Dois filhos adoráveis, um menino e uma menina. Os dois estão em casa com Ali. E os seus?

– Igual a você, uma menina e um menino, Alexa, com quase cinco anos... nem sei onde o tempo foi parar! E Joe, que está com dois. Estão em casa com a *au pair*. Alex e eu escapamos por duas noites num fim de semana prolongado. Temos de ter tempo só para nós dois, certo?

Fatima e eu trocamos olhares rapidamente. Não sei bem o que responder, Owen e eu não tivemos nenhum tempo para nós dois desde que Freya nasceu, mas somos salvas pela chegada de uma loura alta no caminho à nossa frente, que finge desmaiar com a mão no coração e diz:

– Não é Jess Hamilton, é? *Não!* Não pode ser, parece muito mais jovem!

– Ela mesma – diz Jess, fazendo uma pequena mesura, e então aponta para nós quatro. – E você deve lembrar...

Faz-se um silêncio repentino, vejo a mulher registrando nossos rostos, lembrando nomes e a expressão dela muda, o sorriso social desaparece. Ela lembra. Lembra exatamente.

– Claro que sim – diz ela com uma frieza que faz meu coração encolher.

Então ela vira de novo para Jess, dá o braço para a outra e as costas para nós.

– Jess, querida, você *precisa* conhecer o meu marido – diz ela em tom conspiratório.

E assim, sem mais, Jess é levada embora e ficamos só nós quatro de novo. Sozinhas. Juntas.

Mas não por muito tempo. Porque, quando damos a volta no prédio, para o caminho da entrada, vemos as portas abertas, luz saindo lá de dentro e pessoas entrando.

Sinto que alguém segura minha mão e vejo que é Kate, ela entrelaça os dedos nos meus como apoio, o aperto da mão dela é tão forte que chega a doer.

– Você está bem? – sussurro, e ela meneia a cabeça só uma vez, mas não sei bem se está tentando me convencer ou a ela mesma.

– Vestiram as armaduras? – diz Thea olhando para os sapatos que estou segurando, e me dou conta de que ainda estou com as sandálias de caminhar, cobertas de poeira. Tiro as sandálias apoiada no ombro de Kate e calço os sapatos de salto alto. Fatima faz a mesma coisa, apoiada no braço de Thea. O vestido de Kate esvoaça ao vento como uma bandeira, como um sinal de pedido de socorro, penso de repente, a imagem vem à minha cabeça sem ser convidada e a empurro para longe.

Nós nos entreolhamos e no olhar das outras vemos os mesmos sentimentos – tensão, nervosismo, medo.

– Prontas? – diz Kate, e todas fazemos que sim.

Então subimos os degraus e entramos na escola que nos expulsou de modo muito doloroso, muitos anos atrás.

Ai, meu Deus. Estamos aqui há menos de uma hora e já não sei se consigo fazer isso.

Estou sentada no vaso sanitário com a cabeça apoiada nas mãos, tentando me acalmar. Estive bebendo de tão nervosa que estou, deixei os garçons que passavam encher meu copo e não contei quantas doses tomei. Parece um sonho, um daqueles em que voltamos à escola, mas tudo está um pouco diferente, mais tecnicolor, tudo um pouco melhorado. A muralha de rostos e vozes que nos receberam ao entrarmos no salão foi mais como um pesadelo, um misto de desconhecidos e rostos com vaga lembrança mudados com a idade, as feições mais marcadas, sem a gordurinha da infância, ou então mais grossas, com a pele mais flácida, feito máscara de látex que escorreu um pouco.

E o pior é que *todos* nos conhecem, mesmo as meninas que chegaram à escola depois que saímos. Eu não tinha previsto isso. O modo como saímos, entre um semestre e outro, sem ninguém anunciar nossa partida... pareceu discreto. Foi uma das coisas que a diretora disse a meu pai na época: "Se Isa for embora voluntariamente, poderemos evitar qualquer tumulto."

Mas eu tinha esquecido a câmara de eco que deixamos para trás, nossa ausência deve ter sido preenchida inúmeras vezes por fofocas e especulações até formar uma montanha de mentiras e de meias verdades, alimentadas pela penúria de fatos quanto ao desaparecimento de Ambrose. E agora – há um número suficiente de meninas que vivem por perto e que devem ter visto o *Salten Observer*. Elas leram as manchetes. E não são burras – somaram dois e dois. E por vezes o resultado foi cinco.

O pior de tudo são os olhares, ávidos. As pessoas são polidas na nossa frente, apesar da conversa ser meio forçada, e posso estar imaginando, mas sinto uma certa desconfiança por trás dos sorrisos. Mas toda vez que viramos as costas, ouço os cochichos começando. *É verdade? Elas não foram expulsas? Você ouviu...?*

As lembranças não são mais tapinhas suaves no meu ombro dizendo "você lembra?", são tapas mesmo, e cada um é arrasador. Mesmo longe das pessoas, continuo sentindo. Lembro de sentar nesse mesmo cubículo, chorando porque uma menina, uma inofensiva aluna do primeiro ano, tinha me visto com Fatima voltando da casa da Kate uma noite e eu tive uma reação exagerada. Eu a ameacei, disse que se contasse para alguém o que tinha visto eu faria com que a mandassem para Coventry pelo resto dos seus dias na Salten. Disse que podia fazer isso. Eu podia tornar a vida dela um inferno.

Era mentira, claro. As duas coisas. Eu não poderia isolá-la daquele jeito, mesmo se quisesse. Nós mesmas estávamos muito isoladas naquela altura. Os assentos eram sempre de alguém quando procurávamos lugar no refeitório. Se uma de nós sugerisse algum filme na sala comum, a votação sempre acabava favorecendo outro. E além disso, eu nunca teria feito nada daquilo. Só queria assustá-la um pouco, mantê-la de boca fechada.

Não sei o que ela fez ou disse, mas a Srta. Weatherby me chamou na sala dela aquela noite e fez um longo sermão sobre o espírito comunitário e a minha responsabilidade sobre as meninas mais jovens.

– Estou começando a pensar – disse ela com voz de desapontada – se você tem mesmo o que precisa para ser aluna da Salten, Isa. Sei que as coisas em casa estão muito difíceis, mas isso não é desculpa para descarregar nas outras, especialmente não nas mais jovens do que você. Por favor, não me faça ter de falar com o seu pai, tenho certeza de que ele já tem o suficiente com que se preocupar.

Minha garganta travou com uma combinação de vergonha e raiva. Raiva dela, da Srta. Weatherby, sim. Mas principalmente de mim mesma, pelo que tinha feito, pelo que aceitei me transformar. Pensei em Thea naquela primeira noite, quando contou como começou o Jogo da Mentira. *Eu não provoco as meninas novas, as que não podem se defender*, disse ela. *Faço isso com as que lideram, as professoras, as meninas mais populares. As que se acham acima de todas.*

O que eu tinha me tornado, ameaçando meninas de onze anos?

Pensei no que meu pai diria se a Srta. Weatherby ligasse para ele, entre as idas ao hospital. Pensei no rosto dele, já cinzento de preocupação, que ficaria ainda mais sofrido, com rugas de decepção.

– Desculpe – eu disse, fazendo força para falar.

Não porque não quisesse pedir desculpas, mas por causa do aperto na garganta.

– Sinto muito mesmo. Por favor... foi um erro. Vou me desculpar. E vou me esforçar mais, eu juro.

– Faça isso – disse a Srta. Weatherby, com ar de preocupação. – E Isa, eu sei que já conversei sobre isso com você antes, mas, por favor, tente se misturar mais. Amizades fortes são ótimas, mas podem nos impedir de aproveitar outras chances. No fim das contas, podem nos custar muito.

– Isa? – A batida na porta do cubículo foi fraca, mas decisiva, levantei a cabeça. – Isa, você está aí?

Levanto, aperto a descarga e saio da segurança do cubículo do banheiro para lavar as mãos na linha de pias. Thea está parada ao lado do jato de ar quente, de braços cruzados.

– Ficamos preocupadas – ela disse sem emoção.

Faço uma careta. Quanto tempo será que fiquei ali? Dez minutos? Vinte?

– Desculpe, eu só... foi demais para mim, sabe?

Sinto o frescor da água nas mãos e nos pulsos e reprimo o desejo de jogá-la no rosto.

– Olha, eu entendo – diz Thea.

O rosto dela está encovado e a magreza faz com que pareça exausta sob a luz inclemente dos banheiros da escola. Os de visitantes também foram reformados, agora têm toalhas macias e creme de mão perfumado, mas a iluminação continua igual, dura e fluorescente.

– Eu também quero escapar. Mas não pode se esconder a noite toda, já vão sentar para jantar e sentirão sua falta. Vamos enfrentar esse jantar e depois podemos sair.

– Está bem – respondo.

Mas não consigo me mexer. Estou agarrada à pia, sinto as unhas na porcelana. *Merda*. Penso em Freya lá na casa de Kate e me pergunto se ela estará bem. Sou quase dominada pela vontade de sair dali e correr de volta para minha bebê macia, quentinha e com cheirinho de casa.

– Por que diabos Kate achou que isso era uma boa ideia?

– Olha só – Thea olha para trás, para os cubículos vazios, e baixa a voz –, nós falamos sobre isso. Foi você que votou para nós virmos.

Meneio a cabeça com tristeza. Ela está certa. E o fato é que entendo a reação de pânico de Kate, se agarrando a um fiapo de motivo para explicar por que todas as suas amigas tinham vindo para Salten depois de tantos anos ausentes, no fim de semana em que um corpo simplesmente *apareceu* no Reach. A reunião deve ter parecido uma coincidência abençoada. Mas o que eu queria mesmo, o que eu *desejava* é que Kate não tivesse feito isso.

Merda, penso de novo e sinto os palavrões borbulhando dentro de mim, um veneno que não consigo conter. Tenho uma súbita visão de mim mesma sentada à mesa com uma toalha branca e desabafando tudo – *Calem suas bocas de merda, suas putas fofoqueiras. Vocês não sabem de nada. De nada!*

Respiro devagar para me recompor.

– Tudo bem? – diz Thea, mais suave.

Meneio a cabeça.

– Estou bem. Eu consigo fazer isso. – Então me corrijo: – Nós vamos conseguir fazer isso, não é? Mas só Deus sabe se Kate consegue, se eu consigo. Ela está se controlando?

– No limite – diz Thea.

Ela segura a porta do banheiro aberta, e eu saio para o corredor que ecoa tudo e que agora está vazio, a não ser por algumas professoras e um grande cavalete numa ponta, com a distribuição dos convidados nas mesas.

– Ah, apressem-se! – diz uma professora ao nos ver saindo do banheiro. Ela é jovem, jovem demais para estar na escola junto conosco.

– Já estão sentando para os discursos. Em que mesa vocês estão?

– Pankhurst, segundo a mulher que estava aqui antes – diz Thea, a professora examina a lista, passa os dedos nos nomes.

– Thea West – complementa Thea.

– Ah, isso mesmo, você está aqui. E você é...? – ela olha para mim. – Desculpe, como já perceberam, sou recém-chegada, por isso todas vocês mais antigas são caras novas para mim!

— Isa Wilde — digo baixinho e, para alívio meu, a expressão dela ao virar para consultar a lista não registra nem reconhecimento, nem choque, só concentração enquanto verifica as mesas.

— Ah, sim, Pankhurst também, com mais algumas da sua turma, é o que parece. É uma mesa de dez no outro canto do salão, perto da passagem para o refeitório. O melhor caminho é entrar por essa porta e dar a volta por baixo da galeria.

Eu sei, penso. Conheço esse lugar como a palma da mão. Mas Thea e eu apenas meneamos a cabeça e seguimos a orientação dela, passamos pela porta meio aberta ao som de aplausos. Os discursos já estavam acontecendo, uma mulher sorria no pódio e aguardava educadamente os aplausos cessarem.

Tinha me preparado para ver a Srta. Armitage no pódio, a orientadora do nosso tempo, mas não era ela que estava lá e não me surpreendi, porque já devia ter seus cinquenta e tantos quando entrei para a escola. Deve estar aposentada.

Mas de certa forma a realidade é ainda mais chocante.

Quem está lá é a Srta. Weatherby, nossa antiga orientadora.

— Cacete — sussurra Thea no caminho entre as mesas de mulheres bem de vida e seus maridos, e, a julgar pela palidez dela, está tão chocada quanto eu.

Seguimos na ponta dos pés, desviando de cadeiras e evitando pisar em bolsas, passamos por placas douradas citando capitãs de hóquei e meninas que morreram na guerra, e retratos pintados a óleo nada lisonjeiros de antigas diretoras, ouvindo a voz educada da Srta. Weatherby ecoar no salão, mas as palavras passam por cima da minha cabeça, inaudíveis. A única coisa que ouço é a voz dela naquele último dia: "Isa, isso é o melhor para todos, e sinto muito que seu tempo aqui em Salten não tenha dado certo, mas todos nós achamos, inclusive seu pai, que a melhor coisa é recomeçar do zero".

Recomeçar do zero. Mais uma vez.

E de repente eu me torno uma *delas*, uma menina como Thea, com um rastro de uma série de escolas de onde tinha sido convidada a sair, e essa ameaça de expulsão pairava sobre minha cabeça.

Lembro da expressão impenetrável do meu pai no carro. Ele não fez nenhuma pergunta, eu não contei mentiras. Mas a reprovação que havia no ar quando voltamos para Londres com o cheiro de hospitais e o bipe de monitores de velocidade dizia: *Como pôde fazer isso? Como pôde, sabendo que já tenho de enfrentar tudo isso?*

Os pais de Fatima ainda estavam no exterior, mas uma tia e um tio de semblantes tristes tinham saído de Londres em seu Audi para levá-la embora no meio da noite enquanto eu assistia de uma janela, e eu nem pude me despedir.

O pai de Thea foi o pior, falando e rindo alto, como se fazer pouco do fato pudesse afastar o escândalo. Fazia comentários sugestivos enquanto punha a bagagem de Thea no carro, com hálito de conhaque, apesar de ainda ser meio-dia.

Só Kate não tinha ninguém para levá-la para casa. Porque Ambrose... Ambrose já não estava mais lá. "Desapareceu antes que pudessem expulsá-lo", diziam os cochichos no corredor.

Tudo isso está muito vívido na minha cabeça quando vamos avançando, murmurando pedidos de desculpa até a mesa marcada "Pankhurst", onde Fatima e Kate nos esperam com expressão aflita e de alívio. Sentamos nos nossos lugares e explode um aplauso de todos em volta. A Srta. Weatherby terminou de falar e não consigo me lembrar de uma palavra do que ela disse.

Abro meu celular e envio uma mensagem de texto para Liz embaixo da mesa. *Tudo bem?*

— Vegetariana ou carne, senhora? — pergunta uma voz atrás de mim, um garçom de branco.

— O que disse?

— Sua opção de prato, senhora, marcou a opção vegetariana ou carne?

— Ah... — olho para Kate, que está concentrada numa conversa com Fatima, as duas de cabeça baixa sobre os pratos. — Hum... carne, eu acho.

O garçom faz uma mesura e serve um prato com alguma coisa nadando num molho marrom espesso, acompanhada de batatas coradas e um legume que, depois de pensar um pouco, identifico como alcachofra assada. O efeito é de cinquenta tons de bege.

Kate e Fatima pediram o prato vegetariano, que tem uma cara muitíssimo melhor do que o meu, é uma espécie de tartelete com o inevitável leite de cabra, imagino.

– Ah – diz um homem à minha direita –, esse deve ser um prato-tributo à fase menos conhecida de Picasso, a marrom.

Olho para o lado para ver se ele está falando comigo, e infelizmente percebo que sim. Consigo exibir um sorriso.

– É bem assim, não é? – cutuco a alcachofra com o garfo. – O que você acha que vai ser a carne?

Não verifiquei, mas acho que devia apostar em frango; é sempre frango nessas ocasiões, segundo a minha experiência. Ninguém reclama de frango.

– E por que está aqui? – pergunto, depois de engolir. – Evidentemente não é uma velha aluna.

É uma piada fraquinha, mas ele faz a gentileza de rir como se não fosse nada previsível.

– Não mesmo. Meu nome é Marc, Marc Hopgood. Sou casado com uma das suas contemporâneas, Lucy Etheridge era o nome dela na época.

O nome não significa nada para mim e hesito um pouco, sem saber se finjo que conheço, mas logo percebo que seria um fiasco, porque uma ou duas perguntas revelariam minha ignorância.

– Desculpe – eu disse sinceramente –, não me lembro dela. Não fiquei muito tempo na Salten House.

– Não?

Eu devia parar por aí, mas não consigo. Falei demais e de menos ao mesmo tempo, e não consigo me controlar para não preencher pelo menos algumas lacunas.

– Só vim para cá no início da quinta série, mas saí antes da sexta.

Ele é educado demais para perguntar por quê, mas a pergunta está lá nos olhos dele, sem precisar dizer nada, quando ele serve mais vinho na minha taça, como o menino bem-educado de escola particular que certamente é.

Meu telefone toca, vejo rapidamente a resposta de Liz *tudo bem :) :) :)* e ouço uma voz do outro lado de Marc:

– Isa?

Levanto a cabeça e Marc afasta um pouco a cadeira dele para trás, para dar espaço para a mulher se inclinar para mim com a mão estendida.

– Isa Wilde? É você, não é?

– Sim – confirmo, e acho ótimo Marc ter mencionado o nome dela. Guardo rapidamente o celular na bolsa e aperto a mão dela.

– Lucy, não é?

– Sim!

Ela tem as bochechas rosadas como as de um bebê, parece alegre e encantada de estar ali, na companhia do marido.

– Isso é muito divertido! Tantas lembranças...

Faço que sim com a cabeça, mas não digo o que estou pensando – que as lembranças que tenho da Salten House não são todas divertidas.

– E então – diz Lucy depois de um instante, pegando de novo a faca e o garfo –, conte-me *tudo* de você, o que tem feito desde que saiu daqui?

– Ah... você sabe... uma coisinha aqui, outra ali. Estudei História em Oxford, depois fui fazer Direito e agora estou no serviço público.

– Ah, é? Marc também. Em que departamento você trabalha?

– Casa Civil atualmente – respondo. – Mas vocês sabem como é... – sorrio de lado para Marc. – A gente é meio jogada de um lado para outro. Já trabalhei em alguns setores diferentes.

– Não entenda mal – diz Lucy, espetando e cortando o frango, concentrada –, mas sempre achei que faria algo criativo. Com a história da sua família...

Fico confusa. Minha mãe era procuradora antes de largar o emprego para ter filhos, e meu pai sempre trabalhou como agente regulador do setor financeiro de bancos. Não há um pingo de criatividade em nada disso. Será que ela me confundiu com a Kate?

– História da minha família? – repito, devagar.

E antes de Lucy responder, eu lembro e abro a boca para me adiantar, mas é tarde demais.

– Isa é da família de Oscar Wilde – diz ela para o marido, toda orgulhosa. – Ele é seu tataravô ou algo assim?

– Lucy... – começo a falar com a garganta apertada de vergonha e o rosto queimando, mas Marc já olha para mim de cenho franzido e sei o que ele está pensando.

Todos os filhos de Oscar Wilde mudaram o sobrenome depois do julgamento. Ele não tinha tataranetas, que dirá alguma chamada Wilde. E eu sei muito bem disso. Só tenho uma saída. Preciso confessar:

— Lucy, eu sinto muito — largo o garfo. — Eu... foi uma brincadeira. Não sou parente de Oscar Wilde.

Eu quero que a terra me engula. Por que, *por que* éramos tão perversas? Será que não entendíamos o que estávamos fazendo, quando atacávamos assim aquelas meninas bem-educadas, crédulas e gentis?

— Eu sinto muito, desculpe — disse de novo.

Não consigo encarar Marc, olho para Lucy sabendo que meu tom de voz é de alguém que implora.

— Foi... eu não sei por que inventamos isso.

— Ah. — O rosto de Lucy fica ainda mais rosa, e não tenho certeza se ela está zangada com a própria credulidade ou comigo, por tê-la enganado. — Claro. Eu devia saber — ela mexe na comida no prato, mas não come mais. — Que boba eu fui. Isa e as amigas dela costumavam fazer esse... jogo — ela acrescenta para Marc. — Como vocês chamavam?

— O Jogo da Mentira — respondo.

Meu estômago está revirando, e vejo Kate olhar para mim intrigada do outro canto da mesa. Balanço a cabeça discretamente, e ela vira de novo para a pessoa ao lado.

— Eu devia saber — diz Lucy, balançando a cabeça com tristeza. — Não podíamos acreditar em nada que elas dissessem. Como foi aquela do seu pai ser um fugitivo, Isa, e por isso nunca vir aqui visitá-la? Caí nessa completamente. Vocês devem ter me achado muito burra.

Tento sorrir e balanço a cabeça, mas a sensação é de um sorriso espasmódico, esticado de orelha a orelha. E não a culpo quando dá as costas para mim, deliberadamente, e começa a conversar com o convidado do outro lado.

Uma hora e meia depois, o jantar está chegando ao fim. Do outro lado da mesa, Kate comia séria e concentrada, como se só pudesse sair dali depois de raspar o prato. Fatima só beliscou e a vi balançar a cabeça mais de uma vez, irritada, quando os garçons insistiam em servir vinho para ela.

Thea mandou embora todos os pratos intocados, mas compensou com a bebida.

Por fim, os últimos discursos e fico muito aliviada ao perceber que acabou, que aquilo é a última etapa. Bebemos um café ruim ouvindo uma mulher que eu lembrava vagamente ser dois ou três anos mais adiantada do que nós, chamada Mary Hardwick. Parece que ela escreveu um livro, e deve ser isto que a qualifica para fazer um discurso longo e digressivo sobre a narrativa da vida humana, durante o qual vejo Kate levantar da cadeira.

– Vou até o vestiário pegar nossas bolsas e sapatos antes de todos começarem a sair – disse ela ao passar por mim.

Faço que sim com a cabeça, ela vai dando a volta nas mesas, fazendo o mesmo caminho que Thea e eu usamos no início da noite. Está quase chegando à porta principal quando ouço as pessoas aplaudindo, e vejo que o discurso acabou, todos levantam e pegam suas coisas.

– Até logo – diz Marc Hopgood, vestindo o paletó e dando a bolsa para a mulher. – Foi um prazer conhecê-la.

– O prazer foi meu – digo eu. – Até logo, Lucy.

Mas Lucy Hopgood já está se afastando, de costas para mim de propósito, como se tivesse visto alguma coisa muito importante no outro extremo do salão.

Marc sacode os ombros e acena, depois a segue. Pego meu celular no bolso e verifico as mensagens, mesmo sem ter ouvido vibrar ou tocar.

Ainda estou olhando para a tela quando sinto uma batidinha no meu ombro e vejo Jess Hamilton parada atrás de mim, com o rosto vermelho de vinho e do calor que faz no salão.

– Já vai tão cedo? – ela pergunta, faço que sim com a cabeça e ela diz:
– Venha tomar uma saideira na cidade. Estamos num B&B na orla e acho que algumas meninas do nosso tempo estão programando um encontro no Salten Arms para uma rapidinha antes de dormir.

– Não, obrigada – digo meio sem jeito. – Nós vamos voltar a pé pelo alagado para a casa da Kate, e o pub fica quilômetros fora do nosso caminho. Além disso, você sabe, deixei Freya lá com uma babá, por isso não quero chegar tarde.

Não digo o que realmente estou pensando, que eu preferia morder meu pé a ter de passar mais um minuto com essas mulheres animadas e risonhas que têm tantas lembranças boas do tempo da escola, que vão querer conversar e relembrar sem parar tempos que não foram nada bons para mim, Kate, Thea e Fatima.

– Que pena – diz Jess, tranquila. – Mas olhe, não deixe passar outros quinze anos para vir a um desses eventos, ok? Eles promovem jantares quase todos os anos, embora não tão grandes quanto esse. Mas eu acho que o vigésimo vai ser bem especial.

– Claro – eu digo e me preparo para ir, mas ela segura meu ombro.

Viro e vejo que os olhos dela brilham e que ela balança um pouco, desequilibrada. Está muito, muito bêbada. Muito mais do que eu pensava.

– Ah, droga – ela diz. – Não posso me despedir sem perguntar. Passamos a noite toda especulando e eu *preciso* perguntar isso. Espero que não seja... bem, quero dizer, não leve isso a mal, mas quando vocês todas foram embora, vocês quatro, *foi* pelo motivo que todos falavam na época?

Fiquei sem chão e me senti vazia, como se a comida e a bebida que tinha consumido aquela noite não passasse de névoa do mar.

– Eu não sei – procuro manter a voz leve e afinada. – Qual era esse motivo que falavam?

– Ah, você deve ter ouvido os rumores – diz ela.

Jess baixa a voz, olha para trás e percebo que está procurando Kate, para ter certeza de que ela não vai ouvir.

– Que... você sabe... Ambrose...

Ela não completa a frase, mas o sentido é claro e eu engulo em seco com um nó na garganta. Devia me afastar, fingir ter ouvido Fatima ou qualquer pessoa me chamando, mas não posso, não quero. Quero que ela diga, essa perversidade que ela anda rodeando, remexendo, cutucando.

– O que tem ele? – eu digo e até consigo sorrir. – Não tenho ideia do que você está falando.

Isso é mentira.

– Ah, meu Deus – Jess geme, e não sei se a emoção repentina é real ou fingida, não sei mais, passei muito tempo envolvida com farsas. – Isa, eu não... Você não sabia mesmo?

– Fale – eu digo, e agora não há sorriso nenhum na minha voz. – Fale.

– Merda – agora Jess parece infeliz, o álcool evapora diante da minha violenta repulsa. – Isa, desculpe, eu não pretendia remexer...

– Vocês andaram especulando sobre isso a noite inteira, ao que parece. Então pelo menos tenha a coragem de falar na nossa frente. Qual é esse boato?

– De que Ambrose... – Jess engole, espia por cima do meu ombro à procura de uma saída, mas o salão está esvaziando rápido, não há nenhuma das amigas dela à vista. – De que Ambrose... que ele... ele fez... desenhos de vocês todas. De vocês quatro.

– Ah, mas não só desenhos, certo? – minha voz soa muito fria. – Certo, Jess? Que tipo de desenhos, exatamente?

– Desenhos de nu-nudez – ela diz, quase sussurrando agora.

– E...?

– E... a escola descobriu... e foi por isso que Ambrose... ele...

– *Ele o quê?*

Ela se cala, agarro seu pulso e ela faz uma careta ao sentir a pressão em seus ossos delicados.

– Ele o quê? – digo bem alto dessa vez, e minha voz ecoa no salão quase vazio, de modo que as poucas convidadas e empregados presentes viram para olhar para nós.

– Que foi por isso que ele se matou – sussurra Jess. – Desculpe, eu não devia ter falado nisso.

Ela se desvencilha da minha pegada, pendura a bolsa no ombro e atravessa o salão meio andando, meio tropeçando, rumo à saída, e eu fico bufando, resistindo como se tivesse levado um soco, tentando não chorar.

Quando finalmente me recomponho o suficiente para enfrentar o corredor lotado, abro caminho no meio das pessoas, procurando desesperadamente por Fatima, Kate e Thea.

Examino todos os cantos, a fila para o vestiário, os banheiros, mas elas não estão lá. Não podem ter ido embora, podem?

Meu coração acelera e meu rosto está quente e vermelho por causa do encontro com Jess. Onde *foi* que elas se meteram?

Vou abrindo caminho para a saída, usando os cotovelos em pequenos grupos de mulheres rindo com seus maridos e companheiros, e sinto uma mão no braço. Viro aliviada, mas quem vejo é a Srta. Weatherby.

Meu estômago aperta só de lembrar do nosso último encontro, da decepção furiosa em sua expressão.

— Isa — ela diz —, sempre correndo para algum lugar, lembro disso muito bem. Sempre achei que você devia jogar hockey, dar alguma utilidade para toda essa energiza nervosa.

— Desculpe — eu digo, me esforço para não demonstrar o susto e para não escapar descaradamente. — Eu... eu preciso voltar, a babá...

— Ah, você tem um bebê? — pergunta ela, e sei que só está querendo ser educada, mas eu só quero dar o fora dali. — Que idade tem?

— Quase seis meses. É uma menininha. Olha, eu tenho de...

A Srta. Weatherby faz que sim com a cabeça e solta meu braço.

— Bem, é adorável vê-la aqui depois de tantos anos. E parabéns pela sua filha. Você tem de matriculá-la aqui na escola!

Ela diz isso quase naturalmente, mas sinto minhas feições enrijecendo, mesmo quando sorrio e meneio a cabeça, e sei que, pela mudança no rosto dela, o que eu sinto deve estar evidente, o meu sorriso tão falso quanto o de uma marionete, porque o rosto dela murcha e se enruga.

– Isa, você nem imagina o quanto me arrependo de toda aquela história que envolveu sua saída daqui. Não há muitos pontos na minha carreira dos quais sinto vergonha, mas posso dizer sinceramente que esse foi um deles. A escola tratou... bem, não dá para fingir, nós tratamos o caso muito mal e preciso assumir minha parte de responsabilidade por isso. Não é só da boca para fora dizer que as coisas melhoraram muito nesse aspecto – a questão seria tratada... bem, acho que tudo seria cuidado de forma bem diferente hoje em dia.

– Eu... – engulo em seco mais uma vez e tento falar. – Srta. Weatherby, por favor, não faça isso. São águas passadas, de verdade.

Mas não são. Só que não aguento falar sobre isso agora. E não ali, onde tudo ainda parece em carne viva. Onde estão as outras?

A Srta. Weatherby concorda com um gesto da cabeça e expressão tensa, como se engolisse as próprias lembranças.

– Venha mais vezes, Isa – ela diz quando me viro para ir embora. – Eu... eu realmente pensei que talvez você achasse que não seria bem-vinda, e sinceramente, isso não poderia estar mais longe da verdade. Espero que não seja uma desconhecida no futuro... Posso contar com a sua presença no jantar do ano que vem?

– Claro que sim – respondo.

Sinto meu rosto tenso com o esforço, mas até consigo sorrir enquanto prendo o cabelo atrás da orelha.

– Claro que virei.

Ela me deixa partir e finalmente escapo para a saída, procurando Kate e as outras. E penso: é espantoso como volta rápido a facilidade de mentir.

É Fatima que encontro primeiro, parada na grande porta dupla, olhando ansiosa para um lado e para outro da rua. Ela me vê quase no mesmo instante em que eu a vejo e me agarra, seus dedos feito um torno no meu braço.

– Onde você estava? Thea está um bagaço, precisamos levá-la para casa. Kate está com os seus sapatos, se foi por isso que se atrasou.

– Desculpe – fui mancando pelo cascalho, os saltos entortando nas pedrinhas. – Não foi isso, fui encurralada por Jess Hamilton e depois pela Srta. *Weatherby*. Não consegui escapar.

– A Srta. Weatherby? – Fatima faz cara de susto. – Sobre o que ela queria conversar com você?

– Nada de mais – eu digo, uma meia-verdade, afinal. – Acho que ela se sente... mal.

– Ela merece – diz Fatima friamente, ao dar meia-volta e começar a caminhar.

Eu a sigo ofegante e saímos da frente iluminada da escola. Ela desce por um dos caminhos de cascalho na direção dos campos de hockey. No nosso tempo, estaria completamente escuro. Agora, há pequenas lâmpadas solares a intervalos regulares, mas elas só servem para apagar o luar e tornam os espaços de escuridão entre elas mais densos.

Quando tínhamos quinze anos nos, sentíamos praticamente em casa no terreno alagado. Não me lembro de ter ficado com medo em nenhuma das longas caminhadas à noite para a casa de Kate.

Agora, bufando para acompanhar Fatima, me pego pensando em tocas de coelho na escuridão, que vou torcer e quebrar o tornozelo. Vem uma imagem minha afundando num dos buracos sem fundo do mangue, a água enche minha boca e não consigo gritar, as outras seguem lá na frente sem saber e me deixam sozinha. Só que... talvez não sozinha. Tem alguém ali, afinal. Alguém que escreveu aquele bilhete e que arrastou uma ovelha morta e ensanguentada para a porta de Kate...

Fatima já está bem lá na frente, na ânsia de alcançar as outras, a silhueta dela se mistura com as formas escuras da vegetação.

– Fatima – eu chamo –, vamos mais devagar, por favor?

– Desculpe.

Ela para no mourão e me espera chegar. Dessa vez anda mais devagar, acompanha o ritmo mais cuidadoso dos meus passos quando começamos a atravessar o alagado propriamente dito, meus saltos afundando na lama. Vamos em silêncio, o único som é da nossa respiração e dos meus tropeços, quando um salto entorta em alguma pedra. Onde estão as outras?

– Ela pediu para eu matricular Freya lá – resolvo contar, mais para quebrar a estranha quietude do alagado e fazer com que Fatima ande mais devagar do que por achar que ela de fato se interessa por isso. Mas funciona, aliás, Fatima para de repente.

Ela vira para mim com uma expressão meio horrorizada e meio incrédula.

– A Srta. Weatherby? Você está brincando!

– Não – recomeçamos a andar, mais devagar dessa vez. – Achei muito difícil responder.

– Você devia ter dito *sobre o meu cadáver*.

– Eu não disse nada.

Mais um tempo de silêncio, e então Fatima fala:

– Eu nunca deixaria Sami ou Nadia ficarem aí. Você deixaria?

Penso um pouco. Penso na situação em casa, tudo que meu pai teve de passar. E penso em Freya, no fato de eu não ser capaz de administrar nem uma única noite longe dela sem sentir que meu coração está num triturador industrial.

– Eu não sei – acabo respondendo. – Mas não consigo imaginar.

Vamos seguindo na escuridão, atravessamos uma ponte improvisada meio podre por cima de uma vala, e finalmente Fatima diz:

– Que raio, como foi que elas se adiantaram tanto?

Mas nesse instante em que ela fala, ouvimos alguma coisa, vemos uma forma se movendo no escuro mais à frente. Mas não é um vulto de uma pessoa, é uma massa curvada e encolhida, e um ruído molhado, borbulhante soa na noite – um ruído de sofrimento.

– O que é aquilo? – sussurro e sinto Fatima segurar minha mão.

Nós duas paramos e ficamos ouvindo. Meu coração bate desconfortavelmente rápido.

– Não tenho ideia – ela sussurra. – É... será que é um animal?

A imagem diante dos meus olhos está vívida como um flashback – entranhas rasgadas, lã ensanguentada, alguém abaixado, como um animal, sobre o corpo mutilado...

Ouvimos o barulho de novo e alguma coisa molhada derramada, depois o que parece um soluço, e sinto os dedos de Fatima apertando minha mão com muita força.

– Será... – ela diz, insegura. – Você acha que as outras...?

– Thea? – chamo. – Kate?

Uma voz responde:

– Aqui!

Corremos para frente e, quando nos aproximamos, a forma encolhida se revela: Thea de quatro sobre uma vala de drenagem, e Kate segurando o cabelo dela para trás.

– Ah, que merda – diz Fatima com um misto de cansaço e nojo na voz. – Eu sabia que isso ia acontecer. Ninguém consegue entornar duas garrafas num estômago vazio.

– Cale a boca – rosna Thea, e vomita de novo.

Thea levanta com a maquiagem toda borrada.

– Você consegue andar? – pergunta Kate, e Thea faz que sim com a cabeça.

– Estou bem.

Fatima faz pouco:

– Se há uma coisa que você não está é bem – diz ela. – E estou falando isso como médica.

– Ah, cale a boca – diz Thea, irritada. – Já falei que posso andar, o que mais você quer?

– Quero que você coma uma refeição decente e chegue ao meio-dia sem beber, pelo menos uma vez.

Na hora fico em dúvida se Thea ouviu o que Fatima disse, ou se vai responder. Ela está ocupada demais limpando a boca e cuspindo no mato. Mas então ela fala, quase entre dentes:

– Meu Deus, que saudade de quando você era normal.

– *Normal?* – repito, incrédula.

Fatima fica sem reação, sem fala, chocada demais ou zangada demais.

– Eu realmente espero que você não tenha querido dizer o que eu penso que quis dizer – diz Kate.

– Eu não sei. – Thea se endireita e começa a andar, com mais firmeza do que eu poderia imaginar. – O que *você* acha que eu quis dizer? Se pensa que eu disse que ela está usando esse lenço como atadura, então sim, foi isso que eu quis dizer. É ótimo que Alá tenha perdoado você – ela vira a cabeça para trás, para Fatima –, mas duvido que a polícia considere isso válido para retirar a acusação.

– Vá à merda, Thea! – diz Fatima, quase incoerente, engasgando de raiva. – Que diabo têm minhas opções a ver com você?

– Eu poderia perguntar a mesma coisa para você – Thea dá meia-volta. – Como ousa me julgar? Faço o que tenho de fazer para dormir à noite. E você também, ao que parece. Que tal respeitar meus mecanismos para enfrentar a vida, e assim respeito os seus?

– Eu me *importo* com você! – berra Fatima. – Não entendeu isso? Não dou a mínima para o seu jeito de enfrentar seus problemas. Não me importo se virar uma freira budista, ou se adotar meditação transcedental, ou se for trabalhar num orfanato na Romênia. *Tudo* isso é problema seu. Mas assistir você se transformar em alcoólatra? Não! Não vou fingir que aceito isso só para me encaixar em alguma merda mal resolvida de escolhas pessoais.

Thea abre a boca e acho que vai responder, mas em vez disso vira para o lado e vomita na vala de novo.

– Ah, pelo amor de Deus – diz Fatima, resignada, mas sem o tremor de raiva na voz, e quando Thea levanta, secando lágrimas, ela tira da bolsa um pacote de lenços umedecidos. – Toma, pegue isso. Para se limpar.

– Obrigada – Thea resmunga.

Thea levanta trêmula, quase cai, e Fatima segura seu braço para ela se equilibrar.

As duas vão andando bem devagar, e ouço Thea dizer alguma coisa para Fatima, baixo demais para Kate e eu ouvirmos, mas entendo a resposta de Fatima.

– Tudo bem, Thee, eu sei que você não teve intenção. É só que... eu me importo muito com você, você sabe disso, não sabe?

– Parece que elas fizeram as pazes – cochicho para Kate e ela faz que sim com a cabeça, mas a expressão dela à luz da lua é de preocupação.

– Isso é só o começo – diz ela, com a voz bem baixa. – Não é?

E percebo que ela tem razão.

— Quase lá – diz Kate quando passamos com dificuldade por mais um mourão de cerca.

O alagado é muito estranho no escuro, a rota que pensei que lembrava à luz do dia recuava para as sombras. Vejo luzes ao longe que devem ser, penso, da cidadezinha de Salten, mas as trilhas coleantes dos carneiros e as pontes instáveis tornam difícil plotar nosso curso, e de repente me dou conta, com um arrepio, que se não fosse por Kate estaríamos ferradas. Dava para ficar vagando ali perdida durante horas, no escuro, andando em círculos.

Fatima ainda segura o braço de Thea, orientando os passos trôpegos da bêbada, e, quando ela vai falar qualquer coisa, eu paro, faço o gesto de silêncio com o dedo sobre os lábios para que se cale, e todas param.

— O que foi? – diz Thea com a voz arrastada e alta demais.

— Vocês ouviram isso?

— Ouvimos o quê? – pergunta Kate.

E vem de novo, um grito de muito longe, muito parecido com o choro agudo de Freya quando está chegando ao limite do desconforto, e sinto uma fisgada nos seios e o calor se espalhando no meu sutiã.

Uma pequena parte do meu cérebro registra a irritação e o fato de ter esquecido de botar a proteção nos seios antes de sair, mas atrás disso uma parte bem maior de mim está freneticamente tentando decifrar aquele som na escuridão. Não pode ser Freya, não é?

— Isso? – diz Kate quando ouvem de novo o barulho. – É uma gaivota.

— Tem certeza? – pergunto. – Parece...

Paro de falar. Não posso dizer o que parece. Vão me achar louca.

— Parecem gritos de criança, não é? – diz Kate. – É assustador.

Mas então o grito soa outra vez, mais tempo, mais alto e cresce até um agudo borbulhante e histérico, e eu sei que não é uma gaivota, não pode ser.

Saio em disparada no escuro e ignoro o grito de Kate:

– Isa, *espere*!

Mas eu não posso… não posso esperar. O grito de Freya é como um anzol enfiado na carne que me puxa inexoravelmente pelo alagado. E agora não estou mais raciocinando, meus pés se lembram dos caminhos quase automaticamente. Salto sobre o lamaçal antes mesmo de lembrar que era ali. Corro pela margem elevada com as valas de lama dos dois lados. E o tempo todo ouço o choro agudo e borbulhante de Freya vindo de algum lugar à minha frente – como num conto de fadas, a luz que atrai as crianças para o pântano, o som de sinos que enganam o viajante desprevenido.

Ela está perto agora – posso ouvir tudo, o agudo de sirene quando ela chega ao máximo de fúria, e em seguida os engasgos ranhentos enquanto se prepara para o próximo grito.

– Freya! – eu grito. – Freya, estou chegando!

– Isa, *espere*! – ouço atrás de mim e ouço também os passos de Kate correndo para me alcançar.

Mas estou quase chegando. Passo de qualquer jeito pelo último mourão entre o alagado e o Reach, ouço o vestido emprestado rasgar e nem ligo, então tudo parece desacelerar em ritmo de pesadelo, minha respiração ruge em meus ouvidos, sinto o coração bater na garganta. Porque não é Liz, a menina da cidade, que está ali na minha frente, é um homem. Ele está parado perto da água, sua silhueta escura contra a água iluminada pela lua, e ele segura um bebê.

– Ei! – eu grito, minha voz um rugido de fúria primitiva. – Ei, você!

O homem se vira e o luar ilumina o rosto dele. Meu coração gagueja no peito. É ele. É Luc Rochefort, segurando um bebê – *minha filha* – como um escudo humano, com as águas profundas do Reach brilhando atrás dele.

– Entrega ela pra mim – consigo falar, e a voz que sai da minha boca é quase desconhecida, um rosnado que faz Luc recuar um passo involuntariamente, apertando mais Freya. Mas ela já me viu e estende os bracinhos gorduchos, com o rosto vermelho cintilando com lágrimas ao luar, tão furiosa que nem consegue mais gritar agora, só emite uma série longa e contínua de engasgos quando tenta reunir fôlego para um berro final, aniquilador.

— Me entrega! – repito, gritando, avanço e arranco Freya dos braços de Luc, sentindo que ela se agarra a mim feito uma marsupial, enfiando os dedinhos no meu pescoço, segurando o meu cabelo. Ela cheira a fumaça de cigarro e a álcool, bourbon, talvez, não sei ao certo. É *ele*. É o cheiro dele na pele dela.

— Como *ousa* tocar na minha filha?

— Isa – diz ele e estende as mãos implorando, eu sinto o cheiro da bebida no hálito dele. – Não foi assim...

— Não foi assim o quê? – rosno.

O corpinho quente de Freya se agita e se estica contra o meu.

— O que está acontecendo? – ouço atrás de mim, e Kate chega correndo, ofegante e vermelha. – *Luc!* – ela exclama, incrédula.

— Ele estava com a Freya – eu digo. – Ele a pegou.

— Eu não peguei! – diz Luc, dá um passo à frente e eu luto contra a vontade de virar e correr.

Não vou mostrar para esse homem que sinto medo dele.

— Luc, que raio de *ideia* foi essa? – diz Kate.

— Não foi assim! – ele fala mais alto, quase gritando.

E repete mais baixo, tentando se acalmar e nos acalmar:

— Não foi nada disso. Eu fui ao moinho para falar com vocês, para pedir desculpas para a Isa por ter sido... – ele para, respira fundo, vira para mim e a expressão dele é quase uma súplica. – No correio. Eu não queria que você pensasse... mas cheguei aqui e Freya estava descontrolada, ela estava gritando assim... – ele aponta para Freya, que ainda estava vermelha e soluçando, porém mais calma agora que sentia meu cheiro.

Freya está muito cansada, sinto que balança contra mim entre crises de choro.

— Aquela menina, como se chama... Liz, estava em pânico, disse que tinha tentado ligar para você, mas que o celular dela não tinha mais crédito, e eu disse que ia levar Freya para um passeio aqui fora, para tentar acalmá--la um pouco.

— Você a sequestrou! – consigo dizer.

Estou quase incoerente de tanta raiva.

— Como vou saber que não ia arrastá-la pelo alagado?

– Por que eu faria isso? – ele diz, zangado e atônito. – Não a levei para lugar nenhum, o moinho está bem ali, eu estava só tentando acalmá-la. Pensei que as estrelas e a noite...

– Meu Deus, Luc – retruca Kate. – A questão não é essa. Isa confiou a filha à Liz, você não pode simplesmente se meter desse jeito.

– E aí? – diz ele, sarcástico. – O que você vai fazer? Chamar a polícia? Acho que não.

– Luc... – Kate está com voz de cansada.

– Meu Deus – ele cospe. – Eu vim me desculpar. Estava tentando *ajudar*. Só uma vez... só uma vez... você podia pensar que aprendi com os meus erros. Mas não, você não mudou, nenhuma de vocês. Ela assobia e vocês chegam correndo, todas vocês, como cães.

– O que está havendo? – é Fatima atrás de nós, com a trôpega Thea apoiada no ombro. – Ele é... *Luc?*

– Sim, sou eu – diz Luc.

Ele experimenta sorrir, mas torce a boca e sai meio esgar, meio a expressão que as pessoas fazem quando querem engolir o choro.

– Lembra de mim, Fatima?

– Claro que lembro – diz Fatima em voz baixa.

– Thea?

– Luc, você está bêbado – diz Thea na lata.

Ela se apoia no mourão.

– É preciso ser um para reconhecer o outro – diz Luc olhando para o vestido enlameado e a maquiagem borrada de Thea.

Mas Thea apenas faz que sim com a cabeça, sem rancor.

– É. Talvez precise. Já estive nesse estado várias vezes e sei que você está muito próximo disso agora.

– Vá para casa, Luc – diz Kate. – Deixe passar esse porre e, se tiver alguma coisa para dizer, venha amanhã de manhã.

– *Se* eu tiver alguma coisa para dizer? – Luc dá uma risada curta e histérica.

As mãos dele tremem quando passa no cabelo escuro, despenteado.

– *Se?* Que piada! Sobre o que gostaria de conversar, Kate... talvez pudéssemos bater um bom papo sobre papai?

– Luc, cale a boca – Kate diz, aflita.

Ela olha para trás e entendo, preocupada também, que não é impossível que tenha mais alguém ali fora àquela hora da noite. Gente passeando com cachorro, pessoas do jantar, pescadores noturnos...

– Quer fazer o *favor* de ficar quieto? Olha, vamos para o moinho, podemos falar sobre isso lá.

– O quê, você não quer que o mundo saiba? – zomba Luc.

Ele põe as mãos na frente da boca como se tocasse um trompete e berra as palavras na noite:

– Querem saber quem é responsável pelo corpo no Reach? Procurem bem aqui!

– Ele sabe? – Fatima se assusta.

O rosto dela fica branco. Sinto o estômago embolar e de repente estou tão enjoada quanto Thea. Luc *sabe*. Ele sempre soube. Agora toda aquela raiva tem sentido.

– *Luc!* – a voz de Kate é um sussurro gritado.

Ela parece descontrolada:

– Quer fazer o favor de calar a boca, pelo amor de Deus? Pense no que está fazendo! E se alguém ouve?

– Pouco me importo se alguém ouvir – Luc rosna.

Kate está de punhos cerrados, e naquele segundo penso que vai bater nele. Então ela cospe as palavras como se fossem veneno:

– Estou farta das suas ameaças. Afaste-se de mim e das minhas amigas e não ouse voltar. Nunca mais quero vê-lo aqui.

Não consigo ver o rosto de Luc no escuro, só o de Kate, duro que nem pedra, cheio de medo e de raiva.

Ele não fala nada. Fica parado um longo tempo, encarando Kate, e eu sinto a tensão muda entre os dois – forte como sangue, mas agora transformada em ódio.

Mas finalmente Luc dá meia-volta e começa a se afastar na escuridão do alagado, uma figura alta e escura que se mescla com a noite.

– De nada, Isa – ele diz olhando para trás e desaparece. – Caso eu não tenha dito. Por cuidar do seu bebê... não foi nada. Será um prazer cuidar dela de novo.

E então não ouvimos mais os passos dele noite adentro. E estamos sozinhas.

No último trecho curto da caminhada, de volta para o moinho, eu procuro não deixar as palavras de Luc entrarem na minha cabeça, mas não consigo evitar. Cada passo é como um eco daquela noite, dezessete anos atrás. Às vezes o que aconteceu naquela época parece ser de outro lugar, de outro tempo, que não tem nada a ver comigo. Mas agora, tropeçando no alagado, sei que não é verdade. Meus pés lembram daquela noite, mesmo tendo me esforçado para esquecer, e minha pele se arrepia toda com a lembrança do calor grudento daquele verão.

O tempo era exatamente o mesmo, os insetos zumbindo na turfa, o vento quente que contrasta com o luar gelado quando passamos por mourões e valas, nossos celulares produzindo um brilho fantasmagórico nos nossos rostos enquanto verificávamos repetidamente se havia mais mensagens de Kate, alguma que informasse o que estava acontecendo. Mas não havia nada, só aquela primeira mensagem de texto angustiada: *preciso de vocês*.

Eu estava pronta para ir para a cama quando chegou o texto, escovava o cabelo à luz do abajur de leitura de Fatima e ela fazia seu dever de casa de trigonometria.

O *bipe-bipe!* desfez a quietude do nosso pequeno quarto e Fatima levantou a cabeça.

– Foi o seu ou o meu?

– Não tenho certeza – respondi e peguei meu celular. – É o meu, é da Kate.

– Ela enviou mensagem de texto para mim também – disse Fatima, perplexa, e quando abriu seu texto ouvi a parada da respiração de susto ao mesmo tempo que a minha.

– O que quer dizer? – perguntei.

Mas nós duas sabíamos. Eram as mesmas palavras que eu tinha teclado no dia em que meu pai ligou e disse que o câncer da minha mãe já estava com metástase e que agora era questão de "quando", não mais de "se".

As mesmas palavras que Thea havia enviado quando se cortou fundo demais por acidente e o sangue não parava de jorrar.

Quando a mãe de Fatima bateu o jipe numa remota estrada no interior de uma região rural perigosa, quando Kate pisou num prego enferrujado, voltando uma noite depois de escapar da escola... todas as vezes essas mesmas palavras, e os outros foram consolar, ajudar, juntar os pedaços da melhor forma possível. E toda vez terminou bem, ou tão bem quanto possível... a mãe de Fatima voltou inteira e bem no dia seguinte. Thea foi para a emergência, armada com alguma história para encobrir o que tinha feito. Kate voltou mancando, apoiada nos nossos ombros, lavamos o ferimento com antisséptico e torcemos pelo melhor.

Entre nós, conseguíamos resolver qualquer coisa. Nós nos sentíamos invencíveis. Só restou minha mãe, morrendo aos poucos num hospital em Londres, como lembrança distante de que às vezes nem tudo acaba bem.

Onde você está?, perguntei em mensagem de texto e, enquanto esperava a resposta, ouvimos o barulho de passos correndo na escada em espiral e Thea irrompeu no quarto.

— Vocês receberam? — ela perguntou ofegante.

Eu fiz que sim com a cabeça.

— Ela está no moinho. Aconteceu alguma coisa, perguntei o que foi, mas ela não respondeu.

Eu me vesti de novo rapidamente, saímos pela janela e fomos para o alagado.

Kate estava à nossa espera quando chegamos ao moinho, parada na pequena passarela sobre a água, braços cruzados e mãos nos ombros, e, pelo rosto dela eu soube, antes mesmo que falasse qualquer coisa, que havia algo muito, muito errado.

Kate estava branca, os olhos vermelhos de chorar e o rosto marcado pelo sal das lágrimas.

Thea começou a correr quando a avistamos, Fatima e eu trotamos atrás e Kate veio trôpega sobre o estreito canal de água, com a respiração presa na garganta quando tentava dizer "É... é o papai".

Kate estava sozinha quando o encontrou. Não tinha nos convidado naquele fim de semana, e deu uma desculpa quando Thea sugeriu irmos para lá, e Luc tinha saído com amigos de Hampton's Lee. Quando Kate chegou ao moinho, de mala na mão, primeiro pensou que Ambrose tinha saído também, mas não. Ele estava sentado no cais, curvado na cadeira, com uma garrafa de vinho no colo e um bilhete na mão, e naquele momento ela não acreditou que já estivesse morto. Ela o arrastou de volta para o moinho, tentou fazer respiração boca a boca e depois de só Deus sabe quanto tempo pedindo e implorando, e tentando fazer o coração dele bater de novo, ela desmoronou e começou a perceber a enormidade do que tinha acabado de acontecer.

"*Estou em paz com a minha decisão*", dizia o bilhete, e ele realmente parecia em paz, com a expressão tranquila, a cabeça para trás, como um homem tirando uma soneca à tarde. "*Eu te amo...*"

As letras rabiscadas e quase ininteligíveis no fim.

– Mas... mas, por quê? E *como*? – Fatima ficava repetindo.

Kate não respondia. Estava abaixada no chão, olhando fixo para o corpo do pai, como se olhando bastante tempo acabasse entendendo o que tinha acontecido, enquanto Fatima andava de um lado para outro, e eu sentava no sofá com a mão nas costas de Kate, tentando passar sem palavras tudo que eu não sabia expressar.

Ela não se mexia. Ambrose e ela, o centro imóvel e curvado do nosso pânico inquieto, mas achei que fosse só porque ela tivesse chorado até entrar num torpor de desespero antes da nossa chegada.

Foi Thea que pegou o objeto na mesa da cozinha.

– O que isso está fazendo aqui?

Kate não respondeu, mas eu espiei e vi Thea segurando o que parecia uma velha lata de biscoitos com um delicado desenho de flores. Era familiar, e depois de um segundo lembrei onde tinha visto antes. Costumava ficar na última prateleira do armário da cozinha, lá atrás, quase invisível.

Tinha um cadeado na tampa, mas o prendedor de metal fino tinha sido arrancado, talvez por alguém perturbado demais para se dar ao trabalho de pegar a chave, e não houve resistência quando Thea abriu. Dentro da lata havia o que parecia equipamento médico embrulhado com uma velha tira de couro, e em cima um pedaço amassado de filme de pvc com restos de pó ainda grudados nas dobras, pó que grudou nos dedos de Thea quando ela pegou o embrulho plástico.

– Cuidado! – gritou Fatima. – Você não sabe o que é isso... pode ser veneno. Lave suas mãos, depressa!

Mas então Kate falou, ainda abaixada no chão. Ela não levantou a cabeça, falou para os joelhos dobrados, quase como se estivesse falando com o pai deitado no tapete na frente dela:

– Não é veneno – disse ela. – É heroína.

– Ambrose? – disse Fatima, sem acreditar – Ele... ele era viciado em heroína?

Entendi a incredulidade dela. Viciados eram pessoas deitadas nos becos, personagens de *Trainspotting – Sem limites*. Não Ambrose, com sua risada e seu vinho tinto, e sua criatividade genial.

Mas alguma coisa nas palavras dela tocaram um ponto, uma frase escrita na mesa de pintura dele, no estúdio do último andar, palavras que eu tinha visto muitas e muitas vezes, mas que nunca tentei entender. *Você nunca é um ex-viciado, é apenas um viciado que não toma uma prise há algum tempo.*

E subitamente fez sentido.

Por que não perguntei para ele o que aquilo queria dizer? Porque eu era jovem? Porque eu era egoísta e ainda numa idade em que só os meus problemas tinham importância?

– Ele estava limpo – eu disse com a voz rouca. – Certo, Kate?

Kate fez que sim com a cabeça. Ela não tirava os olhos do pai, fixos no rosto suave adormecido, mas quando fui sentar ao lado dela pegou minha mão e falou com a voz tão baixa que tive dificuldade para ouvir:

– Ele usava na universidade, mas acho que ficou fora de controle quando minha mãe morreu. Mas ele se reabilitou quando eu ainda era um bebê... e está limpo esse tempo todo.

– Então por quê... – Fatima começou a falar, intrigada.

Ela não completou a frase, mas olhou para a lata na mesa, e Kate sabia o que tinha querido dizer.

– Eu acho... – ela falou lentamente, como alguém que se esforça para se fazer entender. – Acho que foi algum tipo de prova... Ele tentou explicar para mim uma vez. Não bastava só manter a heroína longe de casa. Ele precisava acordar todos os dias e fazer a escolha de ficar... de ficar l-limpo por m-mim.

A voz dela tremeu e falhou na última palavra, eu a abracei e virei o rosto para longe de Ambrose, ali deitado tranquilamente no tapete, com a pele escura pálida como cera.

Por quê?, eu queria perguntar. *Por quê?*

Mas não conseguia.

– Ah, meu Deus – disse Fatima.

Ela desabou no braço do sofá e seu rosto ficou cinza. Achei que estava pensando, como eu, na última vez em que vimos Ambrose, com as pernas compridas esticadas à mesa diante das janelas do moinho, sorrindo, fazendo um esboço de nós quatro brincando na água. Fora apenas há uma semana, e não havia nada de errado. Nenhum sinal do que estava por vir.

– Ele está morto – disse Fatima devagar, como se quisesse se convencer. – Está realmente morto.

Com essas palavras, a realidade da situação foi assimilada por todas nós e senti um tremor de frio descer do pescoço pelas costas, arrepiando a pele, como se meu corpo tentasse me manter aqui, agora, no presente.

Fatima cobriu o rosto com as mãos e balançou visivelmente. Pensei que fosse desmaiar.

– Por quê? – ela perguntou de novo, com a voz embargada. – Por que ele faria isso?

Senti Kate se encolher ao meu lado, como se as perguntas de Fatima fossem pancadas certeiras.

– Ela não sabe – eu disse zangada. – Nenhuma de nós sabe. Pare de perguntar, OK?

– Acho que todas nós precisamos de um drinque – disse Thea de repente.

Ela abriu a garrafa de uísque que Ambrose deixava na mesa da cozinha, serviu uma dose e bebeu.

– Kate?

Kate hesitou e depois fez que sim com a cabeça, Thea serviu mais três copos e encheu o dela. Eu não escolheria beber, queria mais um cigarro, mas, quando levei o copo à boca, bebi todo o uísque, senti queimar na garganta e esse calor amenizou um pouco o que estava acontecendo, embaçou a realidade de Ambrose ali deitado no tapete, na nossa frente... *morto*.

– O que vamos fazer? – Fatima perguntou quando esvaziamos os copos.

Tinha recuperado um pouco da cor no rosto. Ela largou o copo, que fez barulho na mesa porque a mão dela tremia.

– Vamos ligar para a polícia, ou para a ambulância...?

– Nenhum dos dois – disse Kate, com a voz áspera.

Ficamos em silêncio, chocadas, eu sabia que meu rosto devia exibir a mesma incompreensão que via refletida nas outras.

– *O quê?* – disse Thea. – O que quer dizer?

– Não posso contar para ninguém – insistiu Kate.

Ela serviu mais uma dose do uísque e bebeu de um gole só.

– Vocês não entendem? Fiquei sentada aqui desde que o encontrei, procurando uma maneira de sair dessa, mas se alguém souber que ele morreu... – ela parou e botou as mãos na barriga como se tivesse levado uma facada e tentasse fechar um ferimento terrível, mas logo se forçou a continuar: – Não posso deixar ninguém descobrir.

A voz de Kate era mecânica, parecia que tinha ensaiado aquelas palavras, repetindo inúmeras vezes:

– Não posso. Se descobrirem que ele morreu antes de eu completar dezesseis anos, serei levada embora, para um lar do serviço social. *Não* posso perder minha casa, não depois de... depois de...

Ela parou, não conseguiu terminar, e tive a impressão de que se mantinha controlada com um esforço enorme, que poderia quebrar e ruir a qualquer momento. Mas ela não precisava falar, nós sabíamos o que queria dizer.

Não depois de perder o pai, o único que restava para cuidar dela.

– É só uma casa... – disse Fatima, mas Kate balançou a cabeça.

Realmente *não era* só uma casa. Era Ambrose, das pinturas no estúdio dele às manchas de vinho tinto nas tábuas pretas. E era o elo de Kate conosco. Se ela fosse levada embora para algum orfanato distante, perderia tudo. Não só o pai, mas nós também, e Luc. Ela não teria mais ninguém.

Parece... ah, meu Deus, relembrando agora não parece apenas burrice, e sim um *crime*. O que tínhamos na cabeça? Mas a resposta é... pensávamos na Kate.

Não havia nada que pudéssemos fazer para trazer Ambrose de volta, e mesmo agora, pesando as alternativas, orfanato para Kate e o banco ficando com o moinho... mesmo agora tem um certo sentido. Foi muito injusto. E se não podíamos ajudá-lo, podíamos pelo menos ajudar Kate.

– Vocês não podem contar para ninguém que ele morreu – Kate disse outra vez com a voz embargada. – Por favor, jurem que não vão contar.

Meneamos a cabeça concordando, uma a uma, todas nós. Mas a testa de Fatima estava toda franzida de preocupação.

– Então... o que vamos fazer? – ela perguntou. – Não podemos... não podemos simplesmente *deixá-lo* aqui.

– Vamos enterrá-lo – disse Kate.

Fizemos silêncio, chocadas com as palavras dela. Eu me lembro das minhas mãos frias, apesar do calor daquela noite. Lembro de olhar para o rosto branco e sofrido de Kate e de pensar: quem *é* você?

Mas o que ela disse acabou se cristalizando na única coisa que podíamos realmente fazer. Que alternativa nós tínhamos?

Agora quando lembro, sinto vontade de sacudir a mim mesma, a criança bêbada de antolhos que eu era, levada por um plano tão estúpido que parecia a única saída. Que alternativa nós tínhamos? Só uma centena de possibilidades diferentes, todas elas melhores do que ocultar uma morte e embarcar numa vida de falsidade e mentira.

Mas nenhuma delas parecia uma opção naquela noite quente de verão, quando Kate disse aquilo e ficamos nos encarando em volta do corpo de Ambrose.

– Thea? – Kate chamou e Thea fez que sim com a cabeça, meio insegura, e botou as mãos na cabeça.

– Parece que é a única saída.

– Não pode ser – disse Fatima, mas não devia estar acreditando no que dizia, falou como alguém que tenta aceitar uma coisa que sabe que é verdade, mas é insuportável. – Não pode ser. Deve ter outro jeito. Não podemos fazer alguma outra coisa? Juntar dinheiro?

— Mas não é só o dinheiro, é? – disse Thea, passando a mão no cabelo – Kate tem quinze anos. Não vão deixá-la viver sozinha.

— Mas isso é loucura – disse Fatima com desespero na voz, olhando em volta. – Por favor, Kate, por favor, deixe-me chamar a polícia.

— Não – disse Kate asperamente.

Ela virou para Fatima com expressão de desespero, implorando e relutante ao mesmo tempo.

— Olha, não estou pedindo para você ajudar se achar que não consegue, mas, por favor, *por favor*, não conte para a polícia. Eu farei isso, eu juro. Vou dá-lo como desaparecido. Mas não agora.

— Mas ele está *morto*! – Fatima soluçou e, quando disse isso, alguma coisa se rompeu em Kate e ela agarrou o pulso de Fatima, quase como se fosse bater nela.

— Você acha que eu não sei? – ela gritou com tamanho desespero na voz e no rosto que torci para nunca mais ver outro ser humano sofrer assim. – É por isso que é a única... a única...

Por um momento, pensei que ela fosse perder completamente o controle, e de certa forma teria sido um alívio vê-la gritar e se revoltar com o que tinha acontecido e com o violento golpe desferido na segurança da sua existência.

Mas ela dominou a tempestade que a invadia com um esforço enorme, e seu rosto estava calmo quando soltou o pulso de Fatima.

— Você vai me ajudar? – ela quis saber.

E uma por uma, primeiro Fatima, depois Thea e eu por último, fizemos que sim com a cabeça.

Fomos respeitosas, ou até onde pudemos ser. Envolvemos o corpo com plástico resistente e carregamos o mais longe possível, para um lugar em que Ambrose adorava desenhar, um pequeno promontório a algumas centenas de metros descendo o Reach na direção do mar, onde a vista era das mais lindas, a trilha desaparecia e não se podia chegar de carro; onde pouca gente ia, a não ser um ou outro passeando com o cachorro e os pescadores com seus barcos.

Lá, na vegetação de mangue, cavamos um buraco, nos revezando com a pá até os braços doerem e as costas queimarem, e pusemos Ambrose dentro.

Ele caiu de barriga para baixo, e atrás de mim ouvi Kate soluçar e cair de joelhos na areia, cobrindo o rosto com as mãos.

– Vamos cobri-lo – disse Thea. – Dê-me a pá.

Slap. O barulho da areia molhada jogada na cova improvisada. *Slap*. *Slap*.

E mais alto que tudo, o barulho das ondas na praia e os terríveis soluços de Kate, para lembrar o que estávamos fazendo.

Finalmente enchemos o buraco e a maré subiu para cobrir as marcas que deixamos, alisando nossas pegadas de lama e a cicatriz que tínhamos aberto na margem. E voltamos levando o plástico rasgado, apoiando Kate, para iniciar o resto das nossas vidas como seriam dali por diante, sabendo o que tínhamos feito.

Quando às vezes acordo no meio da noite com o barulho de uma pá na areia grossa de um sonho, ainda não acredito. Passei muito tempo fugindo das lembranças, tentando expulsá-las, afogá-las na bebida, na rotina, na vida do dia a dia.

Como. A palavra ecoa nos meus ouvidos. Como se permitiu fazer isso? Como chegou a pensar que era certo? Como pôde pensar que o que você fez era a solução para a terrível situação de Kate?

E acima de tudo, como suportou viver sabendo disso, viver com a lembrança daquela estupidez bêbada e apavorada?

Mas naquela noite foram duas palavras diferentes que reverberaram na minha cabeça, a noite toda fumando, bebendo e chorando no sofá de Kate, abraçadas com ela enquanto a lua nascia e a maré apagava as provas do que tínhamos feito.

Por quê.

Por que Ambrose tinha feito aquilo?

Descobrimos na manhã seguinte.

Tínhamos planejado ficar o resto do fim de semana para cuidar de Kate, fazer companhia para ela em sua dor, mas, quando o relógio pendurado entre as duas janelas compridas marcou quatro horas, ela apagou o cigarro e secou as lágrimas.

— Vocês precisam voltar.

— O quê? — Fatima olhou para ela. — Não, Kate.

— Sim, vocês devem ir. Vocês não têm permissão para sair e, de qualquer forma, é melhor que não estejam... que vocês...

Ela parou. Mas sabíamos o que queria dizer e que tinha razão, por isso, quando o sol estava quase nascendo sobre o alagado, nós partimos, tremendo e nauseadas com o vinho e o choque, os músculos ainda doloridos, mas nossos corações doendo ainda mais diante da visão de Kate, encolhida, branca e insone na ponta do sofá quando saímos.

Era sábado, de modo que quando nos enfiamos embaixo dos cobertores e fechamos as cortinas para cortar a luz forte da manhã eu não me preocupei de botar o alarme. Não havia chamada no café da manhã de sábado, ninguém verificava se entrávamos ou saíamos e era aceitável não tomar café e ir direto para o almoço, ou fazer torradas na sala comum das mais velhas com a torradeira que era um dos privilégios de estar na quinta série.

Mas hoje não tivemos chance de dormir. A batida na porta foi cedo, logo seguida pelo barulho da chave da Srta. Weatherby na fechadura do nosso quarto, e Fatima e eu ainda estávamos deitadas sob nossos cobertores de feltro vermelho, sem entender e sonolentas quando ela entrou no quarto e abriu a cortina.

Ela não falou nada, mas observou tudo com seu olhar sagaz – a calça jeans cheia de areia na cadeira, as sandálias com lama do mangue de água salgada, as manchas de vinho tinto nos nossos lábios e o inconfundível cheiro de álcool que emanava da pele de duas adolescentes de ressaca...

Na cama ao lado da minha, Fatima tinha sentado confusa, afastava o cabelo do rosto e piscava com a luz forte demais. Olhei para ela e para a Srta. Weatherby e senti meu coração começar a pular no peito. Tinha alguma coisa errada.

– O que está acontecendo? – perguntou Fatima.

A voz dela falhou um pouco na última sílaba, e senti sua preocupação aumentando junto com a minha. A Srta. Weatherby balançou a cabeça.

– Na minha sala em dez minutos – ela disse laconicamente.

Então ela deu meia-volta e deixou Fatima e eu olhando uma para a outra, apavoradas, mas em silêncio, trocando perguntas não articuladas.

Nós nos vestimos em tempo recorde, apesar dos meus dedos tremerem num misto de medo e de ressaca quando tentei abotoar a blusa. Não dava tempo de tomar banho, mas Fatima e eu jogamos água no rosto e escovamos os dentes, eu torcendo para conseguir disfarçar o cigarro no hálito, procurando não vomitar quando a escova escorregou nos dedos trêmulos e me fez engasgar.

Finalmente, depois do que pareceu um tempo enorme, estávamos prontas e saímos do nosso quarto. Meu coração batia tão forte no peito que quase não ouvi os passos lá em cima. Thea desceu a escada correndo, rosto branco, as unhas roídas até tirar sangue.

— Weatherby? — ela perguntou e Fatima fez que sim, seus olhos escuros poços de medo. — O que vocês... — Thea começou a falar.

Mas estávamos no pé da escada agora, e as meninas do primeiro ano que passavam pelo corredor olharam para nós curiosas, talvez imaginando o que estávamos fazendo acordadas tão cedo, tão pálidas e com as mãos tremendo.

Fatima balançou a cabeça com cara de enjoo e nos apressamos, o relógio no corredor principal batia nove horas quando chegamos à porta da sala da Srta. Weatherby.

Devíamos ter combinado nossas histórias, pensei desesperada, mas agora não dava mais tempo. Nenhuma de nós bateu, mas tinham passado exatamente dez minutos desde que fomos chamadas e ouvimos barulhos atrás da porta. — Srta. Weatherby juntando suas canetas, empurrando a cadeira para trás...

Minhas mãos estavam geladas e trêmulas de tanta adrenalina, e ao meu lado vi Fatima parecendo que ia vomitar... ou desmaiar.

Thea exibia uma expressão séria e determinada, como alguém indo para uma batalha.

— Não falem nada — ela sibilou quando a maçaneta começou a girar. — Entenderam? Respondam só sim ou não. Não sabemos de nada sobre Amb...

Então a porta abriu e entramos.

— Então? Uma palavra. Só isso. Sentamos de frente para a Srta. Weatherby e senti meu rosto queimar com o que não era bem vergonha, mas quase. À minha esquerda, vi Thea espiando pela janela. Estava pálida e parecia entediada, como se tivesse sido chamada para tratar de etiquetas com nomes e tacos de hóquei perdidos, mas pude ver seus dedos mexendo sem parar por baixo dos punhos da blusa, cutucando a pele seca em volta das unhas.

Fatima, à minha direita, não fingia calma. Parecia tão chocada quanto eu, curvada na cadeira como se fosse capaz de encolher até sumir. O cabelo tinha caído na frente do rosto, escondendo o medo, e ela fixava o olhar no colo, se recusava a enfrentar o olhar da Srta. Weatherby.

— Então? – a Srta. Weatherby repetiu, com certa raiva no tom, e apontou com desprezo para uma das folhas sobre a mesa.

Olhei para as outras, querendo que elas falassem, mas elas não disseram nada e eu engoli em seco.

— Nós... nós não fizemos nada de errado – eu disse, mas minha voz falhou na última palavra, porque *tínhamos*, sim, feito algo errado, só não era aquilo.

Eram desenhos – imagens de mim, de Thea, de Fatima, de Kate, espalhados sobre a madeira polida de tal forma que me fizeram sentir nua e exposta como nunca senti quando Ambrose nos desenhava.

Lá estava Thea nadando no Reach, boiando de costas com os braços esticados preguiçosamente acima da cabeça. Lá estava Kate, em posição de mergulho no cais, um risco magro e comprido, claro contra o azul do mar em aquarela. Lá estava Luc pegando sol nu no cais, de olhos fechados e um sorriso preguiçoso. Havia um desenho de nós cinco nadando sem roupa ao luar, um emaranhado de pernas, braços e risos, tudo sombras e explosões de luz da lua feitos a lápis...

Meus olhos iam de um quadro para outro e em cada desenho as cenas voltavam, saltando do papel para a minha mente, claras e recentes como quando estávamos lá, sentindo a água fria, o calor do sol na pele...

O último desenho, que estava mais perto da mão da Srta. Weatherby, era eu.

Senti a garganta fechar e o rosto arder.

– *E então?* – a Srta. Weatherby disse mais uma vez, e sua voz tremeu.

Tinham escolhido aqueles, isso estava claro. De todas as centenas de desenhos que Ambrose tinha feito de nós, encolhidas de pijama no sofá, comendo torrada de robe à mesa dele, ou andando de botas e luvas num campo congelado, a pessoa que enviou aqueles desenhos tinha escolhido os exemplos mais incriminadores – em que nós estávamos nus ou parecíamos estar.

Olhei para o desenho em que eu estava curvada pintando as unhas do pé, a curva das minhas costas, as vértebras desenhadas com tanto cuidado que parecia que podíamos tocar nelas, sentir as articulações. Eu usava uma frente-única nesse dia. E me lembrava bem disso, do calor nas costas, do nó apertando minha nuca, do cheiro acre do esmalte rosa nas narinas quando pintava as unhas.

Mas no desenho eu estava sentada de costas e o cabelo escondia as alças amarradas no pescoço. O desenho tinha sido escolhido não pelo que era, mas pelo que parecia. E foi escolhido com esmero.

Quem tinha feito isso? Quem ia querer destruir Ambrose dessa maneira, e nós junto com ele?

Vocês não entenderam, eu queria dizer. Eu sabia o que ela estava pensando, o que qualquer pessoa pensaria ao ver esses desenhos, mas ela estava enganada. Terrivelmente enganada.

Não era *nada* disso, eu queria chorar.

Mas não dissemos nada. Não falamos enquanto a Srta. Weatherby passava um sermão sobre responsabilidade pessoal e a conduta de uma menina da Salten, e pedia um nome sem parar.

Não dissemos nada.

Ela devia saber. Ninguém mais sabia desenhar daquele jeito, exceto Kate, talvez. Mas Ambrose raramente assinava seus esboços, e ela deve ter pensado que se conseguisse fazer com que falássemos...

– Muito bem, onde vocês estavam a noite passada? – ela quis saber.

Não dissemos nada.

– Vocês não tinham permissão para sair da escola, mesmo assim saíram. Vocês foram vistas.

Não falamos nada. Ficamos ali sentadas, enfileiradas, nos refugiando na mudez. A Srta. Weatherby cruzou os braços, o silêncio incômodo foi se alongando, senti Fatima e Thea se entreolhando rapidamente ao meu lado, e sabia o que estavam pensando. O que aquilo tudo significava e quanto tempo poderíamos nos manter caladas?

Uma batida na porta interrompeu o silêncio, nos assustou e nós três viramos para trás quando a porta abriu e a Srta. Rourke entrou na sala com uma caixa na mão.

Ela acenou com a cabeça para a Srta. Weatherby, então virou o conteúdo da caixa na mesa à nossa frente. Foi então que Thea quebrou o silêncio com a voz aguda de fúria:

– Vocês invadiram nossos quartos! Suas *repressoras*.

– Thea! – explodiu a Srta. Weatherby.

Mas era tarde demais. Todo aquele contrabando patético, a garrafa de bolso de Thea, meus cigarros e isqueiro e o pacote de fumo de Kate, a garrafa de uísque pela metade que Fatima guardava embaixo do colchão, um pacote de camisinhas, um exemplar de *The Story of O* e o resto, estava tudo espalhado em cima da mesa, nos acusando.

– Não tenho escolha – disse a Srta. Weatherby. – Vou levar isso para a Srta. Armitage. E já que grande parte disso foi encontrada no armário dela, onde está Kate Atagon?

Silêncio.

– Onde está Kate Atagon? – berrou a Srta. Weatherby, tão alto que pisquei e senti lágrimas se formando.

– Não temos a menor ideia – disse Thea com desprezo, parando de olhar para a janela para olhar para a Srta. Weatherby. – E o fato da senhorita também não saber diz muito sobre essa escola, não acha?

Longa pausa.

— Saiam – disse a Srta. Weatherby entre dentes cerrados. – Saiam. Vocês vão para os seus quartos e fiquem lá até eu mandar chamar. O almoço será levado no quarto. Vocês não vão conversar com as outras meninas e eu vou telefonar para os seus pais.

— Mas... – Fatima disse com a voz trêmula.

— Já chega! – gritou a Srta. Weatherby, e de repente notei que ela estava quase tão perturbada quanto nós.

Aquilo tinha acontecido no turno dela, o que quer que fosse, e ela estava na reta, tanto quanto nós.

— Vocês tiveram sua chance de falar, já que não quiseram responder às minhas perguntas, certamente não vou ouvir suas objeções. Vão para os seus quartos e pensem no seu comportamento e no que planejam dizer para a Srta. Armitage e para seus pais quando forem chamados, porque tenho certeza de que ela vai chamá-los.

Ela parou na porta, a abriu com a mão tremendo na maçaneta e nós saímos em fila, ainda caladas, e nos entreolhamos.

O que tinha acabado de acontecer ali? Como aqueles desenhos foram parar na escola? E o que nós tínhamos *feito*?

Não sabíamos, mas uma coisa estava clara. Fosse o que fosse, nosso mundo estava prestes a desmoronar e tinha levado Ambrose com ele.

É tarde. As cortinas, as poucas cortinas do moinho estão fechadas. Liz foi embora horas antes, o pai foi buscá-la, e depois que ela saiu Kate trancou a porta do moinho pela primeira vez em todo o tempo que estive lá, e eu contei sobre a conversa que tive com Jess Hamilton.

— Como é que eles *sabem*? — pergunta Fatima, desesperada.

Estamos encolhidas no sofá, Freya nos meus braços. Thea está fumando um cigarro atrás do outro, acendendo um no outro, soprando a fumaça na nossa cara, mas não consigo dizer para ela parar.

— Como sempre, imagino — ela diz.

Os pés dela, encolhidos e encostados no meu quadril, parecem pedras de gelo.

— Mas eu pensei — insiste Fatima — que o objetivo da nossa saída no meio do período letivo tivesse sido exatamente impedir que a fofoca se espalhasse. Não foi isso?

— Eu não sei — diz Kate, cansada. — Mas vocês sabem como é o circuito de fofocas da escola, talvez uma professora antiga tenha contado para uma aluna antiga... ou um dos pais ou mães descobriu.

— O que aconteceu com os desenhos? — pergunta Thea.

— Os que a escola achou? Tenho quase certeza de que foram destruídos. Não posso imaginar a Srta. Armitage querendo que fossem encontrados, como nós também não.

— E os outros? — pergunto eu. — Os que Ambrose guardava aqui?

— Eu queimei — diz Kate, mas o olhar dela muda, ela pisca quando fala isso, e não tenho certeza se está dizendo a verdade.

Foi Kate que acabou salvando a situação — até onde podia ser salva — na escola. Quando ela apareceu domingo à tarde, pálida, mas composta, a Srta.

Weatherby estava esperando e Kate foi levada diretamente para a sala da diretora e ficou lá muito tempo.

Quando saiu, nós a rodeamos e nossas perguntas eram como asas batendo nela, mas Kate só balançava a cabeça e indicava a torre. *Esperem*, dizia o gesto. *Esperem até estarmos sozinhas.*

E finalmente, quando ficamos sozinhas, ela contou enquanto arrumava a bagagem pela última vez.

Tinha dito que os desenhos eram dela.

Até hoje eu não tenho ideia se a Srta. Armitage acreditou nela, ou se resolveu, na ausência de prova concreta que garantisse o contrário, aceitar uma ficção que provocaria menos repercussões. *Eram* esboços de Ambrose, qualquer pessoa com noções de arte diria isso. O estilo de Kate, pelo menos seu estilo natural, era completamente diferente, solto, fluido, sem o cuidado que Ambrose tinha com os detalhes.

Mas quando queria, Kate era capaz de imitar o estilo do pai com perfeição, e talvez tenha mostrado alguma coisa para convencer a diretora, uma cópia de um desenho, quem sabe. Eu não sei. Nunca perguntei. Elas acreditaram nela, ou disseram que acreditavam e isso bastou.

Nós tínhamos de ir embora, isso era certo. As escapadas sem autorização, a bebida e os cigarros no nosso quarto, tudo isso já era bem explosivo, motivo de expulsão certamente. Mas os desenhos, mesmo com a confissão de Kate, aquelas imagens acrescentavam uma dose de dúvida da coisa toda.

Finalmente o pacto intuído foi acertado. Vão em silêncio, sem expulsão, essa era a mensagem, e finjam que o caso todo nunca aconteceu. Para o bem de todos.

E fomos.

Tínhamos terminado as provas e faltavam só algumas semanas para as férias de verão, mas a Srta. Armitage não quis esperar. Tudo acabou muito rápido, em vinte e quatro horas, antes do fim de semana acabar, e nós fomos embora, todas nós, primeiro Kate, que, pálida e estoica, pôs a bagagem num táxi, depois Fatima, pálida e lacrimosa no banco de trás do carro da tia e do tio. Em seguida, o pai de Thea, terrivelmente barulhento e jovial, e finalmente o meu, triste e acabrunhado, quase irreconhecível.

Ele não disse nada. Mas seu silêncio na longa viagem de volta para Londres foi praticamente o mais difícil de suportar.

Ficamos espalhadas feito pássaros, Fatima teve seu desejo realizado, afinal foi para o Paquistão, onde os pais estavam terminando o trabalho. Thea foi mandada para a Suíça, para uma instituição que era metade escola de prendas domésticas, metade reformatório, um lugar com muros altos e grades nas janelas, além de uma política contra "tecnologia pessoal" de qualquer tipo. Eu fui mandada para a Escócia, para um internato tão distante que numa época tinha uma estação de trem exclusiva, antes de Beeching fechá-la.

Só Kate ficou em Salten, e agora me parecia que a casa dela era uma prisão, como a escola de prendas domésticas de Thea, só que as grades nas janelas éramos nós que criávamos.

Nós escrevíamos, no meu caso uma vez por semana, mas ela só respondia esporadicamente, em cartas curtas que denotavam cansaço, falando de uma luta eterna para fazer o dinheiro render e da solidão sem a nossa companhia. Ela vendeu as pinturas do pai e, quando acabaram, começou a falsificá-las. Eu vi uma gravura numa galeria em Londres que tenho certeza de que não era de Ambrose.

Tudo que eu sabia de Luc era que ele havia desaparecido, e que Kate vivia sozinha, contando as semanas até completar dezesseis anos, se esquivando das perguntas infinitas sobre o paradeiro do pai, do que ele tinha feito, e compreendendo que bem lentamente a própria ausência dele estava transformando as vagas suspeitas de malfeito em certeza absoluta de que ele era culpado.

Nós escrevemos, no décimo sexto aniversário dela, nós três, mandamos nosso amor e carinho, e dessa vez pelo menos ela escreveu de volta.

"Estou com dezesseis anos", escreveu ela na carta para mim. "E sabe o que pensei quando acordei hoje? Não foi nos presentes, nem nos cartões, porque não recebi nada disso. Foi que finalmente posso contar para a polícia que ele morreu."

Nós estivemos juntas só mais uma vez, todas nós, e foi na cremação da minha mãe, num dia cinzento de primavera, no ano em que completei dezoito anos.

Eu não esperava que elas fossem. Tinha esperança que sim, isso não podia negar. Tinha enviado e-mails e dito para elas o que havia acontecido, a data e hora da cremação, mas sem qualquer tipo de explicação. Quando cheguei no crematório de carro com meu pai e meu irmão, elas estavam lá, um grupo de preto na chuva, perto do portão. Elas levantaram a cabeça quando o carro passou lentamente a caminho do crematório, seguindo o carro fúnebre, com tanta simpatia no olhar que senti meu coração quase rachar, e de repente puxei a maçaneta, ouvi o barulho dos pneus no cascalho quando o motorista pisou rápido no freio, e saí tropeçando do carro.

– Mil desculpas – ouvi o motorista dizer. – Eu teria parado, não sabia que ela...

– Não se preocupe – disse meu pai com a voz cansada. – Pode continuar. Ela vai subir depois.

O motor ganhou vida novamente e o carro desapareceu rua acima, na chuva.

Não lembro o que elas disseram, só me lembro da sensação dos abraços, do frio da chuva molhando meu rosto, escondendo as lágrimas. E me lembro de sentir que eu estava com as únicas pessoas que podiam preencher o vazio que havia dentro de mim, que eu estava em casa.

Foi a última vez que nós quatro estivemos juntas em quinze anos.

— Ele sabe?

A voz de Thea, rouca de fumar, finalmente quebra o silêncio da sala em que estamos, com velas acesas quase no fim e a maré lá fora que já esteve alta e depois baixou lentamente.

Kate vira a cabeça e para de olhar para as águas escuras e calmas do Reach.

– Quem sabe o quê?

– Luc. Quero dizer, é evidente que ele sabe de alguma coisa, mas quanto? Você contou para ele o que aconteceu aquela noite, o que nós fizemos?

Kate dá um suspiro e apaga o cigarro num pires. Então balança a cabeça.

– Não, eu não contei para ele. Nunca contei para ninguém, você sabe disso. O que nós... o que nós...

Ela para, não consegue falar.

– O que nós fizemos? Por que não dizer? – diz Thea com a voz mais alta. – Nós escondemos um corpo.

É chocante ouvir as palavras ditas assim abertamente, e percebo que estivemos evitando a verdade do que fizemos por tanto tempo que ouvir em voz alta é cair a ficha, cair na realidade.

Porque foi isso que nós fizemos. Nós *realmente* escondemos um corpo, embora o tribunal não fosse descrever assim. *Impedimento do enterro decente e legal de um corpo* devia ser o nome. Conheço a linguagem e as penalidades. Pesquisei inúmeras vezes sob o disfarce de pesquisar outra coisa, e meus dedos tremiam toda vez que lia e relia as palavras. Podia ser também *dispor de um corpo com a intenção de evitar o exame do médico-legista*, só que essa frase me fez dar uma risada amarga na primeira vez que a vi nos diários de direito. Deus sabe que não havíamos sequer imaginado que haveria uma investigação do médico-legista. Nem tenho certeza se eu sabia o que era um médico-legista.

Será que foi esse, em parte, o motivo de eu ter estudado direito, esse desejo de me armar com o conhecimento do que eu havia feito e das penas para isso?

– Ele sabe? – Thea repete e bate com a mão fechada na mesa a cada palavra.

Faço uma careta.

– Não sabe, mas suspeita – diz Kate. – Ele sabia que havia algo errado há séculos, mas com a cobertura de jornal... E até certo ponto ele põe a culpa em mim, em nós, pelo que aconteceu com ele na França. Apesar de ser completamente irracional.

É? É mesmo tão irracional assim? Luc só sabe que seu amado pai adotivo desapareceu, que um corpo apareceu no Reach e que nós temos alguma coisa a ver com isso. A raiva dele parece muito racional para mim.

Mas quando olho para Freya, para a tranquilidade de anjo da expressão dela, eu penso de novo no medo e na fúria estampados no seu rostinho vermelho quando Luc a entregou para mim. Aquilo foi mesmo um ato de uma pessoa racional, pegar minha filha e levá-la aos berros para o meio do alagado?

Meu Deus, eu não sei. Eu não sei mais. Há muito tempo perdi de vista o que era ser racional. Talvez tenha perdido aquela noite no moinho, com o corpo de Ambrose.

– Ele contaria para alguém? – pergunto, e as palavras grudam na garganta. – Ele ameaçou... falou alguma coisa sobre chamar a polícia...?

Kate suspira. O rosto dela à luz do lampião parece emaciado com sombras.

– Não sei – ela diz. – Acho que não. Acho que se ele fosse fazer qualquer coisa, já teria feito.

– Mas e o carneiro? – pergunto. – O bilhete? Será que foi ele?

– Eu não sei – repete Kate.

A voz dela está firme, mas o tom é de fragilidade, como se ela pudesse quebrar sob a tensão algum dia.

– Eu não sei. Tenho recebido coisas assim... – ela engole em seco – há bastante tempo.

– Estamos falando de quê? Semanas? Meses? – diz Fatima.

Kate aperta os lábios, a boca sensível trai seu desconforto antes de responder:

– Meses, sim. Até... anos.

– Meu Deus. – Thea fecha os olhos, passa a mão no rosto. – Por que não nos contou?

– De que serviria? Para vocês ficarem tão assustadas quanto eu? Vocês fizeram isso por *mim*, a carga é minha.

– Como você aguentou, Kate? – Fatima diz baixinho.

Ela segura a mão de Kate, delicada e manchada de tinta, e as alianças de noivado e casamento cintilam à luz das velas.

– Quero dizer, depois que nós partimos. Você ficou aqui sozinha... Como conseguiu viver?

– Vocês sabem como eu me virei – diz Kate, mas vejo o maxilar dela se retesar e soltar quando engole em seco. – Vendi as pinturas do papai e, quando elas acabaram, pintei mais, assinando o nome dele. Luc poderia acrescentar falsificação à lista de coisas que ele acha que eu fiz, se realmente quisesse.

– Não foi isso que eu quis dizer. Como você fez para não enlouquecer vivendo assim sozinha, sem ninguém com quem conversar? Não ficou com medo?

– Não tive medo... – diz Kate com a voz bem baixa. – Nunca tive medo, mas o resto... não sei. Talvez tenha ficado louca. E talvez ainda seja.

– Nós *fomos* loucas – eu disse de repente, e elas viraram para mim. – Todas nós. Aquilo que nós fizemos... o que nós fizemos...

– Não tivemos escolha – diz Thea com expressão tensa, a pele esticada sobre as maçãs do rosto.

– Mas é *claro* que tivemos escolha! – exclamo.

E subitamente a realidade me atinge outra vez, sinto o pânico borbulhando dentro de mim, como às vezes acontece quando acordo no meio da noite com um sonho de areia molhada e pás, ou quando me deparo com uma notícia de alguém acusado de ocultar uma morte e o choque faz minhas mãos tremerem um pouco.

– Meu Deus, vocês não entendem? Se isso vier a público, estarei perdida. É crime grave e não se pode praticar o direito com uma coisa dessas no currículo. E Fatima também, vocês acham que as pessoas vão querer uma médica que ocultou uma morte? Estamos todas completamente *ferradas*. Podemos ser presas. Eu posso até perder... – minha garganta se fecha, eu sufoco como se alguém apertasse meu pescoço. – Eu posso perder F-Fre...

Não consigo mais falar. Não consigo verbalizar isso.

Levanto, vou até a janela ainda segurando minha bebê no colo, como se a força dos meus braços pudesse impedir a polícia de invadir o moinho e arrancá-la de mim.

– Isa, acalme-se – diz Fatima.

Ela levanta do sofá e vem para perto de mim, mas sua expressão não me consola porque o que vejo é medo nos olhos dela.

– Nós éramos menores de idade. Isso deve fazer diferença, não é? Você é a advogada.

– Eu não sei. – Sinto meus dedos apertando Freya. – A idade da maioridade penal é dez anos. Tínhamos bem mais do que isso.

– E prescrição do crime?

– É principalmente para direito civil. Acho que não se aplica.

– Você acha? Mas não sabe?

– É, eu não sei – repito, desesperada. – Sou funcionária da Casa Civil, Fatima. Não temos de lidar com esse tipo de coisa.

Freya dá um gemido de sono, percebo que a estou machucando e paro de apertá-la tanto.

– Isso importa? – diz Thea do outro lado da sala.

Ela estava cutucando a pele em volta das unhas até sangrar, e observo quando põe um dedo na boca e chupa o sangue.

– O que quero dizer é que se isso for revelado, estamos ferradas, certo? Não importa quais serão as acusações. São os rumores e a repercussão da publicidade disso que vão acabar conosco. Os tabloides iam *adorar* isso.

– Merda. – Fatima cobre o rosto com as mãos.

Então ela levanta a cabeça, olha para o relógio e muda de expressão.

– São duas da madrugada? Como pode? Preciso subir.

– Você vai embora de manhã cedo? – pergunta Kate.

Fatima faz que sim com a cabeça.

– Tenho de ir. Preciso voltar por causa do trabalho.

Trabalho. Parece impossível. Dou uma risada borbulhante e histérica. E Owen. Nem consigo visualizar o rosto dele, não sei por quê. Ele não tem ligação nenhuma com esse mundo, com o que nós fizemos. Como posso voltar e encará-lo? Não consigo nem enviar uma *mensagem* para ele nesse momento.

– Claro que você deve ir – diz Kate sorrindo, ou tentando. – Foi ótimo ter vocês aqui, mas de qualquer maneira, independente de qualquer outra coisa, o jantar acabou. Vai parecer mais... mais natural. E sim, todas nós precisamos dormir um pouco.

Kate levanta e, quando Fatima começa a subir a escada que range, ela assopra as velas e apaga os lampiões.

Fico parada entre as janelas com Freya no colo, vendo Kate recolher os copos.

Nem me imagino dormindo, mas preciso, para aguentar Freya e a viagem de volta amanhã.

– Boa noite – diz Thea.

Ela levanta também e encaixa uma garrafa embaixo do braço com naturalidade, como se levar um garrafão de vinho para a cama fosse normal.

– Boa noite – diz Kate.

Ela sopra a última vela e ficamos no escuro.

Ponho Freya, que dorme pesado, no meio da cama de casal – a cama de Luc –, vou para o banheiro, que está livre, e escovo os dentes, cansada, sentindo a trava áspera do excesso de vinho na língua.

Removo o rímel e o delineador diante do espelho e vejo que a pele fina em volta dos olhos se estica sob a almofada de algodão, já começa a perder a elasticidade. Não importa o que eu possa ter pensado ou sentido essa noite ao entrar na minha antiga escola, o fato é que não sou mais a menina daquele tempo, nem Kate, Fatima e Thea. Já estamos quase duas décadas mais velhas, todas nós, e carregamos o peso do que fizemos tempo demais.

De rosto lavado, volto ao corredor e ao meu quarto, sem fazer barulho para não acordar Freya e as outras que já devem estar dormindo a essa altura. Mas há luz numa nesga da porta do quarto de Fatima e, quando paro, ouço um murmúrio quase imperceptível de fala.

Imagino na hora que ela está falando ao celular com Ali e sinto uma pontada de culpa quanto ao Owen, mas então vejo que ela levanta, enrola um tapetinho no chão e compreendo que estava rezando.

Aquela espiada logo parece uma invasão e recomeço a andar, mas o movimento, talvez o barulho, atrai a atenção de Fatima e ela chama baixinho:

– Isa, é você?

– Sim. – Paro e empurro um pouquinho a porta do quarto dela. – Estava indo para a cama. Não pretendia... não estava espiando.

– Tudo bem – diz Fatima.

Ela põe o tapete de oração na cama e há uma paz em seu rosto que não havia antes, lá embaixo.

– Não estou fazendo nada que me envergonhe.

– Você reza todos os dias?

– Rez; aliás, são cinco vezes por dia. Bem, cinco vezes quando estou em casa. É diferente quando a gente viaja.

– *Cinco* vezes? – De repente me dou conta do quanto sou ignorante em relação à fé que ela professa, e fico passada. – Eu... eu acho que sabia disso. Quero dizer, conheço muçulmanos do trabalho... – mas paro e fico constrangida com aquelas palavras inadequadas.

Fatima é minha amiga, uma das minhas melhores e mais antigas amigas, e só agora estou percebendo que sei pouca coisa sobre aquele pilar central da sua vida, que tenho muito que aprender.

– Mas estou atrasada – diz ela, arrependida. – Eu devia ter rezado o Isha por volta das onze, mas nem vi a hora.

– E isso tem importância? – pergunto sem jeito.

Ela sacode os ombros.

– Não é o ideal, mas dizem que se for um erro sincero, Alá perdoa.

– Fatima... – começo a falar, mas paro. – Deixa pra lá.

– Não, o que é?

Respiro fundo, sem certeza se o que vou dizer é indelicado. Não sou mais capaz de discernir. Aperto os olhos com as mãos.

– Não é nada – eu digo e depois, num ímpeto: – Fatima, você acha... você acha que Ele nos perdoa? A você, quero dizer?

– Pelo que nós fizemos? – pergunta Fatima, e faço que sim com a cabeça.

Ela senta na cama e começa a fazer uma trança no cabelo. O ritmo dos dedos é tão regular que acalma.

– Espero que sim. O Alcorão ensina que Alá perdoa todos os pecados, se o pecador realmente se arrepender. E Deus sabe que tenho muito do que me arrepender, mas procurei me penitenciar pela minha parte no que fizemos.

– O que nós fizemos, Fatima? – pergunto, e não estou questionando, nem é pergunta retórica, de repente, sinceramente, eu não sei mais. Se tivessem me perguntado há dezessete anos, eu teria dito que fizemos o que era necessário para manter uma amiga em segurança. Se tivessem me perguntado há dez anos, eu teria respondido que fizemos algo imperdoável de tão burro, que me mantinha acordada à noite com medo de que um corpo aparecesse e fizessem perguntas que eu não suportaria responder.

Mas agora aquele corpo *apareceu* e as perguntas... as perguntas estavam à nossa espera, pequenas emboscadas que ainda não conseguimos ver. E não tenho mais certeza.

Nós cometemos um crime, isso eu sei. Mas fizemos algo pior com Luc? Alguma coisa que o fez passar do menino que eu lembrava para esse homem cheio de raiva que mal reconheço?

Talvez nosso verdadeiro crime não tenha sido contra Ambrose, e sim contra os filhos dele.

Entro no quarto de Luc, deito na cama dele e olho para a escuridão por cima da cabeça de Freya, e é isso que fico me perguntando. *Nós* fizemos isso com Luc?

Fecho os olhos e a presença dele parece me envolver, tão concreta quanto os lençóis que colam na minha pele quente. Ele está aqui, tanto quanto o resto de nós, e essa ideia devia provocar medo, mas não provoca. Porque não consigo separar o homem que encontramos essa noite do menino que conheci tantos anos atrás, de mãos com dedos compridos, olhos dourados e a risada rouca e hesitante que fazia meu coração palpitar. E aquele menino está em algum lugar dentro de Luc, vi nos olhos dele, por baixo do sofrimento, da raiva e da bebida.

Deitada na cama, abraçada com Freya, as palavras dele se retorcem e embaralham na minha cabeça.

Você quer saber quem é responsável pelo corpo no Reach?

Ela assobia e vocês vêm correndo, como cães.

Mas é a última frase, a que desponta na minha cabeça quando estou quase adormecendo e fica lá, que faz meu braço apertar Freya, por isso ela se mexe e faz careta dormindo.

De nada, Isa. Por cuidar da sua bebê... não foi nada. Seria um prazer cuidar dela de novo.

— Tem *certeza* de que não quer uma carona?

Fatima para perto da porta, a mala em uma das mãos e os óculos escuros na outra. Balanço a cabeça e engulo o chá que estou bebendo.

— Não, tudo bem. Preciso trocar a fralda de Freya e fazer a mala, não quero que se atrase esperando.

São quinze para as sete da manhã. Estou encolhida no sofá, sob um raio de sol, brincando com Freya, fingindo arrancar seu nariz e depois pôr de volta. Ela bate nas minhas mãos e tenta agarrá-las com as unhas fininhas, os olhos semicerrados diante do brilho do sol refletido no Reach. Seguro as mãos dela gentilmente para impedir que ela pegue meu chá quando ponho a caneca no chão.

— Vá você, não tem problema.

Thea e Kate ainda estão dormindo, mas dá para perceber que Fatima está aflita para partir, voltar para Ali e os filhos. Finalmente ela faz que sim com a cabeça, ainda meio relutante, enfia as hastes dos óculos escuros por baixo do hijab e procura no bolso as chaves do carro.

— Como você vai para a estação? — pergunta ela.

— Talvez de táxi. Não sei. Vou resolver com a Kate.

— Está bem — diz Fatima, com as chaves na mão. — Despeça-se delas por mim e, olha, tente fazer a Kate ir também. Conversei sobre isso com ela ontem e ela não...

— Ela não o quê?

As vozes vêm do andar de cima. Shadow dá um ganido feliz e levanta da poça de sol perto da janela. Fatima e eu olhamos para cima e vemos Kate descendo a escada de robe de algodão desbotado pelo sol que um dia tinha sido azul-marinho, e agora era só uma vaga lembrança da cor. Ela esfrega os olhos e se esforça para não bocejar.

– Já vai?

– É, vou – diz Fatima. – Preciso voltar, tenho de estar no centro cirúrgico ao meio dia e Ali não pode pegar as crianças essa noite. Mas olha, Kate, eu estava contando para a Isa... por favor, você quer reconsiderar e vir passar uns dias conosco? Temos um quarto para você.

– Você sabe que não posso fazer isso – diz Kate sem emoção, mas noto que ainda não decidiu com a firmeza que tenta demonstrar.

Ela tira a cafeteira do armário embaixo da pia e suas mãos tremem um pouco quando enche na torneira e põe o pó de café.

– O que eu faria com o Shadow?

– Pode trazê-lo – diz Fatima, sem convicção, mas Kate já balança a cabeça.

– Eu sei o que Ali acha de cachorro. De qualquer modo, Sam não é alérgico ou coisa parecida?

– Tem gente que é babá de cachorro, não tem? – Fatima pergunta, implorando, mas já meio desanimada.

Nós duas sabemos que Shadow é um motivo, mas não é *o* motivo. Kate não vai sair do moinho, simples assim.

Ficamos em silêncio, e o único ruído é o borbulhar da água da cafeteira no fogão. Kate não diz nada.

– Não é seguro – Fatima acaba dizendo. – Isa, conte para ela. Não é só a parte elétrica... e o Luc, bilhetes manchados de sangue e ovelhas mortas, pelo amor de Deus.

– Não sabemos se foi ele – diz Kate com a voz muito baixa, mas ela não olha para nenhuma de nós.

– Você devia dar queixa dele na polícia – diz Fatima com raiva, mas todas sabemos, sem que Kate precise explicar, que isso jamais vai acontecer.

– Desisto – diz Fatima. – Fiz minha parte. Kate, meu quarto extra está sempre à sua disposição, não se esqueça disso.

Ela vem e beija nós duas.

– Digam até logo para Thea por mim – ela diz quando se inclina com o rosto quente encostado no meu.

O perfume dela é forte e ela cochicha no meu ouvido:

– Por favor, Isa, tente fazê-la mudar de ideia. Talvez ela te escute.

Então ela endireita as costas, pega a mala e poucos minutos depois ouvimos música e o ronco do motor do carro. Ela vai embora pelo caminho ao sol para Salten e o silêncio invade o moinho novamente.

– Bom... – diz Kate.

Ela olha para mim por cima da caneca de café e ergue uma sobrancelha como se me pedisse para simpatizar com ela diante da paranoia de Fatima. Mas não consigo. Não acredito que Luc machucaria Kate, nem nenhuma de nós, mas acho que Kate não devia ficar ali. Os nervos dela estão no limite, e às vezes tenho a impressão de que está prestes a perder o controle, talvez mais do que ela imagina.

– Ela está certa, Kate – digo.

Kate rola os olhos nas órbitas, bebe o café, mas eu insisto, cutuco o problema como Thea cutucava a pele em volta das unhas, até sangrar.

– E ela tem razão na história da ovelha também, foi uma coisa muito doentia.

Kate não reage, só fica olhando fixo para o café.

– Foi o... foi mesmo Luc, não foi? – acabo dizendo.

– Eu não sei – diz Kate, preocupada.

Ela larga a caneca e passa as mãos no cabelo.

– Eu estava dizendo a verdade quando falei isso. Sim, ele está com raiva, mas... ele não é a única pessoa por aqui que tem alguma coisa contra mim.

– O quê? – é a primeira vez que ouço isso, e não consigo disfarçar o choque. – O que você está dizendo?

– As meninas na escola não são as únicas pessoas que espalham boatos, Isa. Papai tinha muitos amigos. Eu... não tenho.

– Você se refere às pessoas da cidade?

– É – diz ela, e lembro das palavras de Rick no táxi, *você conseguiu ficar aqui com as fofocas*.

– O que elas dizem? – pergunto com a garganta seca.

Kate dá de ombros.

– O que você acha? Já ouvi de tudo, pode estar certa. Coisas muito feias, uma parte.

– Como o quê?

Eu não quero saber, mas a pergunta sai mesmo sem eu querer.

— Como o quê? Bem, deixe-me ver... A menos pior acho que é que papai voltou ao antigo vício e fugiu com uma doida de Paris.

— *Essa* é a melhor? Que merda... qual é a pior?

É uma pergunta retórica, não esperava que Kate respondesse, mas ela dá uma risadinha amarga.

— É difícil dizer... mas acho que escolheria a versão que diz que papai estava abusando sexualmente de mim e que Luc o matou por isso.

— O quê? – Não encontro mais palavras, por isso repito, engasgada: – *O quê?*

— É – diz Kate.

Ela bebe o resto do café e põe a caneca no escorredor.

— Isso e mais tudo entre os dois extremos. E não sabem por que eu não vou ao Salten Arms sábado à noite, como papai fazia. É incrível o que os velhos são capazes de perguntar, depois de beberem bastante.

— Você está brincando... Eles realmente perguntaram se isso era verdade?

— Essa eles não perguntaram. Eles afirmaram. Parece que todo mundo sabe. – Ela faz uma careta. – Papai transava comigo e com o resto de vocês também, às vezes, depende para quem você pergunta.

— Meu Deus, Kate, *não*! Por que você não nos contou?

— Contar o quê? Que nesses anos todos as pessoas daqui ainda usam seus nomes como uma espécie de lenda contra a obscenidade? Que a opinião pública se divide entre a ideia de que eu sou uma assassina, ou de que meu pai ainda está foragido, envergonhado demais para voltar e encarar o que fez comigo e com as minhas amigas? Por algum motivo eu não tive vontade de mencionar nada disso.

— Mas... mas você não pode corrigir isso? Negar?

— Mas negar o quê, esse é o problema. – O rosto dela exprime um desespero cansado. – Papai desapareceu e eu esperei quatro semanas para revelar isso para a polícia. Essa parte é verdade, e não admira os rumores terem começado. É o toque de verdade que torna todos plausíveis.

— Não há verdade nessas mentiras nojentas – eu digo indignada. – Nenhuma. Nenhuma verdade que importe, pelo menos. Kate, por favor, *por favor*, venha para Londres comigo. Fatima tem razão, você não pode ficar aqui.

— Eu preciso ficar – diz Kate.

Ela levanta e sai para o cais. A maré está baixa, as margens lamacentas do Reach suspiram e estalam expostas ao sol.

— Agora mais do que nunca. Porque, se eu fugir agora, eles vão saber que tenho alguma coisa para esconder.

No meu colo, Freya tenta pegar a caneca vazia e dá um gritinho de prazer quando eu deixo que pegue a caneca ainda morna com o resto de chá. Mas fico calada o tempo todo, olhando para ela. Porque não consigo pensar em nenhum argumento contra o raciocínio de Kate.

Demoro tanto para arrumar tudo e trocar Freya, depois dar de mamar de novo e trocá-la outra vez, que, quando estou quase pronta para ir, Thea já acordou e anda trôpega pelo corredor, indo do quarto para o andar térreo, parcialmente vestida e esfregando os olhos sonolentos.

— Perdi a partida da Fati?

— Perdeu – diz Kate lacônica, e empurra a cafeteira para Thea. – Sirva-se.

— Obrigada.

Thea bebe o resto do café. Está de calça jeans e uma blusa de alcinhas finas que mostra claramente que ela não está de sutiã. Também revela a magreza dela, as cicatrizes, brancas e desbotadas, e eu viro para o outro lado.

— Eu também tenho de voltar para Londres hoje – ela diz, sem perceber meu constrangimento, enquanto passa água na caneca e põe no escorredor. – Posso pegar uma carona com você até a estação, Isa?

— Claro – respondo. – Mas preciso sair logo. Está bem para você?

— Está bem, eu quase não tenho bagagem. Posso me aprontar em dez minutos.

— Vou chamar um táxi – eu digo. – Qual é o número do Rick, Kate?

— Está na cômoda.

Ela aponta para uma pilha de cartões de visita amassados num pratinho empoeirado e remexo neles até encontrar um que diz "Corridas Rick", e disco o número.

Rick atende imediatamente e concorda em nos pegar no moinho em vinte minutos, com uma cadeirinha emprestada para Freya.

– Vinte minutos – aviso para Thea, que está sentada à mesa, bebendo seu café. – OK?

– OK. – Ela faz que sim com a cabeça. – Estou praticamente pronta. Só preciso enfiar as coisas na mala, faço isso num minuto.

– Vou levar Shadow para passear – diz Kate sem alarde, e fico surpresa.

– Agora?

– Mas assim não vai se despedir de nós! – diz Thea com um tom de indignação.

Kate dá de ombros.

– Vocês sabem que nunca lidei bem com despedidas.

Ela levanta e Thea também. Depois de me atrapalhar com o peso de Freya, faço a mesma coisa, ficamos assim paradas e indecisas com os pontinhos de poeira iluminados pelo sol voando em volta como um pequeno tornado.

– Venha cá – diz Kate, afinal, e me puxa para um abraço tão apertado que perco o ar um instante e tenho de recuar para botar Freya de lado para não esmagá-la.

– Kate, venha conosco, por favor – eu peço, sabendo que é inútil, mas ela já está balançando a cabeça antes de eu terminar a frase.

– Não, não, não posso, pare de pedir, Isa, por favor.

– Não aguento ir e deixar você...

– Então não vá – ela diz rindo, mas com uma tristeza no olhar que não suporto ver. – Não vá, fique.

– Não posso ficar – eu digo e sorrio, mesmo de coração partido. – Você sabe que não posso. Preciso voltar para o Owen.

– Ah, meu Deus – ela diz e me abraça de novo, puxa Thea para perto também, e encostamos nossas cabeças. – Meu Deus, gostei demais de ter vocês todas aqui. O que quer que aconteça...

– O que é isso? – Thea se endireita, assustada. – Que conversa é essa? Parece que você está preparando...

– Não estou nada – diz Kate.

Ela seca os olhos, ri um pouco, apesar de tudo.

– Eu juro. Foi só modo de dizer. Mas eu... nem acredito quanto tempo faz. Não parece certo estarmos aqui juntas? Não parece que foi ontem?

Parece mesmo.

— Nós vamos voltar — eu digo e toco no rosto dela, com lágrimas nos cílios. — Prometo. Certo, Thea? Não vamos deixar passar tanto tempo dessa vez, eu juro.

É lugar-comum, uma frase que eu já falei milhares de vezes em milhares de despedidas e nem sempre cumpri. Dessa vez falo de todo coração, mas só quando vejo Thea hesitar é que entendo. Talvez voltemos mais cedo do que queremos, e em circunstâncias bem diferentes se as coisas derem errado, e sinto o sorriso congelar no rosto.

— Certo — Thea finalmente concorda.

Antes de podermos dizer mais, Shadow dá uma série de latidos curtos, olhamos para as janelas viradas para o mar e vemos o táxi de Rick balançando nas pedras.

— Ai, droga, ele chegou mais cedo — diz Thea, e dispara para o quarto dela, recolhendo suas coisas no caminho.

— Está certo — diz Kate. — Vou sair com Shadow e ficar fora do caminho enquanto vocês se aprontam.

Ela prende a guia na coleira de Shadow, abre a porta da praia e sai para a pequena passarela sobre a areia.

— Fiquem em segurança, queridas.

Só depois, quando estávamos no carro do Rick, balançando na estradinha para a rodovia principal, e Kate e Shadow eram apenas pontinhos no verde do alagado, foi que me dei conta de que sua frase era triste e estranha. Fiquem em segurança.

Triste porque não devíamos ter de desejar isso, não devia ser posto em dúvida.

E estranho porque nós é que devíamos dizer isso para ela.

Espio pela janela enquanto o carro chacoalha nas rieiras de terra, vejo Kate e Shadow percorrendo o alagado com suas seis pernas, movendo-se destemidos em meio a poços e buracos que sempre mudavam de lugar, e desejo, fique em segurança, Kate. Fique em segurança, por favor.

O táxi do Rick chega à estrada asfaltada e sinaliza à esquerda para ir para a estação, mas Thea para de mexer na bolsa e fala:

– Preciso sacar dinheiro. Tem caixa eletrônico na estação?

Rick desliga o pisca-pisca e eu suspiro. Deixei o dinheiro que tinha sacado no dia anterior dentro de uma caneca no armário para Kate achar depois que eu fosse embora. Pagamento dos convites do jantar que ela não quis cobrar de nós, mas que a consciência não permitiu que eu ignorasse. Fiquei só com vinte libras, suficiente para pagar a corrida do Rick com uma pequena sobra.

– Você sabe que não tem – digo. – Desde quando teve caixa eletrônico na estação? Teremos de passar pela agência do correio. Mas para que você precisa de dinheiro? Eu posso pagar o táxi.

– Só quero algum dinheiro para a viagem – diz Thea. – Para o correio, Rick, por favor.

Rick liga a seta para a direita, eu cruzo os braços e prendo outro suspiro.

– Temos bastante tempo até o trem chegar. – Thea fecha a bolsa e olha para mim de lado. – Não precisa ser rabugenta.

– Não sou rabugenta – digo zangada, mas sou e, enquanto Rick começa a dar a volta pela ponte para ir para Salten, entendo por quê: não quero voltar para lá de jeito nenhum.

— Já vão embora?

A voz vem de trás de nós, e pulo de susto. Thea está debruçada sobre o caixa eletrônico, digitando a senha, por isso cabe a mim virar e responder para a pessoa que está atrás de nós na agência do correio.

É Mary Wren que saiu em silêncio de algum quarto dos fundos em que estava quando entramos na agência vazia.

— Mary! — ponho a mão no peito. — Nossa, você me assustou. Sim. Vamos voltar hoje para Londres. Nós... nós só viemos para o jantar, você sabe, na escola.

— Foi o que vocês disseram... — ela fala devagar.

Mary me examina de alto a baixo e na hora tenho a aflitiva impressão de que não acredita em uma palavra do que eu disse, de que ela enxerga através de nós todas... através de todas as mentiras, de todas as farsas, e sabe exatamente quais segredos nós estamos escondendo. Ela era uma das amigas mais íntimas de Ambrose, e pela primeira vez fico tentando imaginar o que ele contou para ela lá atrás, naquele tempo.

Penso no que Kate disse, nos rumores que corriam a cidade, e imagino qual foi o papel de Mary em tudo isso. Todas as vezes em que fui ao Salten Arms, ela estava sentada no bar, sua risada alta e profunda soando entre os bebedores. Ela sabe tudo que acontece em Salten. Podia ter desfeito aqueles rumores se quisesse, defendido Kate, dito para os bebedores para lavarem suas bocas ou para saírem de lá. Mas não fez isso. Nem mesmo para proteger a filha de um homem que um dia chamou de amigo.

E por que não? Será que parte dela também acha que Kate tem culpa?

— Engraçado vocês virem nessa época — diz Mary Wren.

Ela inclina a cabeça para a pilha de semanários que ainda mostram a foto na primeira página.

— Engraçado? — digo eu, e minha voz falha um pouco, de nervoso. — O que quer dizer com isso?

— Momento estranho para marcarem o jantar, foi o que eu quis dizer. — O rosto dela não revela nada. — Com os rumores e tudo mais. Deve ter sido muito difícil para Kate ver toda aquela gente pensando...

Engulo em seco e não sei o que dizer.

— Pensando?

— Bem, é natural, não é? Especular. E nunca fez sentido para mim.

— O que nunca fez sentido? — diz Thea, que dá meia-volta e guarda a carteira no bolso da calça jeans. — O que está querendo dizer?

A expressão de Thea é agressiva, tenho vontade de dizer para ela se acalmar, que não é assim que se trata Mary Wren. Ela precisa de deferência, de demonstração de respeito.

— A ideia de que Ambrose simplesmente... desapareceu – diz Mary olhando para Thea, para a calça superjusta e os seios sob a blusa transparente. – Ele podia ter seus defeitos, mas amava aquela menina. Teria comido o pão que o diabo amassou por ela. Nunca fez sentido ele ter simplesmente ido embora, sem mais nem menos, deixando Kate sozinha para enfrentar tudo aquilo.

— Bem, não temos prova de nada diferente – diz Thea.

As duas têm a mesma altura e Thea está com as mãos na cintura, imitando inconscientemente a pose de Mary, como se acertassem contas.

— E sem qualquer prova, eu acho que especulação não é muito saudável, você não acha?

Mary aperta os lábios e não consigo ler essa expressão dela. Será que é raiva reprimida? Repulsa?

— Bem – ela finalmente fala –, acho que logo não vamos precisar mais especular, não é mesmo?

— Por quê? – pergunto.

Meu coração dispara. Olho para trás, para o táxi em que Freya brinca calmamente na cadeirinha emprestada que Rick arrumou, chupando os dedos.

— O que quer dizer "logo não vamos mais precisar especular"?

— Eu nem devia contar isso para vocês, mas Mark me disse que a polícia encontrou um corpo e que... – ela faz um gesto com o dedo para eu me aproximar e, mesmo sem querer, eu me inclino para ela e sinto sua respiração no rosto quando ela cochicha:

— Digamos que se é *prova* que vocês querem, acho que aquele corpo pode ter um nome em pouco tempo.

Não posso perder Freya. Não posso perder Freya.

Essas são as palavras que dão voltas na minha cabeça feito um mantra quando o trem acelera para o norte, para Londres.

Não posso perder Freya.

No ritmo das rodas do trem nos trilhos.

Não posso perder Freya.

Thea está sentada na minha frente, de óculos escuros, com a cabeça encostada na janela, de olhos fechados. Fazemos uma curva mais fechada, a cabeça dela se afasta da janela e bate de volta no vidro com um ruído audível quando o trem endireita. Ela abre os olhos e esfrega o ponto da batida na cabeça.

– Ai. Eu dormi?

– Dormiu – digo secamente e não me esforço muito para disfarçar o aborrecimento na voz.

Não sei ao certo por que estou irritada, só que estou muito cansada e não consigo dormir. Na noite anterior, só fomos para a cama às duas ou três da madrugada, e essa manhã levantei com Freya às seis e meia. Não tenho uma noite inteira de sono há meses, e agora não posso dormir porque Freya cochila num canguru sobre o meu peito e não posso relaxar sem correr o risco de me curvar para frente e esmagá-la. Mas não é só isso. Tudo parece tenso e ampliado, e ver o rosto relaxado de Thea parece um insulto à minha ansiedade estressante. Como pode cochilar com tanta calma se tudo está por um fio?

– Desculpe – diz ela, esfregando os olhos por baixo dos óculos. – Eu não dormi a noite passada. Quero dizer, nada mesmo. Não parava de pensar... – Ela vira a cabeça para trás, para o vagão quase vazio. – Bem, você sabe.

Na mesma hora fico constrangida. Estou sempre julgando Thea mal. É muito mais difícil decifrá-la do que à Fatima ou à Kate, ela joga com as cartas encostadas ao peito, mas por baixo daquela aparência de "foda-se" está tão assustada quanto nós. Talvez até mais. Por que não consigo lembrar disso?

— Ah — eu digo arrependida. — Desculpe. Eu também não ando dormindo bem. Fico pensando...

Mas não sai. Não sou capaz de falar dos meus medos em voz alta. E se eu for processada? E se perder meu emprego? *E se levarem Freya embora?*

Não ouso expressar isso. O simples fato de falar essas palavras torna a possibilidade real, e até pensar nisso é apavorante demais.

— Mesmo se eles descobrirem... — Thea para de falar, olha para trás de novo e se inclina para a frente, para mais perto de mim, com a voz quase inaudível: — Mesmo se descobrirem que é ele, ainda ficaremos bem, certo? Ele podia ter caído na vala depois da overdose.

— Mas tão fundo? — sussurro de volta. — Como poderia ir parar tão fundo?

— Aquelas valas mudam sempre. Você sabe disso. Especialmente no Reach — toda aquela parte sofreu erosão e foi tomada de volta pela água — as dunas estão sempre se movendo e se modificando. Nós não... — ela vira outra vez e muda o que ia dizer: — Tenho certeza de que aquele lugar ficava a dez, vinte metros da praia, não é?

Penso um pouco, tento lembrar. É... lembro que na época a trilha ficava mais para trás, havia árvores e arbustos entre nós e a praia. Ela tem razão.

— Mas aquela barraca estava bem à beira da água. Tudo mudou de lugar. Eles não vão descobrir grande coisa do lugar exato, tenho certeza disso.

Não respondo. Sinto náuseas.

Porque, apesar de haver um certo consolo na certeza dela, apesar de eu querer muito acreditar nela, não sinto toda essa firmeza. Faz muito tempo que não lido com trabalho criminal e sei mais de assistir à série *Arquivo morto* do que consigo lembrar dos casos que estudamos na universidade, mas tenho quase certeza de que eles têm especialistas na prática forense que poderão dizer com exatidão de que forma um objeto pode ter se movido ou modificado na areia ao longo dos anos.

— Não vamos falar disso aqui — resmungo, e Thea faz que sim com a cabeça, com um sorriso forçado. — Conte-me do seu trabalho — eu peço.

Ela dá de ombros.

– O que há para contar? Acho que é bom.

– Você voltou para Londres?

Ela faz que sim.

– Eu me diverti muito no ano passado em um daqueles grandes navios de cruzeiro. E Monte Carlo foi excelente. Mas eu queria... – ela para e espia pela janela. – Eu não sei, Isa. Andei rodando tanto por aí... Salten deve ter sido a escola em que fiquei mais tempo. Achei que já era hora de criar algumas raízes.

Balanço a cabeça, penso no meu lento progresso pela escola, universidade, provas na Ordem dos Advogados, o serviço civil e a vida em Londres com Owen. Nós éramos opostos perfeitos, Thea e eu. Sou muito lerda na minha tenacidade. Encontrei meu emprego e fiquei nele. Encontrei Owen e fiquei com ele também. Salten House para mim foi um intervalo breve demais. No entanto, nós duas somos definidas pelo que aconteceu lá. Só estamos enfrentando isso de formas bem diferentes. Thea inquieta, fugindo das sombras do passado. Eu agarrada a coisas que representam minha âncora de segurança.

Vejo a magreza dela, as sombras no rosto encovado, e olho para mim, com Freya presa ao meu corpo feito um escudo humano, e pela primeira vez me pergunto se estou realmente enfrentando isso melhor do que Thea, ou simplesmente me esforcei mais para esquecer.

Ainda estou pensativa quando ouço um coaxar junto ao peito e um movimento no canguru, e percebo que Freya está acordando.

– Psssiu...

Os gritos dela vão ficando mais altos e mais irritados quando a desenrolo do tecido com as bochechas vermelhas e zangada, reunindo forças para um piti completo.

– Psssiu...

Abro a blusa e ponho Freya para mamar. Um minuto de silêncio, belo silêncio. Então, de repente, entramos em um túnel e o vagão fica completamente escuro. Freya inclina a cabeça para trás, surpresa, seus olhos escuros e arregalados com a mudança súbita, e exibe para todo vagão uma visão do mamilo antes de eu ter tempo de pegar um lenço para cobrir.

– Desculpe – digo para Thea quando passamos para a luz do sol outra vez, e empurro a cabeça de Freya para o lugar. – Acho que a essa altura a metade do norte de Londres já viu meus peitos, mas você teve mais do que merecia nesse fim de semana.

– Não me incomoda nada – diz Thea, sacudindo os ombros. – Deus sabe que já vi de tudo antes.

Não me contenho e começo a rir, recosto no banco com Freya quente e pesada nos braços, e quando o trem entra em outro túnel e sai de novo para o sol escaldante, penso naquele dia em que nos conhecemos, lembro de Thea enrolando as meias nas pernas compridas, no pedaço de coxa à mostra e de como ruborizei. Parece um século atrás. Mas quando Thea estica as pernas entre os bancos, pisca o olho para mim e fecha os dois, podia ter sido ontem.

REGRA NÚMERO QUATRO

NUNCA MINTAM UMA PARA AS OUTRAS

— Isa?

O chamado de Owen ao abrir a porta da frente é baixo e cauteloso, mas não respondo logo. Estou botando Freya no berço no nosso quarto e não quero acordá-la. É bem naquele momento complicado em que ela pode dormir... ou engrenar em mais uma hora de mau humor e inquietação. Tinha sido difícil acalmá-la essa noite, depois de mais uma mudança de cenário.

— Isa? – ele chama de novo, aparece na porta do nosso quarto e, quando me vê, abre um largo sorriso, tira os sapatos e se aproxima na ponta dos pés.

Eu rapidamente ponho o dedo na frente da boca, sinalizando silêncio.

Ele vem para o meu lado, abraça minha cintura e juntos olhamos para aquela criatura que fizemos.

— Oi, docinho – ele sussurra, mas não para mim, para Freya. – Oi, doçura, senti sua falta.

— Nós também ficamos com saudade de você – sussurro de volta, ele beija meu rosto e me puxa para o corredor, fechando parcialmente a porta do quarto quando saímos.

— Pensei que você fosse levar séculos para voltar – ele diz quando descemos a escada, onde batatas estão sendo assadas no forno. – Você me deu a impressão de que ficaria dias longe. Hoje é só quarta-feira... o que aconteceu? As coisas não deram certo com a Kate?

— Foi tudo ótimo – digo e viro de costas para tirar as batatas do forno, mas é só uma forma de não ter de ver o rosto dele quando estou mentindo. – Foi muito bom. Fatima e Thea estavam lá também.

— Então, por que voltou tão rápido? Não precisava se apressar por mim, você sabe disso. Mas não me entenda mal, eu senti sua falta. Só que ainda não consegui fazer metade das coisas que pretendia. O quarto da Freya continua uma bagunça.

— Isso não tem importância – digo, endireitando as costas.

Meu rosto está vermelho do calor do forno. Batata assada é uma péssima escolha para um dia tão quente, mas era tudo que tínhamos na geladeira. Botei numa tábua e cortei, vendo o vapor subir.

— Você sabe disso.

— Mas tem importância para mim. – Ele me abraça, roça a barba de um dia sem fazer no meu rosto, passa os lábios na minha orelha e no meu pescoço. – Quero você de volta toda minha.

Deixo que ele me beije, mas não digo o que estou pensando, que é: se é isso que ele quer, jamais será feliz. Porque nunca serei só dele. Serei sempre nove décimos da Freya e o pouco que sobra preciso para mim, e para Fatima, Thea e Kate.

— Senti saudade de você – eu digo. – E Freya também.

— E eu senti das duas – ele diz com a voz abafada na minha garganta. – Eu queria ligar, mas achei que você devia estar se divertindo...

Sinto uma pontada de culpa quando ele fala isso, e lembro que nem pensei em ligar para ele. Enviei mensagem de texto para dizer que tínhamos chegado bem. E só. Ainda bem que ele não ligou. Fico imaginando meu telefone tocando... quando? Durante aquele doloroso jantar? Durante a briga com Luc? Ou naquela primeira noite, quando nos reunimos, cheias de medo do que íamos ouvir?

Impossível.

— Também sinto não ter ligado – acabo dizendo, me desvencilho dele e apago o forno. – Eu pretendia, mas você sabe como é com a Freya. Ela é muito mal-humorada nos fins de tarde, especialmente num lugar desconhecido.

— E aí... qual foi a comemoração? – pergunta Owen.

Ele começa a tirar as verduras do gavetão, cheira a alface mole e arranca as folhas externas.

— Porque é uma hora incomum de marcar reunião, quero dizer, no meio da semana. Sei que não deve fazer diferença para você e para Kate. Mas a Fatima trabalha, não é?

– Trabalha. Foi um jantar – um jantar das alunas da Salten House. Marcaram numa terça-feira, não sei por quê. Imagino que tenha sido porque a escola fica vazia nessa época.

– Você não me contou isso.

Owen corta os tomates em fatias e o sumo claro se espalha nos pratos. Eu dou de ombros.

– Eu nem sabia. Kate comprou os convites. Foi uma surpresa.

– Bem... devo dizer que também estou surpreso – diz Owen.

– Por quê?

– Você sempre disse que nunca mais voltaria para lá. Para aquela escola, quero dizer. Por que agora?

Por que agora. Por que agora. Porra. *Por que agora?*

É uma boa pergunta. E não consigo pensar em uma resposta.

– Sei lá – respondo irritada.

Empurro o prato para ele.

– Eu não sei, está bem? Foi ideia da Kate e eu topei. Vamos parar com esse interrogatório? Estou cansada e não dormi bem a noite passada.

– Oi – Owen arregala os olhos e levanta as mãos, tenta não demonstrar, mas parece magoado e sinto vontade de morder minha língua. – Claro, nossa... desculpe. Estava só querendo conversar.

Ele pega seu prato e vai para a sala de estar sem falar mais nada.

Sinto alguma coisa torcer dentro de mim, uma dor na barriga como se fosse de verdade, uma dor física. E na hora me dá vontade de correr atrás dele e desabafar tudo, o que aconteceu, o que nós fizemos, o peso pendurado no meu pescoço que ameaça me arrastar para o fundo...

Mas não posso. Porque esse segredo não é só meu, é delas também. E não tenho o direito de traí-las.

Engulo tudo, essa confissão que se avoluma em mim. Engulo e sigo Owen até a sala para comer ao lado dele, em silêncio.

Em alguns dias aprendo que o tempo é capaz de moer qualquer coisa e transformar em uma espécie de nova normalidade. É uma lição que eu devia ter lembrado da última vez, quando lutei para acertar as contas com o que tinha acontecido, com o que nós tínhamos feito.

Naquela época, eu estava ocupada demais para sentir medo o tempo todo, e a história começou a parecer um pesadelo vago, uma coisa que tinha acontecido com outra pessoa, em outro momento. Minha cabeça se concentrou em outras coisas, no esforço de me estabelecer em uma nova escola e na minha mãe, que estava piorando aos poucos. Eu não tive tempo de ler jornais e a ideia de pesquisar na internet em busca de informação jamais passou pela minha cabeça então.

Mas agora tenho tempo de sobra. Owen sai para trabalhar, fecha a porta e fico livre com minha obsessão. Não ouso pesquisar no Google os termos que eu quero – corpo identificado no rio Reach Salten – nem uma janela anônima num outro browser disfarça completamente nossas buscas, eu sei disso.

Então pesquiso pelas beiradas, termos fáceis de explicar, que não são incriminadores. "Notícias de Salten Reach." "Kate Atagon Salten." Torço para que essas palavras mostrem o que eu quero saber, mas sem um rastro digital de dedos manchados de sangue.

E mesmo assim apago o meu histórico. Uma vez pensei em ir ao café digital no fim da nossa rua, mas não fui. Freya e eu seríamos marcantes demais no meio dos jovens sérios com seus jalecos brancos. Não. Não podia chamar atenção de jeito nenhum.

A notícia sai mais ou menos uma semana depois da minha volta e, quando isso acontece, eu nem preciso pesquisar. Está lá no site do *Salten Observer* assim que eu abro. Está também no *Guardian* e na BBC, mas só um parágrafo em "regional".

> O corpo do artista local Ambrose Atagon, famoso por seus estudos de paisagens costeiras e vida animal, foi encontrado, mais de quinze anos depois de seu desaparecimento inexplicado, nas margens de Salten Reach, um belo lugar perto da casa dele na costa sul. Sua filha, Kate Atagon, não respondeu às ligações, mas a amiga da família que reside no lugar, Mary Wren, disse que a solução do mistério era bem-vinda depois de tantos anos à procura de respostas.

É chocante. Leio o parágrafo várias vezes, sinto a pele arrepiada e preciso me firmar na mesa. Aconteceu. O que passamos tanto tempo temendo.

Finalmente aconteceu. Mas podia ser pior, não é tão ruim. Não há nada que indique que está sendo tratada como uma morte suspeita, não há menção a médicos-legistas nem a inquéritos. E os dias vão passando e meu telefone não toca, ninguém bate na porta. Eu me convenço de que posso relaxar... só um pouquinho.

Mas continuo tensa e ressabiada, distraída demais para ler ou me concentrar na TV à noite com Owen. Quando ele pergunta alguma coisa no jantar, levanto a cabeça de estalo, saída dos meus devaneios e sem saber o que ele disse. Peço desculpas muitas vezes ultimamente.

Meu Deus, eu queria poder fumar. Meus dedos comicham por um cigarro.

Fraquejo só uma vez e fumo um e depois me odeio por isso. Compro um maço cheia de vergonha quando passamos pela loja de bebidas na esquina, me convencendo de que vou comprar leite e pedindo, quase como se acabasse de lembrar, dez Marlboro Light quando vou pagar, em voz alta, fingindo ser casual. Fumo um no quintal, depois jogo a guimba na privada e tomo um banho esfregando a pele até ficar vermelha, ignorando os berros cada vez mais furiosos de Freya, que está no cestinho de balanço na porta do banheiro.

Não vou dar de mamar à minha filha fedendo a cigarro.

Quando Owen volta para casa, estou cheia de culpa, assustada e nervosa, e acabo em prantos quando deixo cair uma taça de vinho.

– Isa, o que foi? Você anda estranha desde que voltou de Salten. Aconteceu alguma coisa?

Primeiro, eu só consigo balançar a cabeça, soluçando, mas finalmente falo:

– Eu sinto muito... sinto demais. Eu... eu fumei um cigarro.

– *O quê?*

Não era o que Owen esperava. Dá para ver pela expressão dele.

– Caramba... como, quando isso aconteceu?

– Desculpe – estou mais calma, mas ainda engasgada. – Eu... eu dei algumas tragadas na casa da Kate e hoje também, não sei, não resisti.

– Entendo.

Ele me abraça e apoia o queixo na minha cabeça. Sinto que está pensando no que vai dizer.

– Bom... não posso dizer que acho isso legal. Você sabe o que eu penso.

– Você não pode estar mais furioso comigo do que eu estou comigo mesma. Senti nojo de mim, só toquei na Freya depois de tomar um banho.

– O que você fez com o resto do maço?

– Joguei fora – respondo, depois de uma breve pausa.

Mas fiz a pausa porque menti. Não joguei os cigarros fora. Nem sei por quê. Pretendia jogar no lixo, mas acabei enfiando num canto da bolsa antes de ir pro chuveiro. Não vou fumar outro, então não importa, não é? Tudo dá na mesma. Eu vou jogá-los fora, e aí o que eu disse vira verdade. Mas por enquanto... por enquanto, ali parada, dura e envergonhada nos braços de Owen... por enquanto é uma mentira.

– Eu te amo – ele fala no topo da minha cabeça. – Você sabe que é por isso que não quero que fume, certo?

– Eu sei – respondo rouca por causa do choro.

Então Freya grita, e saio dos braços dele para pegá-la no colo.

Mas Owen está confuso. Ele sabe que tem alguma coisa errada... só não sabe o que é.

Aos poucos, os dias vão passando com certa semelhança à normalidade, apesar de pequenos toques lembrarem que nada está normal, ou, se está, é um normal novo, não o antigo. Para começar, meu maxilar dói, e quando menciono isso Owen diz que na noite anterior tinha ouvido um ranger de dentes enquanto eu dormia.

Outro sinal são os pesadelos. Não é mais só o barulho da pá na areia molhada, ou o plástico grosso raspando numa trilha para a praia. Agora são pessoas, policiais arrancando Freya dos meus braços, minha boca congelada num berro silencioso de medo quando a levam embora.

Tomo café com meu grupo do curso pré-natal como sempre. Caminho até a biblioteca como sempre. Mas Freya sente minha tensão e meu medo. Ela acorda chorando no meio da noite, eu vou trôpega de sono para o berço para pegá-la antes que Owen acorde. De dia fica agitada e carente, levanta os braços pedindo colo o tempo todo, até minhas costas doerem de tão pesada que ela está.

– Talvez sejam os dentes nascendo – diz Owen, mas sei que não é isso, não é só isso.

Sou eu. É o medo e a adrenalina no meu corpo, no meu leite, através da pele, que se comunicam com ela.

Eu me sinto no limite, os músculos no pescoço retesados feito cordas de aço, sempre me preparando para alguma coisa, algum raio saído do nada para destruir esse frágil estado de coisas. Mas quando ele vem, não é da forma que eu estava esperando.

É Owen que atende a porta. É sábado, ainda estou na cama com Freya ao meu lado, esparramada como um sapo no edredom, a boca vermelha e molhada aberta, as pálpebras finas e lilás fechadas sobre olhos que se movem com sonhos.

Acordo e vejo uma xícara de chá ao lado da cama, e outra coisa. Um vaso de flores. Rosas.

Desperto de estalo com aquela visão e fico lá deitada, querendo lembrar o que devia ter esquecido. Não é nosso aniversário de casamento, que é em janeiro. Meu aniversário é só em julho. Droga. O que é?

Acabo desistindo. Tenho de admitir ignorância e perguntar.

– Owen? – chamo baixinho, ele entra, pega Freya, que começa a se mexer e põe no ombro, dá tapinhas nas costas quando ela espreguiça e boceja, com a delicadeza de uma gata.

– Oi, dorminhoca. Viu o seu chá?

– Vi. Obrigada. Mas que flores são essas? Estamos comemorando alguma coisa?

– Ia perguntar a mesma coisa para você.

– Quer dizer que não são suas?

Bebo um gole do chá e franzo a testa. Está morno, mas é líquido e isso é o mais importante.

– Não. Dá uma espiada no cartão.

Está embaixo do vaso, um pequeno cartão anônimo de florista, num envelope branco sem nada escrito. Tiro de debaixo do vaso e abro.

Isa, diz o texto manuscrito, com uma letra que não reconheço e que deve ser da florista. *Por favor, aceite essas flores como pedido de desculpa pelo meu comportamento. Sempre seu, Luc.*

Ai, meu Deus.

– E então... hummm... quem é Luc? – Owen pega sua xícara de chá e bebe um gole, olhando para mim por cima da borda. – Devo me preocupar?

Ele faz o comentário soar como brincadeira, mas não é, ou não completamente. Ele não é do tipo ciumento, mas tem alguma coisa curiosa e pensativa no olhar dele, e não posso condená-lo por isso. Se ele recebesse rosas vermelhas de alguma desconhecida, acho que eu também ficaria com uma pulga atrás da orelha.

– Você leu o cartão? – pergunto e percebo na mesma hora, quando ele fecha a cara, que foi um erro dizer isso. – Quero dizer, eu não quis dizer...

– Não tinha nome no envelope. – A voz dele é neutra, ofendida. – Eu li para ver para quem eram as flores. Não estava espionando nada, se é isso que quer dizer.

– Não – disse apressada –, claro que não foi isso que eu quis dizer. Estava só... – paro e respiro fundo.

Está tudo errado. Nunca devia ter enveredado por esse caminho. Tarde demais tento voltar atrás.

– Luc é irmão da Kate.

– Irmão? – Owen ergue uma sobrancelha, desconfiado. – Pensei que ela fosse filha única.

– Meio-irmão – torço o cartão entre os dedos.

Como é que ele conseguiu meu endereço? Owen deve estar imaginando por que Luc pede desculpas, mas o que eu posso dizer? Não posso contar o que Luc fez.

– Ele... houve um mal-entendido quando eu estava na casa da Kate. Foi uma bobagem.

– Caramba – exclama Owen, brincando –, se eu mandasse flores toda vez que tivesse algum mal-entendido, estava falido.

– Foi sobre a Freya – eu disse meio relutante.

Tenho de contar isso para ele sem fazer com que Luc pareça um psicopata. Se eu disser assim a seco que Luc levou minha filha, *nossa* filha, para longe da pessoa que estava cuidando dela sem permissão, Owen vai querer chamar a polícia, e isso eu não posso fazer de jeito nenhum. Preciso contar a verdade, mas não toda a verdade.

– Eu... ah, é complicado, mas quando fomos para o jantar eu contratei uma babá, só que ela era muito jovem e não conseguiu aplacar a fúria de

Freya. Foi burrice minha, não devia ter deixado Freya com uma desconhecida, mas Kate disse que a menina tinha experiência... de qualquer forma, por acaso Luc estava lá e se ofereceu para levar Freya para passear do lado de fora, para acalmá-la. E eu me zanguei porque ele não pediu minha permissão para tirá-la de casa.

Agora as duas sobrancelhas de Owen estão arqueadas.

– O cara te ajudou, você brigou com ele, e agora ele manda rosas? Meio exagerado, não é?

Ai, meu Deus. Estou piorando as coisas.

– Olha, na hora foi um pouco mais complicado – eu digo num tom defensivo. – É uma longa história. Será que podemos falar sobre isso depois de eu tomar uma chuveirada?

– Claro. – Owen levanta as mãos. – Finja que nem estou aqui.

Mas quando pego a toalha e visto o robe, eu o vejo olhando para o vaso com rosas na mesa de cabeceira e a expressão dele é a cara de um homem somando dois e dois... e não gostando nada da resposta.

Mais tarde naquele dia, quando Owen levou Freya para comprar pão e leite no supermercado Sainsbury, eu tirei as flores do vaso e enfiei bem no fundo da lata de lixo da rua, sem me importar com os arranhões dos espinhos.

Em cima delas joguei o lixo da semana em um saco plástico e apertei bastante, como se o lixo acumulado pudesse cancelar a presença das flores, bati a tampa e voltei para casa.

Minhas mãos tremem quando lavo o sangue dos espinhos, e estou louca para ligar para Kate, ou Fatima, ou Thea e contar o que Luc fez, analisar seus motivos. Será que estava mesmo arrependido? Ou seria outra coisa, mais sutil, mais danosa?

Chego a pegar o celular e buscar o número de Kate, mas não ligo. Ela já tem muito com o que se preocupar, todas elas têm, sem precisar que eu acrescente mais medo com algo que pode ser só um pedido de desculpas mesmo.

Uma coisa que me incomoda é como ele conseguiu descobrir meu endereço. Kate? A escola? Mas estou na lista telefônica, lembro com desânimo. Isa Wilde. Não deve haver muitas Isa Wilde no norte de Londres. Não seria tão difícil me encontrar.

Ando de um lado para outro pensando, e por fim resolvo que preciso me distrair desses pensamentos, senão enlouqueço. Subo para o quarto e esvazio a gaveta das roupas de Freya para separar as que ficaram pequenas demais, de poucos meses atrás. A tarefa me distrai, e à medida que as pilhas vão crescendo eu me vejo cantarolando alguma coisa entredentes, uma canção pop bobinha que tocou no rádio na casa da Kate, e meu coração desacelera e minhas mãos param de tremer.

Vou passar as roupas que ficaram pequenas e botar em caixas de plástico no sótão para quando... se... Freya ganhar um irmão ou irmã.

Mas quando vou pegar a pilha e levar lá para baixo onde guardo o ferro de passar, eu noto. Estão manchadas com pontinhos de sangue das rosas.

Claro que poderia lavá-las. Mas não tenho certeza se as manchas de sangue sairiam do tecido delicado e branco. Vendo os pontos vermelhos se espalhando e ficando marrons, desisto. Aquelas coisas, aquelas coisinhas inocentes e perfeitas estão arruinadas e sujas, e jamais sentirei o mesmo carinho por elas de novo.

Na cama, aquela noite, ouvindo Freya fungando no berço e Owen roncando baixinho ao meu lado, não consigo dormir.

Estou cansada. Ando sempre cansada esses dias. Não tive uma boa noite de sono desde que Freya nasceu, mas é mais do que isso. Parece que não consigo mais desligar. Lembro do mantra dos visitantes quando ela era recém-nascida: *durma quando o bebê dormir!* E eu tive vontade de rir. Eu queria dizer: vocês não entendem, não é? Nunca mais vou poder dormir de novo, não completamente. Não será aquela inconsciência completa e concreta que eu tinha antes da chegada de Freya, aquele estado para o qual Owen parece voltar com tanta facilidade.

Porque agora eu a tenho. Freya. E ela é minha e é minha responsabilidade. Qualquer coisa pode acontecer – ela pode sufocar dormindo, a casa pode pegar fogo, uma raposa pode entrar pela janela do banheiro e abocanhá-la. Por isso durmo com uma orelha levantada, pronta para pular da cama, coração acelerado, ao menor sinal de que alguma coisa está errada.

E agora está tudo errado. Por isso não posso dormir.

Fico pensando no Luc, no homem alto e furioso na agência do correio, e no menino que eu conhecia muitos anos atrás. E estou tentando juntar os dois.

Ele era muito lindo, e é isso que sempre lembro. Luc deitado no cais sob as estrelas, com os dedos tocando na água salgada, de olhos fechados. E me lembro de deitar ao lado dele, ver seu perfil à luz da lua e sentir meu estômago dar cambalhotas com o aperto do desejo.

Ele foi minha primeira... bem, paixão, eu acho, só que essa palavra não faz justiça à forma com que esse sentimento me atingiu. Tinha conhecido meninos antes, os amigos do Will, irmãos das minhas colegas da escola.

Mas jamais deitei no escuro tão perto de um menino tão lindo, capaz de partir corações.

Lembro que estava lá deitada e estendi a mão como se fosse tocar no ombro dele, as pontas dos dedos tão perto que senti o calor da pele nua e bronzeada, prata ao brilho das estrelas.

Agora, deitada na cama, ao lado da minha filha e do pai dela, fico imaginando. Estendo a mão, Luc vira na quietude do luar, e abre aqueles olhos extraordinários. Imagino que ele põe a mão no meu rosto, nos beijamos, coisa que eu fiz uma vez, todos esses anos atrás. Mas dessa vez ele não evitaria o beijo, retribuiria. E sinto de novo, crescendo dentro de mim, aquele tipo de desejo em que nos afogamos.

Fecho os olhos, afasto o pensamento, sinto o calor no rosto. Como posso estar aqui na cama, ao lado do meu companheiro, fantasiando sobre um menino que conheci há quase vinte anos? Não sou mais uma menina. Sou uma mulher crescida, adulta, e tenho uma filha.

E Luc... Luc não é mais aquele menino. É um homem, e um homem com raiva. E eu sou uma das pessoas que motivam essa raiva dele.

Antes da reunião em Salten, passei meses, até anos, sem falar com as outras. Mas agora a necessidade de falar com elas é como uma coceira constante na pele, uma vontade por baixo da superfície, como os cigarros que de repente quero outra vez.

Toda manhã acordo e penso no maço que ainda está enfiado no fundo da minha bolsa e penso também no meu celular com os números delas gravados. Será que seria tão prejudicial assim combinar um encontro?

A sensação é de um destino tentador, mas os dias vão passando e a vontade fica mais forte, começo a justificar a ideia para mim mesma. Não é só o presente nada bem-vindo de Luc – mas conversar com elas sobre as flores seria um alívio, é verdade. A necessidade que sinto é de saber que elas estão bem, aguentando essa pressão. Se mantivermos nossa história, de que não sabemos de nada, não vimos nada, há pouquíssimas provas contra nós. E se nós quatro dissermos a mesma coisa, eles terão dificuldade de provar o contrário. Mas estou preocupada. Preocupada especialmente com Thea, que bebe demais. Se uma de nós fraquejar, nós todas caímos. E agora que encontraram o corpo de Ambrose, certamente é só uma questão de tempo para sermos chamadas.

E essa chamada passeia na minha cabeça. Toda vez que o telefone toca, dou um pulo e vejo quem é antes de atender. A única vez que foi número privado deixei ir para a caixa de mensagens, mas não deixaram recado. Devia ser número errado, tentei me convencer, ainda com medo e esperando para ver se ligavam de novo.

Não ligaram. Mas mesmo assim não consigo parar de visualizar a chamada na minha cabeça. Imagino o policial perguntando os horários, esmiuçando nossos relatos. E tem uma coisa que sempre volta, imagino as perguntas roendo a questão como um rato roendo um nó, e eu fico sem resposta.

Ambrose cometeu suicídio porque estava sendo acusado de conduta imprópria. Porque tinham encontrado os desenhos no bloco de esboços, ou no estúdio dele, ou alguma coisa assim. Foi isso que sempre pensamos, todos nós.

Mas se o caso era esse, por que só fomos chamadas para a reunião com a Srta. Weatherby no sábado?

É uma sequência de acontecimentos que repeti inúmeras vezes no meio da noite, com Owen roncando ao meu lado, e que não tem sentido. Ambrose morreu sexta-feira à noite, e aquele dia na escola tudo correu normalmente. Tivemos nossas aulas como sempre, até estive com a Srta. Weatherby no estudo do fim da tarde, e ela estava completamente calma.

Quando foi que eles acharam os desenhos, e em que lugar? Tem uma resposta se insinuando na minha mente e não quero encará-la sozinha.

Cinco ou seis dias depois da matéria no *Guardian,* eu fraquejei e enviei uma mensagem de texto para Fatima e Thea:

Alguma de vocês está a fim de se encontrar comigo? Seria ótimo ver vocês.

Fatima responde primeiro.

Pode ser um café esse sábado? Não posso fazer nada antes disso. 3 da tarde em algum lugar no meio do caminho?

Ótimo, digito de volta. *Para mim está bom. Thea?*

Thea leva vinte e quatro horas para responder, e, quando responde, é com a costumeira economia de palavras:

P Quot em S Ken?

Levo bons dez minutos confusa, antes de cair a ficha, e, quando cai, a resposta de Fatima chega antes de eu digitar que aceito:

OK, 3h sábado no Pain Quotidien em South Ken. Vejo vocês lá.

– Você pode ficar com a Freya esse sábado? – pergunto casualmente para Owen aquela noite, enquanto jantamos.

– Claro. – Ele pega uma garfada e meneia a cabeça com a boca cheia de macarronada. – Você sabe que eu posso. Gostaria que você saísse mais. Qual é o programa?

– Ah, encontrar amigas – digo vagamente e é verdade, mas não quero que ele saiba de toda a verdade, que vou encontrar Fatima e Thea, porque ele ia ficar imaginando para quê, já que nos vimos recentemente na casa da Kate.

– Alguém que eu conheço? – Owen quer saber, e fico um pouco irritada.

Não é só que eu não quero responder, é que acho que até uma semana atrás ele não faria essa pergunta. São aquelas flores que Luc mandou. Owen não falou nada quando voltou para casa e viu que não estavam mais lá, mas continua pensando nelas. Eu sei que é isso.

– Só amigas – respondo e acrescento estupidamente: – É do NCT, dos pais e mães de primeira viagem.

– Ah, que bom, quem vai estar lá?

Sinto o coração apertar quando percebo a mentira furada que inventei. Owen e eu fomos aos cursos do NCT juntos. Ele conhece todas as pessoas lá. Vou ter de ser específica e, como Kate sempre dizia, essas coisas específicas é que revelam nossas mentiras.

– Hum... Rachel – acabo dizendo. – E Jo, eu acho. Não sei bem quem mais vai.

– Vai voltar de minicab? – pergunta Owen, pegando a pimenta.

Balanço a cabeça.

– Não, não vou demorar, devem ser só umas duas horas, só café.

– Sem problema – ele diz. – Vai ser divertido. Vou levá-la para o pub e dar torresmos para ela.

Sei que ele está brincando, pelo menos sobre os torresmos, mas também sei que falou isso para me animar, por isso entro na brincadeira, franzo a testa, bato nele e sorrio de orelha a orelha enquanto encenamos nossa pequena pantomima conjugal. Será que todos os relacionamentos têm essas encenações, fico pensando quando tiro a mesa, esses rituais de dar a deixa e obter a reação?

Caímos na cama à noite e espero que Owen adormeça logo, como sempre faz, desaparece na inconsciência com uma rapidez e uma facilidade que passei a invejar cada vez mais, mas, para surpresa minha, ele estende o braço no escuro e põe a mão na minha barriga ainda flácida, entre minhas pernas, viro para ele e tateio seu rosto, seus braços, a linha rala de pelos onde as costelas se encontram.

— Eu te amo – diz ele depois, nós dois deitados de costas e nossos corações ainda acelerados. – Devíamos fazer isso mais vezes.

— Devíamos sim – concordo e acrescento, como se lembrasse depois. – Também te amo.

E é verdade, amo mesmo, de todo coração, naquele momento. Estou quase dormindo quando ele fala de novo, baixinho:

— Está tudo bem?

Abro os olhos no escuro, o coração acelera de repente.

— Está – respondo tentando manter a voz de sono tranquila. – Claro que sim, por que pergunta?

Ele suspira.

— Não sei, é que... sinto que você anda meio estranha, tensa, desde aquela viagem para a casa da Kate.

Pelo amor de Deus. Fecho os olhos, cerro os punhos. *Por favor, não faça isso, não me force a começar a mentir para você outra vez.*

— Estou bem – não me esforço para bloquear o tom de cansaço da voz. – Só que... acho que é cansaço. Podemos falar disso amanhã?

— Claro – ele diz, mas com algo mais na voz, decepção, talvez.

Ele sabe que estou escondendo alguma coisa.

— Sinto que esteja cansada. Você devia deixar que eu levante mais vezes durante a noite.

— Não adianta, não é? – digo bocejando. – Enquanto ela ainda mama no peito. Você só teria de me acordar.

— Olha, eu vivo dizendo que devíamos tentar a mamadeira – Owen diz, mas sinto a frustração crescendo dentro de mim e manifesto irritação, só um pouco.

– Owen, será que podemos deixar essa conversa para outra hora? Por favor? Estou cansada, quero dormir.

– Claro – ele repete e dessa vez sem emoção, derrotado. – Desculpe. Boa noite.

Sinto vontade de chorar. De bater nele. Não aguento mais isso, além de todo o resto. Owen é meu porto seguro, a única coisa na minha vida nesse momento que não tem relação com paranoia e farsa.

– Por favor, Owen – digo e minha voz falha –, por favor, não fique assim.

Mas ele não responde. Fica ali deitado, encolhido e mudo sob as cobertas, eu suspiro e viro para a parede.

— Até logo! – grito do hall de entrada. – Ligue para mim se... você sabe...

– Ficaremos bem – diz Owen do alto da escada.

Quase vejo os olhos dele rolando nas órbitas. Lá está ele na porta, com Freya no colo.

– Pode ir. Divirta-se. *Pare de se preocupar.* Você sabe que posso cuidar da minha filha.

Eu sei.

Eu sei, eu sei, mas mesmo assim, quando a porta do nosso apartamento bate lá em cima e fico sozinha no hall, sinto aquele aperto conhecido no peito, o puxão do elo que tenho com Freya aumentando, aumentando...

Verifico se o celular está na bolsa... está. Chaves... sim. Carteira... onde está minha carteira? Estou vasculhando a bolsa e noto uma carta na prateleira, endereçada a mim.

Pego a carta e penso em deixá-la em casa, mas volto a procurar a carteira na bolsa e então duas coisas acontecem ao mesmo tempo.

A primeira é que sinto o volume da carteira no bolso da calça jeans e pronto, encontrei. A segunda... a segunda é que vejo que a carta tem carimbo de Salten.

Meu coração bate mais rápido e tento me convencer de que não há motivo para pânico. Se fosse alguma coisa da polícia, seria franqueada, não carimbada, é claro, e seria correspondência oficial, impressa, em um daqueles envelopes com visor transparente de plástico.

Isso é outra coisa, um envelope pardo A5, e dá para sentir que tem várias folhas de papel dentro.

A caligrafia não é da Kate. São letras de forma anônimas e regulares, bem diferente dos generosos garranchos da Kate.

Será que é alguma coisa da escola? Fotos do jantar, quem sabe?

Hesito um pouco, em dúvida se ponho de volta no escaninho e vejo o que é quando voltar. Mas a curiosidade leva a melhor, enfio um dedo na dobra e abro o envelope.

Dentro tem um maço de papéis, três ou quatro folhas, mas parecem xerox de desenhos em vez de carta. Balanço o envelope e procuro alguma folha que explique do que se trata, os papéis caem no chão e sinto como se uma mão apertasse meu coração com tanta força que meu peito chega a doer. O sangue foge do meu rosto, fico com as pontas dos dedos geladas e dormentes e num segundo imagino se estou tendo um ataque de coração, se é assim.

Mas meu coração bate descompassado e minha respiração fica rápida e curta.

Então ouço um barulho lá em cima, o instinto de preservação me domina e caio de quatro, juntando as folhas tão desesperada que nem tento esconder.

Só depois de guardar todas no envelope de novo é que registro o que aconteceu, o que eu vi, cubro o rosto com as mãos, sinto o calor do sangue voltando e a pulsação forte na boca do estômago. Quem mandou isso? Como é que sabiam?

De repente se torna muito mais urgente que eu saia e converse com Fatima e Thea. Com as mãos trêmulas, guardo o envelope no fundo da bolsa e abro a porta do prédio.

Na rua, ouço um barulho lá em cima, viro e vejo Owen e Freya na janela. Owen segura a mãozinha rechonchuda de Freya e quando me vê virar acena um adeus solene.

– Até que enfim! – ele diz rindo, atrapalhado com Freya, que quer mergulhar e escapar dos seus braços. – Estava começando a pensar que você pretendia passar a tarde toda no hall de entrada!

– Des-desculpe – gaguejo, sei que meu rosto está vermelho e que minhas mãos tremem. – Eu estava verificando o horário dos trens.

– Tchau, mamãe – diz Owen, mas Freya se contorce e chuta com as pernas gordas, querendo ir para o chão, Owen se abaixa para fazer a vontade dela. – Tchau, amor – ele diz quando se endireita.

– Tchau – consigo responder mesmo com a garganta apertada e ardida, como se tivesse uma coisa enorme entalada lá, que me impedisse de falar e de engolir. – Nos vemos mais tarde.

Então fujo, porque não consigo mais encará-lo.

Fatima já está sentada a uma mesa do Le Pain Quotidien quando chego e, ao vê-la tensa e empertigada, tamborilando na mesa, percebo o que deve ter acontecido.

– Você recebeu também? – pergunto assim que sento.

Ela faz que sim com a cabeça, pálida e séria.

– Você sabia?

– Sabia o quê?

– Sabia que isso ia chegar? – ela sibila.

– O quê? Não! É claro que não. Como pode perguntar isso?

– O mesmo momento... dessa reunião. Pareceu meio... planejado, não é?

– Fatima, *não*.

Meu Deus, isso é pior do que eu pensava. Se Fatima suspeita que estou envolvida nisso...

– Não!

Estou quase chorando só com a ideia de que eu poderia ter alguma coisa a ver com isso e não tê-la avisado, não tê-la protegido.

– É claro que eu não sabia de nada disso, como pode pensar assim? Foi pura coincidência. Eu também recebi.

Puxo a ponta do meu envelope para fora da bolsa e ela fica olhando para mim um bom tempo, depois parece entender o que estava sugerindo e cobre o rosto com as mãos.

– Isa, desculpe... nem sei o que estava pensando. É que...

Chega um garçom e Fatima para de falar, olha quando ele pergunta:

– Desejam alguma coisa? Café? Bolo?

Fatima esfrega a mão no rosto e percebo que está tentando organizar os pensamentos, tão abalada quanto eu.

– Vocês têm chá de menta? – ela finalmente pergunta, o garçom faz que sim com a cabeça e vira para mim com um sorriso.

Sinto meu rosto congelado, falso, uma máscara de alegria sobre um abismo de medo. Mas consigo engolir, apesar do aperto na garganta.

– Eu quero... quero um cappuccino, por favor.

– Alguma coisa para comer?

– Não, obrigada – diz Fatima, e balanço a cabeça concordando com veemência.

Acho que se comer agora vou engasgar na hora de engolir.

O garçom foi pegar nosso pedido, alguém abre a porta de entrada, o sino toca e Fatima e eu vemos Thea, de óculos escuros e batom vermelho, olhando em volta nervosa. Ela nos vê e se aproxima.

– Como é que você soube? – ela balança o envelope embaixo do meu nariz, de pé ao meu lado. – Como foi que você soube? – ela praticamente grita e o envelope treme na ponta dos dedos.

– Thee... eu... – mas minha garganta está fechando outra vez, não consigo fazer as palavras saírem.

– Thee, acalme-se. – Fatima levanta da cadeira com as palmas das mãos estendidas. – Fiz a mesma pergunta. Mas é só uma coincidência.

– Coincidência. Uma baita de uma merda de coincidência! – cospe Thea, e então ela entende. – Espere aí, você também recebeu um?

– Recebi, e Isa também. – Fatima aponta para a ponta do envelope saindo da minha bolsa. – Ela sabia tanto quanto nós que isso ia chegar.

Thea olha para Fatima e para mim, guarda o envelope na bolsa e senta na cadeira vaga.

– Então não temos ideia de quem enviou isso?

Fatima balança a cabeça lentamente.

– Mas temos uma boa ideia de onde vem, não é?

– O que quer dizer? – pergunta Thea.

– Bom, o que acha que eu quero dizer? Kate disse que destruiu todos os desenhos... todos os desenhos desse tipo. Se ela não mentiu, isso veio da escola.

– *Puta que pariu* – diz Thea veementemente, e o garçom, que estava por perto, à espera do pedido dela, afastou-se logo para esperar um momento melhor.

— Merda de cabeças de polícia moralistas. — Thea apoia a cabeça nas mãos e vejo que roeu as unhas até o talo, está com sangue nas pontas dos dedos. — Acham que devemos perguntar para ela? Para Kate, quero dizer.

— Acho que não, e vocês? — diz Fatima, preocupada. — Se isso é uma espécie de chantagem da parte dela, ela se deu ao trabalho de disfarçar a letra e de enviar anonimamente, por isso não acredito que vai confessar quando perguntarmos se foi ela que mandou.

— Não pode ser a Kate — eu desabafo, e o garçom chega com nosso pedido, ficamos caladas e rubras enquanto ele põe tudo na mesa e anota o pedido de Thea, um expresso duplo.

Depois que ele vai embora, eu falo, mais baixo:

— Não pode ser. Não pode... que motivo ela poderia ter para mandar isso?

— Eu também não gosto dessa ideia — Fatima retruca. — Merda. *Merda*, isso é uma trapalhada danada. Mas se não foi Kate, quem foi? A escola? Que motivo teriam? Os tempos mudaram, Isa. Juízes não condenam mais alunas que não são *anjos* — isso seria um escândalo de abuso de menores, pura e simplesmente, e a Salten House estaria bem no meio. A forma como lidaram com o problema foi chocante, eles têm a perder quase tanto quanto nós.

— Ninguém abusou de nós — diz Thea, tira os óculos escuros e vejo que tem olheiras profundas. — Ambrose podia ser um monte de coisas, mas não pedófilo.

— A questão não é essa — diz Fatima. — Quaisquer que fossem os motivos dele, ele abusou da sua posição, não há outra maneira de definir isso, e vocês sabem tão bem quanto eu. Foi uma bobagem irresponsável dele.

— Ele era um artista — retruca Thea. — E nunca encostou um dedo em nenhuma de nós, a menos que você queira dizer outra coisa.

— Mas não é assim que a imprensa vai ver! — sibila Fatima. — Acorde, Thee. Isso é um *motivo*, você não entendeu?

— Um motivo para ele cometer suicídio? — Thea parece confusa, mas eu explico:

— Um motivo para... matá-lo, certo, Fatima? É isso que você está dizendo.

Ela faz que sim com a cabeça, o rosto pálido sob o hijab vinho-escuro, e sinto novamente o aperto na garganta, que me sufoca. As imagens surgem na minha cabeça, os riscos suaves do lápis de Ambrose, uma curva aqui, uma linha ali, uma mecha de cabelo... o corpo nos desenhos mudou, mas meu rosto... meu rosto continua evidente e pavorosamente meu, mesmo depois de todos aqueles anos, aqueles olhos no papel, despretensiosos e tão, tão vulneráveis...

– O quê? – Thea dá uma risada trêmula. – Não. Não! Isso é ridículo! Quem acreditaria nisso? Não vejo lógica nenhuma!

– Olhem – diz Fatima, cansada –, dezessete anos atrás não pensávamos em nós, víamos a descoberta dos desenhos a partir de outro ângulo, o de Ambrose. Eram uma desgraça para ele, simplesmente isso. Mas considerem agora, à luz dura e fria da experiência. O que pensariam se vissem isso na imprensa agora, hoje? Um grupo de meninas num colégio interno sendo cortejadas por um professor, e uma delas filha dele. Vocês ouviram o que Kate disse, as pessoas na cidadezinha já andam especulando se Ambrose abusava dela. Esses desenhos aparecem *agora*, depois de todo o esforço que Kate fez para apagá-los? Isso modifica radicalmente o nosso relacionamento com Ambrose, Thee. Em vez de alunas, passamos a ser suas vítimas. E às vezes as vítimas reagem.

Ela sussurra, mal dá para ouvir no burburinho do café, mas de repente sinto vontade de cobrir sua boca com a mão para que se cale, para que pelo amor de Deus pare de falar. Porque ela tem razão. Nós enterramos o corpo. Não temos álibi para a noite em que ele morreu. Mesmo sem ir a julgamento, as pessoas falariam.

O café de Thea chega quando silenciamos, bebemos cada uma perdida num mundo próprio, pensando nas possíveis consequências desse escândalo nas nossas carreiras, nos nossos relacionamentos, com nossos filhos...

– Então quem deve ter sido? – Thea pergunta. – Luc? Alguém da cidade?

– Eu não sei – geme Fatima. – Não importa o que eu disse antes, eu não acho que Kate mandou os desenhos para nós, não acho mesmo. Mas um fato permanece, que sendo ou não a remetente dos envelopes, ela mentiu quando disse que tinha destruído os desenhos. Esses não são os que nos mostraram na escola, não é?

– Por incrível que pareça – diz Thea, quase irritada –, admirar minha pose não foi a primeira coisa que me veio à cabeça naquele dia. Isa, você lembra?

— Não sei – respondo devagar.

Tento me lembrar dos desenhos espalhados sobre a mesa. Havia só meia dúzia de pedaços de papel, um era um retrato meu sozinha, eu acho... meu Deus, é muito difícil lembrar. Mas tenho certeza de uma coisa: o envelope que recebi hoje tinha pelo menos três ou quatro folhas inteiras, muito mais desenhos do que havia na mesa da Srta. Weatherby.

— Você deve ter razão – acabo dizendo. – Acho que os da escola não eram esses. A menos que não tenham mostrado alguns. Os que nos mostraram... não eram tantos. Mas acho que Fatima também está certa, não há motivo para a escola mandá-los para nós, não é? Tem tanto a perder quanto nós.

— Então quem foi? Luc? – Thea quer saber.

Balanço os ombros, impotente.

— Mary Wren? E por quê? É um aviso, ou alguém impedindo que nos prejudiquem? Será que pode ter sido a Kate devolvendo os desenhos para não sermos surpreendidas por eles no futuro?

— Duvido – eu comento.

Adoraria acreditar nessa versão, a versão que não faz com que fiquemos de sobreaviso para o que virá depois.

— Mas são cópias, não são os originais. Por que mandar cópias para nós?

Mas ao mesmo tempo consigo imaginar Kate sem querer se desfazer dos desenhos. Deus sabe que ela se agarrou a todas as outras partes do pai.

— Será que ela está chamando nossa atenção para a existência desses? – diz Thea, como se duvidasse.

Balanço a cabeça.

— Ela teria nos contado no moinho. Mandar agora pelo correio... não tem sentido.

— É verdade... – diz Fatima. – O momento é o mais inadequado.

As palavras dela desencadeiam um eco perturbador dentro de mim, e de repente lembro das minhas dúvidas no meio da noite, quase afogadas pela chegada dos desenhos, e do medo do que podem significar.

Engulo meu cappuccino e, quando largo a xícara, ela treme no pires, traindo o nervosismo devido ao que estou prestes a falar. Desejo demais estar errada. Desejo muito que Fatima e Thea expliquem e afastem minhas dúvidas... e não sei se isso é possível.

– Bem, isso é mais uma coisa – digo meio ressabiada, e as duas olham para mim.

Engulo de novo, a garganta já seca e amarga de cafeína.

– É... é uma coisa que andei pensando, o momento em que apareceram os desenhos... não esses aqui – acrescento ao ver que elas ficam confusas. – Os que a escola encontrou.

– O que quer dizer? – Fatima franze a testa. – O momento?

– O dia antes de Ambrose morrer foi completamente normal, certo? – As duas fazem que sim com a cabeça. – Mas eu não entendo como. Se a escola já sabia dos desenhos, se tinham conversado com Ambrose sobre eles, por que esperaram vinte e quatro horas para mostrá-los para nós? E por que falaram conosco como se não tivessem certeza de quem tinha desenhado?

– Porque... – Thea começa a responder, mas se interrompe para pensar melhor. – Bem, quero dizer, sempre pensei que falaram conosco antes de falarem com Ambrose. Devem ter feito isso, não é? Senão saberiam que eram dele... ele não teria negado, teria?

Mas Fatima já tinha entendido. O rosto dela fica muito pálido, ela fixa os olhos escuros em mim e eles denotam um tipo de medo que me deixa ainda mais assustada.

– Entendo o que você está intuindo. Se não tinham falado com Ambrose, como é que ele sabia que isso ia estourar?

Faço que sim com a cabeça, sem dizer nada. Estava esperando que Fatima, com suas deduções ponderadas, com seu raciocínio claro e lógico, veria uma falha no que eu insinuava. E percebi que essa falha não existia.

– O meu palpite – falo devagar –, que na verdade nem é um palpite, acho que é praticamente certo, é que a escola só viu aqueles desenhos depois da morte de Ambrose.

Silêncio. Um silêncio demorado e assustador.

– Então o que você está dizendo... – Thea diz, e noto que ela está tentando entender, fazer com que aquilo signifique outra coisa além da conclusão óbvia que estamos todas querendo evitar. – O que você está dizendo é que...

Ela para.

Novo silêncio, o barulho do café parece distante de repente, e quase nada comparado com as palavras que berram dentro da minha cabeça.

Não consigo acreditar que estou prestes a dizer isso em voz alta, mas alguém tem de abrir o jogo. Respiro fundo e me esforço:

– O que estou dizendo é que alguém estava chantageando Ambrose, ele sabia que iam enviar os desenhos e agiu antes da merda atingir o ventilador... ou...

Só que aí eu também paro de falar, porque não sou capaz de articular a alternativa, é terrível demais, muda tudo... o que aconteceu, o que nós fizemos e, acima de tudo, as consequências possíveis.

É Fatima quem fala. Fatima acostumada a dar informações sobre a vida e a morte, diagnósticos que transformam uma vida, resultados de exames que são um soco no estômago. Ela engole o resto do chá de menta e termina a frase para mim, com a voz neutra:

– Ou ele foi assassinado – diz ela.

No metrô, a caminho de casa, os fatos parecem saltar e rolar dentro da minha cabeça, ordem e desordem, como se eu só pudesse ver o sentido de tudo embaralhando as cartas de outro modo.

Cúmplice de assassinato. Talvez até suspeita, se Fatima estiver certa.

Isso muda tudo, sinto frio e calor ao mesmo tempo quando entendo a trapalhada que fizemos. Sinto raiva... mais do que raiva. Fúria. Furiosa com Fatima e Thea porque não foram capazes de me tranquilizar. Furiosa comigo mesma por não ter chegado antes a essa conclusão. Passei dezessete anos empurrando para longe a lembrança do que fizemos aquela noite. Passei dezessete anos sem pensar no que aconteceu, enterrando as lembranças sob o peso de preocupações e planos comuns do dia a dia.

Devia ter pensado.

Devia ter pensado nisso todos os dias, questionado cada ângulo. Porque agora que desfiz aquele nó, a tapeçaria inteira do passado está começando a aparecer.

Quanto mais lembro, mais convencida fico de que os desenhos só apareceram naquela manhã, na manhã depois da morte de Ambrose. Eu tinha conversado com a Srta. Weatherby na véspera, no jantar, ela pediu notícias da minha mãe e queria saber meus planos para o fim de semana. Não havia nem sinal do que estava para acontecer, nenhuma pista do choque e da fúria que vimos na expressão dela no dia seguinte. Ela podia ser uma dissimuladora extraordinária... mas por quê? Não havia motivo para a escola esperar antes de nos chamar. Se a Srta. Weatherby tivesse visto os desenhos na sexta-feira, teria nos arrastado para a sala dela no mesmo dia.

Não, a conclusão era uma só: os desenhos só apareceram depois da morte de Ambrose.

Mas *quem* foi? E quase tão importante, *por quê?*

Alguém que o chantageava e que finalmente cumpriu a ameaça?

Ou alguém que o tinha matado e queria dar o motivo para um suicídio?

Ou... seria possível... será que o próprio Ambrose tinha enviado os desenhos, numa crise de remorso, antes de aplicar a overdose fatal?

Mas descarto essa ideia quase imediatamente. O que Ambrose fez nos desenhando podia ser errado legal e eticamente, abuso da ascendência sobre nós, como Fatima disse. Com o tempo, ele mesmo poderia até sentir isso.

Mas estou absoluta e completamente convencida de que Ambrose jamais enviaria aqueles desenhos para a escola, não importa o que estivesse sentindo. Não faria isso com intenção de evitar a própria vergonha, e sim porque jamais nos faria passar por aquela humilhação pública, jamais faria Kate passar por isso. O afeto, o amor que sentia por nós era grande demais, e uma coisa eu sei, ali sacolejando no trem com o vento quente e poeirento no rosto: ele nos amava, pela Kate e por nós mesmas.

Então quem foi?

Um chantagista da cidade que um dia foi ao moinho e viu alguma coisa que achou que podia usar?

Desejo que isso seja verdade. Porque a alternativa... a alternativa é quase impensável. Assassinato.

Além disso, há menos pessoas com algum motivo.

Não foi Luc. Ele era a pessoa que mais tinha perdido com a morte de Ambrose. Perdeu sua casa, sua irmã, seu pai adotivo. Perdeu a única segurança que tinha.

E nenhum dos moradores da cidade, não consigo imaginar. Poderiam fazer a chantagem. Mas não teriam motivo para matá-lo, um dos seus.

Então quem foi? Quem tinha acesso aos desenhos e aos blocos de Ambrose, e estava na casa antes de ele morrer?

Aperto as têmporas sem querer pensar nisso e procurando não lembrar da última conversa que tivemos, Fatima, Thea e eu, indo para a estação de metrô South Kensington, de óculos escuros ao sol forte do verão.

– Olhem, tem só mais uma coisa... – disse Thea, mas parou na entrada da estação e botou os dedos na boca.

– Pare de roer as unhas – disse Fatima, preocupada, não censurando. – O que foi? O quê?

– É... é sobre a Kate. E o Ambrose. Merda – ela passa os dedos no cabelo curto e demonstra apreensão. – Não. Não, não importa.

– Você não pode falar uma coisa dessa e não nos contar. – Ponho a mão no braço dela. – Além do mais, isso está te incomodando. Desabafe, seja o que for. Vai se sentir melhor. O que dizem... sobre compartilhar um problema?

– Grande merda isso – disse Thea com raiva. – Nunca nos serviu para nada. – Ela fez uma careta e depois disse: – Olhem, o que vou contar... não é que eu pense... não quero que vocês pensem...

A voz falhou e ela apertou a ponte do nariz por baixo dos óculos escuros, mas Fatima e eu continuamos em silêncio, sentindo que só a espera faria essa confissão sair.

E finalmente ela contou.

Ambrose estava planejando mandar Kate para outro lugar. Imediatamente. Para um outro internato.

Ele tinha contado isso para Thea no fim de semana anterior, quando estava bêbado. Kate, Fatima e eu estávamos nadando no Reach, mas Thea tinha ficado no moinho com Ambrose, ele bebia seu vinho e olhava para o teto, tentando aceitar a decisão que não queria tomar.

– Ele me perguntou sobre outras escolas – disse Thea. – Queria saber como era Salten comparada com os outros lugares em que eu estive. Se eu achava que mudar várias vezes tinha me prejudicado. Ele estava bêbado, muito bêbado, e não falava coisa com coisa, mas então mencionou o laço entre pais e filhos e tive uma sensação horrível no estômago. Ele estava falando sobre a Kate.

Ela respira fundo como se mesmo agora perceber isso seja chocante.

– Eu disse: Ambrose, não faça isso. Vai partir o coração da Kate. Ele não respondeu logo, mas acabou dizendo: eu sei. É que... não posso deixar que isso continue assim. Está tudo errado.

O que não podia continuar? Thea perguntou para ele, ou tentou, mas nós estávamos chegando e Ambrose balançou a cabeça, pegou a garrafa de vinho, subiu para seu estúdio e fechou a porta antes de chegarmos do Reach, torcendo a água dos cabelos e dando risada.

Aquela noite e todo o resto da semana Thea olhava para Kate pensando: será que ela sabe o que ele está planejando? Será que ela sabe?

E aí Ambrose morreu. E tudo desmoronou.

Não posso deixar que isso continue. A voz de Thea, ecoando a de Ambrose, soa na minha cabeça quando saio da estação do metrô e quase não sinto o sol quente da tarde na nuca, de tão preocupada que estou com os meus pensamentos.

Está tudo errado. O que ele quis dizer? Tento imaginar o que Kate poderia ter feito de tão errado para ele querer mandá-la para outra escola... mas minha imaginação não funciona. Ele tinha visto Kate, todas nós, aos tropeços aquele ano, cometendo erros e tomando decisões questionáveis, explorando a bebida e outras drogas, e nossa sexualidade. E não disse nada. De certa forma não foi uma surpresa, porque, com o passado dele, restavam poucas pedras para atirar. Ele só observava com amor e tentava dizer para Kate e para nós quando nos arriscávamos, quando fazíamos alguma coisa insensata. A única vez que consigo lembrar dele realmente furioso foi com o comprimido que Kate tomou na discoteca.

Ficou louca? berrou ele com as mãos no cabelo crespo, fazendo com que a cabeleira parecesse um ninho de rato. *Você sabe o que essas coisas fazem no seu corpo? Qual é o problema de um fuminho bom e saudável pra variar?*

Mas nem assim ele a botou de castigo, nunca houve punição, só decepção e preocupação. Ele se preocupava com ela e conosco. Queria que nos sentíssemos bem. Balançava a cabeça quando fumávamos, olhava com tristeza quando Thea aparecia com curativos sobre cortes e queimaduras estranhas. Quando pedíamos, ele nos dava conselhos. Mas só isso. Não havia condenação, nenhuma reclamação moral. Ele nunca fez com que nos sentíssemos incompetentes ou envergonhadas.

Ele amava a nós todos. Mas acima de tudo e todos, ele amava Kate com um afeto tão profundo que me emocionava às vezes. Talvez pelo fato de terem sido só os dois por tanto tempo, depois que a mãe da Kate morreu... mas às vezes o jeito dele olhar para ela, o jeito de por o cabelo dela atrás da orelha, até o jeito que ele a evocava nos desenhos, como se tentasse... não exatamente prendê-la, mas realçar a quintessência com a qual poderia preservar algo dela numa folha de papel para sempre, que jamais fosse tirada dele. Era uma adoração que eu às vezes vislumbrava nos meus pais também, mas vagamente, como uma coisa distante ou através de um vidro fosco. Mas em Ambrose era uma chama que ardia forte e brilhante.

Ele nos amava, mas Kate era ele. Impossível pensar nele mandando Kate para longe.

Então o que podia ser tão ruim que o fizesse pensar que não tinha escolha, que precisava se separar dela?

– Tem certeza? – perguntei para Thea, com a sensação de que minha vida inteira tinha virado de cabeça para baixo, como um globo de vidro com neve dentro e deixado quieto para assentar. – Foi isso mesmo que ele disse?

Ela apenas assentiu com a cabeça, e só comentou quando insisti:

– Você acha que eu entenderia mal uma coisa dessa?

Não posso deixar que isso continue...

O que aconteceu, Ambrose? Foi alguma coisa que Kate fez? Ou... a ideia se contorce no meu estômago... foi outra coisa? Será que Ambrose estava protegendo Kate de alguma coisa? Ou de alguma coisa que ele tinha feito?

Eu não sei. Não posso responder a essas perguntas, mas minha cabeça gira com elas enquanto meus pés percorrem a distância entre o metrô e minha casa.

Nossa rua está perto e logo terei de botar essas ideias de lado e me transformar na companheira de Owen e mãe de Freya.

Mas as perguntas me dão uma surra, coisas com asas e garras me atacando, e vou me encolhendo no caminho, virando o rosto como se pudesse evitá-las, só que não posso.

O que foi que ela fez? O que ela fez para merecer ser mandada embora? E o que ela podia ter feito para impedir isso?

Cúmplice de assassinato.
Cúmplice de assassinato.

Por mais que esta frase ecoe inúmeras vezes na minha cabeça, não consigo entender. Cúmplice de assassinato. Um crime com sentença de prisão. Na escuridão do meu quarto, com blackout para o sol do fim da tarde não entrar, com Freya nos braços, a frase se repete e me cobre com um pavor gelado. Cúmplice de *assassinato*.

Então vem uma lembrança que é como uma rachadura na escuridão. O bilhete de suicídio. É nisto que tenho de me agarrar.

Amamento Freya e ela está quase dormindo, mas, quando tento despregá-la do peito, ela me segura feito uma macaquinha, com seus dedinhos fortes, e começa a mamar novamente, com vontade renovada, mergulha o rosto no meu seio como se pudesse voltar para a segurança do meu corpo.

Depois de um minuto assim, concluo que ela não vai me largar sem lutar e suspiro, deixo meu peso cair de novo na poltrona de amamentar e meus pensamentos retomam os círculos e o vaivém.

O bilhete de Ambrose. Um bilhete de suicídio. Como podia ter escrito aquele bilhete se foi assassinado?

Eu li, mas agora só me lembro de frases curtas e partes, e da caligrafia que parecia se desintegrar em garranchos no final. *Estou em paz com a minha decisão... querida Kate, por favor, saiba que faço isso com amor – a última coisa que posso fazer para protegê-la... eu te amo, por isso siga em frente: viva, ame, seja feliz. E acima de tudo, não deixe que isso tudo tenha sido em vão.*

Amor. Proteção. Sacrifício. Essas foram as palavras que ficaram comigo todos aqueles anos. E faziam sentido, no contexto em que eu sempre acreditei. Se Ambrose estivesse vivo, todo o escândalo dos desenhos teria vindo à tona, ele teria sido demitido e o nome dele, junto com o de Kate, teria sido arrastado na lama.

Na época, quando recebemos aquela chamada para comparecer na sala da Srta. Weatherby, tive a sensação de peças se encaixando. Ambrose tinha antecipado a tormenta e fez a única coisa que podia fazer para proteger Kate – tirou a própria vida.

Mas agora... agora não tenho tanta certeza.

Olho para o bebê nos meus braços e não consigo imaginar abandoná-la voluntariamente. Não que não possa imaginar pais ou mães cometendo suicídio, sei que isso acontece. Ser mãe não nos dá imunidade para depressão ou estresse insuportáveis, é bem o contrário.

Mas Ambrose não estava deprimido. Tenho a máxima certeza disso. E mais, ele seria a última pessoa que daria a mínima para sua reputação. Ele tinha recursos. Tinha amigos no exterior, muitos amigos. Além disso, amava os filhos, os dois. Não posso imaginá-lo dexando os dois para enfrentar o que ele não tinha coragem de ver. O Ambrose que eu conhecia teria arrebanhado os filhos e ido para Praga, para a Tailândia, para o Quênia – e não teria dado atenção ao escândalo que deixaria para trás porque teria sua arte e sua família, e era só isso que importava para ele.

Acho que eu sempre soube disso. Mas precisei ter uma filha para entender.

Finalmente Freya está dormindo, de boca aberta, a cabeça jogada para trás, e eu a ponho gentilmente no lençol branco e saio do quarto na ponta dos pés, desço e vou ao encontro de Owen, que está assistindo alguma coisa relaxante e estupidificante na Netflix.

Ele olha para mim quando chego.

– Ela dormiu?

– Dormiu, estava ranzinza. Acho que não gostou da minha saída de hoje.

– Algum dia você terá de cortar esses laços de avental... – disse Owen em tom de provocação.

Ele só está tentando me atiçar, eu sei, mas estou cansada, estressada e muito abalada por tudo que aconteceu hoje, e ainda buscando o sentido do envelope com os desenhos e das revelações de Thea, então retruco irritada, sem querer:

— Pelo amor de Deus, Owen, ela tem só seis meses!

— Sei disso – ele diz, irritado, tomando um gole da cerveja que está ao lado. – Sei a idade dela. Ela é minha filha também, sabe? Pelo menos foi o que me disseram.

— Foi o que te disseram? – Sinto o sangue subindo no rosto e minha voz fica aguda e rouca de raiva quando repito o que ele disse: – *Foi o que te disseram?* Que merda é essa?

— Ei! – Owen larga o copo de cerveja com uma batida ruidosa. – Não fale assim comigo! Meu Deus, Isa. O que deu em você ultimamente?

— O que deu em mim? – Estou quase muda de fúria. – Você insinua que Freya pode não ser sua filha e pergunta o que deu em mim?

— Que Freya pode não ser... que diabo é isso? – com expressão realmente confusa, vejo que ele relembra o que falamos nos últimos minutos e então entende. – Não! Você enlouqueceu? Por que eu diria uma coisa dessa? Estava só querendo dizer que você precisa se distrair e descansar às vezes, que eu sou pai da Freya, só que você nem notaria pela quantidade de vezes que tenho de cuidar dela. Como é que pode pensar que eu ia insunuar que ela...

Ele para, sem palavras, e sinto meu rosto quente ao entender o que ele quis dizer, só que minha raiva não diminui, pelo contrário, aumenta. Nada melhor do que perder a razão para reagir.

— Ah, então está bem – eu vocifero –, você está querendo dizer que sou uma lunática controladora obcecada que não deixa o marido trocar uma fralda. Isso muda tudo. É claro que não estou furiosa *agora*.

— Ai, meu Deus, quer parar de botar palavras na minha boca? – geme Owen.

— É difícil não fazer isso, quando você vem com esses comentários para se explicar. – Minha voz treme. – Estou farta dessas chamadinhas constantes sobre essas coisas, se não é cuidar da Freya é mamadeira, e se não é isso é tirar Freya do nosso quarto, de ela ter um quarto só dela. Parece que...

— Não eram chamadinhas, eram sugestões – interrompe Owen, implorando calma com a voz. – Está bem, olha, boto as mãos para o alto, eu realmente estou começando a me frustrar um pouco, especialmente agora que ela está com seis meses. Já aceita comidinhas, não é meio estranho amamentar se estão nascendo os dentes?

– O que isso tem a ver? Ela é um bebê, Owen. Dê-lhe comida! O que te impede?

– Você! Toda noite é a mesma coisa – é claro que ela não vai dormir comigo, por que dormiria, se você não para de amamentar?

Estou tremendo de raiva, tão furiosa que não consigo dizer nada alguns segundos.

– Boa noite, Owen – acabo desembuchando.

– Espere aí. – Ele levanta quando vou saindo da sala. – Não me venha com ares de importância. Eu não queria ter essa discussão, para começo de conversa. Foi você que resolveu esmiuçar tudo!

Não respondo. Vou subindo a escada.

– Isa – ele chama aflito, mas baixinho, procurando não acordar Freya. – Isa! Por que você está fazendo isso?

Não respondo. Não posso responder. Porque para responder vou ter de dizer uma coisa que pode destruir meu relacionamento para sempre.

A verdade.

Acordo com Freya ao meu lado, mas o outro lado da cama de casal está vazio e naquele instante não entendo por que me sinto tão mal e envergonhada. Então lembro.

Merda. Será que ele dormiu lá embaixo, ou subiu tarde e saiu cedo?

Levanto com todo o cuidado, ponho o edredom enrolado na beirada da cama, caso Freya acorde e role, visto meu robe e desço pé ante pé.

Owen está sentado na cozinha, bebendo café e espiando pela janela, mas olha para mim quando chego.

– Desculpe – vou logo dizendo, e o rosto dele se enruga num misto de alívio e tristeza.

– Eu também quero pedir desculpas. Fui um idiota completo. O que eu falei...

– Olha, você tem o direito de se sentir assim. E está certo... quero dizer, não sobre a amamentação, aquilo foi besteira, mas eu vou me esforçar para envolvê-lo mais. Vai acontecer de qualquer maneira. Freya está crescendo, não vai mais precisar tanto de mim, e além disto vou voltar logo para o trabalho.

Ele levanta e me abraça, sinto seu queixo apoiado no topo da minha cabeça e os músculos quentes do peito dele embaixo do meu queixo. Dou um suspiro trêmulo.

– Isso é bom – eu digo e ele meneia a cabeça.

Ficamos assim um longo tempo, não sei quanto. Mas então ouço um barulho lá em cima, uma espécie de chilreio, e me endireito.

– Droga, deixei Freya na cama. Ela vai rolar para o chão.

Já estou me desvencilhando do abraço, mas Owen dá um tapinha no meu ombro.

– Ei, a nova decisão, lembra? Eu é que vou.

Sorrio, concordo balançando a cabeça e ele sobe rapidamente a escada. Ponho a chaleira no fogo para fazer meu chá matinal e ouço Owen lá em cima, cantarolando baixinho enquanto pega Freya no colo, a risada dela quando ele brinca de esconder com a chupeta.

Bebo meu chá e ouço Owen andando de um lado para outro no quarto, pegando lenços umedecidos e fralda para trocar Freya, depois o barulho na cômoda quando ele pega uma roupa limpa para ela.

Demoram à beça, muito mais tempo do que eu levaria para trocar uma fralda, mas resisto à vontade de subir e finalmente ouço passos na escada e os dois aparecem na porta, Freya nos braços de Owen, com expressões semelhantes, de derreter o coração. Freya está com um "morro" de cabelo da cama que é cômico, quase tão cômico quanto o de Owen, e os dois sorriem de orelha a orelha para mim, muito satisfeitos da vida um com o outro e com a manhã de sol. Ela estende a mão para mim, querendo que a pegue, mas me lembro das palavras de Owen, apenas sorrio e fico onde estou.

– Oi, mamãe – diz Owen solenemente, olhando para Freya e de novo para mim. – Freya e eu andamos conversando e resolvemos que você deve tirar o dia de folga.

– Um dia de folga? – levo um susto. – Que tipo de folga?

– Um dia inteiro de mimo. Você anda tão estafada que merece um dia sem se preocupar conosco.

Não é com Freya que me preocupo. Na verdade, ela é, de muitas formas, a única coisa que tem mantido minha sanidade mental agora. Mas não posso falar isso.

– Não quero ouvir nenhum protesto – diz Owen. – Já marquei para você um dia de spa, paguei adiantado, por isso, se não quiser que eu perca meu dinheiro, precisa estar na cidade às onze horas. Freya e eu vamos nos virar sozinhos das... – ele olha para o relógio da cozinha – ... das dez até as quatro, e não queremos ver você.

– E a mamada dela?

– Vou dar de uma daquelas caixas de leite para bebê. E quem sabe – ele faz cócegas embaixo do queixo dela – talvez a gente se aventure e coma brócolis picadinho, não é, fofinha? O que você acha?

Eu não quero. A ideia de passar o dia num spa com tudo isso na minha cabeça... é quase obscena. Preciso me movimentar, fazer coisas para afastar as dúvidas e os medos.

Abro a boca... mas não encontro nada para dizer. Exceto...

– OK.

Ao me despedir, fico nauseada só de imaginar não ter nada para pensar além de Salten e do que aconteceu lá. Só que, afinal, não foi bem assim. Na viagem de metrô, fiquei tensa, cerrando os dentes, sentindo a dor de cabeça aumentar na base do crânio e nas têmporas. Mas quando cheguei ao salão, me entreguei às mãos experientes da terapeuta do spa e nem sei como todos os pensamentos obsessivos foram massageados para fora de mim, e nas duas horas seguintes não pensei em nada, a não ser na dor muscular, na tensão da nuca e entre os ombros que ela eliminava com a massagem.

– Você está muito tensa – murmura ela em voz baixa. – Tem um monte de nós no alto da sua coluna. Está se estressando muito no trabalho?

Balanço a cabeça, mas fico calada. Estou de boca aberta. Sinto a toalha do spa molhada de baba, mas estou tão cansada que nem tenho força para me incomodar.

Uma parte de mim não quer sair dali nunca mais. Mas eu preciso voltar. Para Kate, Fatima e Thea. Para Owen. Para Freya.

Saio do spa ofuscada e zonza, quatro ou cinco horas depois, com o cabelo leve no pescoço por causa do corte, os músculos soltos e aquecidos, e me sinto um pouco bêbada, bêbada do domínio sobre meu próprio corpo. Eu sou eu novamente. Sem sobrecarga. Até minha bolsa parece leve, porque deixei minha Marni que usava desde o nascimento de Freya – uma bolsa grande e cheia de recursos, com espaço para fraldas e uma blusa extra – e passei minha carteira e chaves para a bolsa que usava antes. É bem pequena, pouco maior do que um envelope grande, coberta de zíperes decorativos nada práticos, que seriam como um ímã para um bebê curioso. Estou como a antiga Isa, mesmo que só caibam na bolsa minha carteira, celular, chaves e batom.

Caminhando da estação do metrô para casa, sou dominada por uma onda de amor por Owen e Freya. Parece que estive longe cem anos, a uma distância impossível.

Vai dar tudo certo. De repente, tenho certeza disso. Vai dar tudo certo. O que nós fizemos foi estúpido e irresponsável, mas não foi assassinato ou nada parecido e a polícia vai entender isso, se é que chegará a esse ponto.

Na escada para o apartamento, inclino a cabeça e procuro ouvir algum barulho, o choro de Freya... mas não ouço nada. Será que saíram?

Enfio a chave na fechadura sem fazer barulho para não acordar Freya, se estiver dormindo, e chamo os dois baixinho. Nenhuma resposta. Não estão na cozinha ensolarada, preparo um café, que pretendo levar para cima.

Só que não subo.

Paro na porta da sala de estar como se tivesse levado uma pancada e não consigo respirar.

Owen está sentado no sofá com as mãos na cabeça e diante dele, na mesa de centro, há dois objetos que parecem provas num julgamento. O primeiro é o maço de cigarros da minha bolsa, da que deixei em casa.

E o segundo é o envelope... com carimbo de Salten.

Fico ali parada, com o coração na boca, sem poder falar, e Owen pega o desenho – o que me retrata.

– Você quer explicar isso?

Engulo em seco. Minha boca está seca e parece que tem alguma coisa entalada na minha garganta, dói e não consigo engolir.

– Eu poderia dizer a mesma coisa – acabo dizendo. – Você andou me espionando? Mexendo na minha bolsa?

– Como ousa dizer isso? – ele fala baixo para não acordar Freya, mas a voz dele treme de raiva. – Como ousa? Você deixou a porra da sua bolsa aqui e Freya fez uma festa. Ela estava mascando isso – ele joga o maço de cigarros nos meus pés e os cigarros se espalham no chão – quando a encontrei. Como pode mentir para mim?

– Eu... – começo a falar, mas paro.

O que eu posso dizer? Minha garganta dói com o esforço de não falar a verdade.

– Quanto a isso... – ele estende a mão trêmula que segura o meu desenho. – Eu nem posso... Isa, você está tendo um caso?

– O quê? Não! – isto sai antes que eu tenha tempo de pensar. – É claro que não! Esse desenho não sou eu... não sou eu!

No mesmo instante em que essas palavras saem da minha boca, eu sei que foi burrice dizer isso. Claro que sou eu, é evidente que sou eu. Ambrose é bom demais para eu poder negar isso. Mas não sou eu agora, é isso que quero dizer. Não é o meu corpo, o corpo flácido, pós-gravidez. Sou eu como era, antigamente.

Mas a expressão de Owen revela o que eu fiz.

– Quero dizer... – eu me esforço para falar. – Sou eu, era eu, mas não...

– Não minta para mim – ele me interrompe angustiado, dá as costas para mim como se não suportasse me ver e vai para a janela. – Eu liguei para a Jo, Isa. Ela disse que não havia essa droga de encontro ontem. É aquele homem, não é? O irmão da Kate, aquele que mandou flores?

– Luc? Não, como pode perguntar isso?

– Então quem é? Isso veio de Salten, eu vi o carimbo. Era isso que você estava fazendo lá com a Kate, um encontro com ele?

– Ele não desenhou isso! – gritei.

– Então quem foi? – grita Owen, e vira para mim.

O rosto dele se desfigura de raiva e angústia, a pele fica manchada, a boca reta como de uma criança que se esforça para não chorar.

– Quem foi?

Demoro para responder, ele emite um ruído de desgosto, então rasga o desenho ao meio com um gesto violento, corta meu rosto, meu corpo, separa meus seios, minhas pernas, joga o papel rasgado aos meus pés e dá meia-volta como se fosse embora.

– Owen, não faça isso – consigo dizer. – Não foi Luc. Foi...

Mas eu paro. Não posso contar a verdade para ele. Não posso dizer que foi Ambrose, sem antes desvendar tudo. O que posso dizer para ele? Só há uma coisa.

– Foi... foi a Kate – acabo desembuchando. – Os desenhos são de Kate. De muito tempo atrás.

Ele se aproxima de mim, chega bem perto e segura meu queixo, olha fixo nos meus olhos, sem piscar, como se quisesse ver dentro de mim, enxergar a minha alma. Tento revidar, olhar para ele, manter o olhar com firmeza – mas não consigo. Meus olhos dardejam e fracassam, e preciso me desviar daquele sofrimento e daquela raiva.

Ele faz uma careta quando solta meu queixo.

– Mentirosa – diz ele e vira para ir embora.

– Owen, não... – fico entre ele e a porta.

– Saia da frente. – Ele passa por mim agressivo e vai para a escada.

– Onde você vai?

– Não é da sua conta. Ao pub. À casa do Michael. Eu não sei. Só...

Mas ele não consegue mais falar, acho que está quase chorando, o rosto enrugado com o esforço para controlar o desespero.

– Owen! – chamo quando ele chega à porta da frente e ele para um instante, com a mão na maçaneta, esperando que eu fale alguma coisa, mas então ouvimos um barulho lá de cima, um gemido crescente. Acordamos Freya.

– Eu... – começo a falar, mas não consigo me concentrar, o choro agudo de Freya martela minha cabeça e afasta todo o resto. – Owen, por favor, eu...

– Vá cuidar dela – ele diz, quase gentil, e deixa a porta bater quando sai.

Só consigo me encolher na escada enquanto Freya berra lá em cima, e abafo meus soluços.

Ele não volta para casa aquela noite. É a primeira vez que faz isso, sair, dormir fora, sem me dizer para onde vai e quando volta.

Tenho um jantar solitário com Freya, depois a ponho no berço e fico andando no apartamento no escuro, tentando resolver o que fazer.

O pior de tudo é que não posso condená-lo por isso. Sabe que estou mentindo para ele, não foi só a mentira idiota que inventei sobre a Jo, ele sentiu desde que fui para a casa da Kate. E tem razão. Eu estou mentindo para ele. E não sei como vou parar.

Enviei uma mensagem de texto, só uma, porque não quero implorar. Diz: *Volte para casa, por favor. Ou pelo menos dê notícia de que está bem, OK?*

Ele não responde. Não sei o que pensar.

Por volta de meia-noite, recebo uma mensagem de texto de Ella, namorada do Michael. Ela escreve: Não tenho ideia do que aconteceu, mas Owen está conosco. Vai dormir aqui. Por favor, não conte para ele que escrevi isso para você, eu não devia me intrometer, mas não aguentei pensar que devia estar preocupada.

Sinto uma onda de alívio, uma sensação tão real e concreta quanto um banho quente.

Muito obrigada!, respondo em mensagem e logo acrescento: *Não vou contar para ele, obrigada de novo.*

Já passa de duas e meia da madrugada quando subo, e é mais tarde ainda quando finalmente consigo adormecer, aos prantos.

Pela manhã, meu humor já é outro. Não é mais de desespero. Sinto raiva. Raiva de mim, do meu passado, da minha própria burrice.

Mas de Owen também.

Procuro imaginar se fosse ao contrário – se ele recebesse rosas de uma velha amiga, um desenho anônimo pelo correio, e consigo me imaginar furiosa. Posso até me imaginar o acusando a torto e a direito. Mas não sou capaz de me imaginar dando as costas para o meu companheiro e minha filha sem dizer para onde eu ia, sem ao menos tentar acreditar no lado dele da história.

É segunda-feira, então ele só deve voltar para casa depois do expediente do trabalho. Ele tem um terno de reserva no escritório para emergências, por isso não vai precisar, talvez só para fazer a barba, mas já foi o tempo em que os funcionários do serviço público eram obrigados a ir para o trabalho de barba feita e, de qualquer modo, Michael pode lhe emprestar um barbeador, se ele quiser.

Vou para o parque com Freya. Brinco com ela no balanço, finjo que não há nada de errado e me recuso a pensar em todas as possibilidades que entopem minha cabeça.

Sete horas da noite chegam... e passam. Janto sufocada, com o aperto na garganta de novo.

Boto Freya para dormir.

Quando estou deitada no sofá, me cobrindo com uma manta, apesar do calor do verão, ouço o barulho de chave na porta e meu coração sobe para a boca.

Sento no sofá e enrolo a manta no corpo como se pudesse me proteger do que vem em seguida... viro de frente para a porta.

Owen aparece de terno amassado, como se tivesse bebido muito.

Mudos, nós dois. Não sei bem o que estamos esperando... uma deixa, talvez. Que o outro peça desculpas.

– Tem risoto no forno – digo, rouca pelo esforço de falar. – Se estiver com fome.

– Não estou com fome – diz ele, mas vira e vai para a cozinha.

Ouço o barulho de panelas e talheres. Ele está bêbado, dá para perceber pelo modo de bater o prato na pia com mais força do que pretendia, por deixar cair a faca e o garfo, pegar do chão e deixar cair de novo.

Merda, preciso ir até lá. Nesse passo ele vai acabar se escaldando... ou vai atear fogo na gravata.

Chego na cozinha e ele está sentado à mesa, com a cabeça apoiada nas mãos e um prato de risoto frio à frente, intocado. Olha fixamente para o prato, com um desespero ébrio no olhar.

– Deixe-me esquentar para você – digo, pego o prato e deixo no micro-ondas alguns segundos.

Ponho o risoto fumegante na mesa e ele começa a comer mecanicamente, sem notar que está muito quente.

– Owen... sobre ontem à noite...

Ele olha para mim como se implorasse, e de repente entendo que ele também não quer isso. Ele quer acreditar em mim. Se eu der uma explicação agora, ele vai aceitar, porque o que mais deseja é que tudo isso acabe, que as acusações que fez na noite passada não sejam verdade.

Respiro fundo. Preciso encontrar as palavras certas...

Mas quando vou começar a falar, meu celular toca, assustando a nós dois.

É Kate e, num primeiro instinto, quase desligo. Mas alguma coisa, talvez hábito ou preocupação, não sei ao certo, faz com que eu atenda.

– Alô?

– Isa? – Voz de pânico, e já sei que há alguma coisa errada. – Isa, sou eu.

– O que foi? O que aconteceu?

– É sobre papai – ela se esforça para não chorar. – Sobre o corpo dele. Eles pediram... eles me disseram...

Ela para, respiração acelerada, e sei que tenta abafar soluços.

– Kate, Kate, acalme-se. Respire fundo. O que disseram para você?

– Que estão investigando como morte suspeita. Querem me interrogar.

Fico completamente gelada. As pernas ficam bambas, vou me apoiando até a mesa e sento de frente para Owen, incapaz de suportar meu próprio peso.

– Ah, meu Deus.

– Você pode vir para cá? Nós... nós precisamos conversar.

Eu sei o que ela quer dizer. Está tentando fazer parecer inocente, caso Owen esteja escutando, mas nós temos de conversar urgentemente, antes da polícia questioná-la, talvez a nós duas. Precisamos acertar nossas histórias.

– Claro – respondo. – Vou hoje mesmo. O último trem para Salten só sai às nove e meia. Dá tempo se eu pegar um táxi até a estação.

– Tem certeza? – ela soluça. – Sei que estou abusando, mas Fatima não pode vir, está de plantão e não consigo falar com Thea. Ela não atende o celular.

– Não seja boba. Eu vou.

– Obrigada, muito obrigada, Isa. Eu... isso vale demais. Vou ligar para o Rick agora e pedir para ele pegá-la.

– Até logo. Te amo.

Desligo e vejo o rosto de Owen, os olhos vermelhos de cansaço e de bebida, e me dou conta do que aquela conversa vai parecer para ele. Meu coração aperta.

– Você vai voltar para Salten? – ele cospe as palavras. – Outra vez?

– Kate precisa de mim.

– Que se foda a Kate!

Ele berra as palavras, eu me encolho, então ele levanta, pega o prato de risoto que mal comeu e joga na pia. O risoto se espalha nos ladrilhos. Então fala outra vez, mais suave, com a voz embargada:

– E nós, Isa? E eu?

– Não se trata de você – digo.

Minhas mãos tremem quando pego o prato do risoto e abro a torneira.

– Trata-se da Kate. Ela precisa de mim.

– *Eu* preciso de você!

– Encontraram o corpo do pai dela. Ela está arrasada. O que quer que eu faça?

– O que do pai dela? Que história é essa?

Apoio a cabeça nas mãos. Não posso encarar isso. Não posso enfrentar ter de explicar tudo, negociar entre verdades e mentiras. E de qualquer maneira Owen não vai acreditar em mim, não do jeito que está. Ele quer briga, procura uma forma de compensação.

– Olha, é complicado... mas ela precisa de mim, a questão é essa. Eu tenho de ir.

– Isso é besteira! Tudo besteira! Ela se virou sem você dezessete anos, Isa. O que deu em você? Eu não entendo – fazia anos que você não a via, e de repente ela estala os dedos e você vai correndo?

Aquelas palavras... tão semelhantes às de Luc que fico meio atordoada e não consigo falar nada, engasgo, como se ele tivesse me dado um tapa. Então cerro os punhos, procuro me controlar e dou meia-volta para sair.

– Até logo, Owen.

– Até logo? – Ele dá um passo na minha direção e pisa no resto do risoto que ainda está no chão. – Que merda isso quer dizer?

– O que você quiser.

– O que eu quero – diz ele, com a voz trêmula – é que o nosso relacionamento seja uma prioridade para você. Desde que Freya nasceu, eu me sinto o último da porra da lista – nós nunca mais conversamos – e agora isso!

Não tenho certeza se ele está falando de Salten e de Luc, ou de Fatima, Thea e Kate... ou até de Freya.

– Estou farto disso tudo, ouviu? Estou farto de ser o último!

De repente, quando ele fala isso, não sinto mais tristeza nem medo, sinto raiva. Muita, muita raiva.

– Então é essa a questão, não é? Não é Luc, nem Kate, nem um maço idiota de cigarros. É você. É o fato de você não suportar não ser mais o primeiro automaticamente.

– Como ousa dizer isso? – Ele está beirando a incoerência. – Você mentiu para mim, e está tentando jogar a culpa em mim? Eu estou tentando conversar com você, Isa. Você não dá a mínima para nós?

Dou sim, é claro que eu dou. Mas nesse instante cheguei ao limite do que posso enfrentar. E não posso administrar isso. Se Owen me forçar, tenho muito medo de acabar contando a verdade para ele.

Passo por ele e vou lá para cima, onde Freya dorme. Com as mãos trêmulas, começo a enfiar coisas numa mala. Nem sei o que estou escolhendo. Fraldas. Um punhado de lingerie e roupinhas de bebê. Algumas blusas. Nem sei se terei alguma coisa para vestir. Agora não me importo, só quero sair.

Pego Freya, ela se mexe e resmunga no meu colo, boto um dos lados do cardigã de lã sobre ela, para protegê-la do vento frio da noite de verão. E aí pego a mala com alça para ombro.

– Isa! – Owen está à minha espera no hall, de cara vermelha de tanto engolir a angústia e a fúria. – Isa, não faça isso!

– Owen, eu... – Freya se remexe no meu ombro e o celular toca dentro da bolsa.

Será que é Thea? Fatima? Não consigo pensar. Não consigo *pensar*.

– Você vai encontrá-lo – ele desabafa. – O irmão da Kate. Não vai? Essa mensagem aí é dele?

É a última gota.

– Vá pra puta que o pariu! – eu rosno.

Quando passo por ele, saio e bato a porta, Freya se assusta e chora. Na entrada do prédio, enfio as pernas dela no carrinho e minhas mãos tremem sem parar. Ignoro os berros cada vez mais altos, abro a porta para a rua e empurro furiosa o carrinho nos degraus.

Mal cheguei no jardim da frente e ouço a porta abrir. É Owen, com expressão angustiada.

– Isa! – ele grita, mas eu sigo em frente. – Isa! Você não pode fugir disso!

Mas eu posso. E fujo.

Mesmo com lágrimas escorrendo pelo rosto e o coração quase em pedaços.

Continuo andando.

O tempo muda quando o trem sai da estação Victoria e, ao nos afastarmos da periferia de Londres e chegarmos ao campo, cai uma chuvarada e a temperatura oscila entre uma pré-tempestade úmida para algo mais próximo do outono.

Sentada ali, atordoada e com frio, segurando Freya junto ao peito como uma bolsa de água quente viva, que respira, não consigo raciocinar sobre o que eu fiz. Abandonei Owen?

Essa não foi a primeira discussão que tivemos, nem de longe. Tínhamos nossas brigas e desentendimentos como qualquer outro casal. Mas essa foi a mais séria de todas e, além disso, a primeira depois de Freya nascer. Quando ela nasceu, alguma coisa mudou no nosso relacionamento. As apostas aumentaram, espalhamos nossas raízes conscientemente, paramos de nos aborrecer por qualquer coisa, como se entendêssemos que não podíamos mais balançar tanto o barco, pelo bem dela, senão pelo nosso.

E agora... agora o barco está bem ameaçado e não sei se posso salvar nós dois.

É a injustiça das acusações dele que queimam feito ácido na minha garganta. Um caso. Um *caso*? Eu mal saía de casa sozinha depois de ter Freya. Meu corpo não é mais meu, ela gruda em mim feito velcro, sugando minha energia e minha libido junto com o leite. Ando tão exausta e insensível que ter vontade de transar com Owen está quase além das minhas forças – ele sabe disso, ele sabe que estou muito cansada, como me sinto com meu corpo flácido depois do parto. Será que ele acha sinceramente que botei Freya embaixo do braço e peguei o trem para ter um caso ilícito e passional? É tão ridículo que eu até daria risada, se não fosse tão descaradamente injusto.

Mas por mais furiosa que eu esteja, tenho de admitir que até certo ponto ele está certo. Não sobre o caso. Mas enquanto o trem avança para o sul e minha raiva esfria, uma pontinha de culpa começa a se formar em mim. Porque, no frigir dos ovos, o que ele estava dizendo era o seguinte: não tenho sido sincera com ele. Não da forma que falou, mas de outras formas, tão importantes quanto. Desde o dia em que nos conhecemos, eu tenho guardado segredos, mas agora, pela primeira vez no nosso relacionamento, estou fazendo mais do que isso: estou mentindo pra valer. E ele sabe. Ele sabe que tem alguma coisa errada e que eu estou escondendo. Só não sabe o que é.

Gostaria de poder contar para ele. Demais, como a fome no fundo do estômago. No entanto... no entanto, uma parte de mim fica aliviada de não poder contar. O segredo não é só meu, por isso não cabe a mim decidir. Mas e se fosse? Se só eu estivesse envolvida? Aí... eu não sei.

Porque, apesar de não querer mentir para ele, eu também não quero que ele saiba a verdade. Não quero que ele olhe para mim e veja a pessoa que fez isso, a pessoa que mentiu, não uma vez só, diversas vezes. Uma pessoa que ocultou um cadáver, que foi cúmplice numa fraude. Uma pessoa que talvez tenha ajudado a acobertar um assassinato.

Se aquilo for divulgado, será que ele vai continuar a me amar?

Não tenho certeza. E isso me apavora.

Se estivesse em jogo só o amor de Owen, talvez eu arriscasse. Pelo menos é isso que digo para mim mesma. Mas é a carreira dele também. Os formulários que preenchemos quando somos funcionários públicos são compridos e detalhados. Perguntam sobre hábitos de apostas e financeiros, sobre uso de drogas e sim... sobre comportamento criminoso. Eles querem influência, coisas que possam ser usadas contra nós, para nos chantagear até darmos informações que não devíamos dar, ou nos forçar a cometer fraude.

Perguntam sobre nossos companheiros. Perguntam sobre a família e os amigos, e quanto mais alto estivermos na instituição, mais perguntas fazem e mais íntimas ficam as informações.

A pergunta final é, basicamente, se há alguma coisa na nossa vida que poderia ser usada para nos pressionar. E se há, temos de declarar.

Nós dois preenchemos esses formulários várias vezes, eu toda vez que mudei de departamento, Owen toda vez em que o nível de sua segurança ficava mais alto. E eu menti nos formulários. Repetidamente. O simples fato de ter mentido já é motivo para demissão. Mas se eu contar a verdade para Owen, ele fará parte da mentira. Ele estará em perigo assim como eu.

Já estava bem ruim quando o que tínhamos feito era apenas esconder o corpo. Mas se eu for cúmplice de assassinato...

Fecho os olhos e afasto a escuridão e a chuva que açoita as janelas do vagão. E tenho de repente a impressão de estar no alagado de água salgada, percorrendo uma trilha desconhecida. Mas a terra não está firme sob meus pés, está mole e molhada, e cada passo em falso que dou me afasta mais do caminho, faz com que me embrenhe mais na lama encharcada de água salobra. Logo não encontrarei mais o caminho de volta.

– Você disse Salten, querida? – diz uma voz rachada, mais velha, e acordo de um pulo, com Freya agitadíssima no meu peito e gemendo zangada.

– O quê? – Tenho baba no canto da boca, limpo com a fralda de pano de Freya e olho confusa para a senhora sentada à minha frente. – O que disse?

– Estamos chegando em Salten e ouvi você dizer para o cobrador de passagens que é aqui que você vai descer. É isso mesmo?

– Ai, meu Deus, é!

Está muito escuro, tenho de botar as mãos em concha em volta dos olhos para espiar pela janela molhada de chuva, franzindo a testa para ver a placa mal iluminada da plataforma e me certificar de que estou no lugar certo.

É Salten sim, levanto desequilibrada, pego bolsa, mala e casacos. Freya se mexe sonolenta no meu colo e abro a porta do trem com uma única mão.

– Deixe que eu seguro a porta para você – diz a senhora idosa ao me ver atrapalhada para botar Freya no carrinho e abotoar a proteção para chuva.

O guarda sopra o apito categoricamente quando eu bato o carrinho na plataforma molhada e a chuva castiga meu casaco. Freya arregala os olhos ofendida e horrorizada e dá um grito esganiçado de indignação quando eu corro pela plataforma, casaco esvoaçando, torcendo muito para Kate estar me esperando.

Graças a Deus ela está, junto com Rick, de motor ligado e as janelas do táxi embaçadas com a respiração deles. Dessa vez eu me lembrei de levar o adaptador de cadeirinha de carro, então pude prender Freya quando partimos pela estrada de terra rumo à cidadezinha.

Não há espaço para conversa com os inconsoláveis uivos de fúria de Freya por ter sido acordada de um sono quentinho e seco por aquele ataque de chuva gelada, e, apesar dos gemidos dela furarem minha pele feito garras, parte de mim está contente de não precisar conversar trivialidades com Rick. Só consigo pensar nos desenhos, na carta de Ambrose, nas rosas, no sangue nas minhas mãos.

No moinho tem água no chão, poças embaixo dos batentes das portas. A chuva forçou a passagem pelas janelas bambas e forma poças nas tábuas irregulares e em volta dos caixilhos das janelas.

— Kate — eu tento superar os berros de Freya e o barulho das ondas contra o cais, mas ela balança a cabeça, aponta para o relógio que marca quase meia-noite.

— Vá para a cama — ela diz. — Conversamos amanhã de manhã.

E só posso menear a cabeça, levar minha filha soluçante escada acima, para o quarto onde tínhamos ficado, com meus lençóis ainda na cama, na cama de Luc, e deito ali de lado, ouvindo os bufos e engasgos frenéticos de soluços acalmando... e adormeço.

Acordo cedo e fico deitada enquanto os olhos se acostumam com a luz no ambiente. O quarto já está claro, apesar da hora, mas é uma luz fria, gelada e difusa, e quando espio o Reach vejo que a névoa do mar entrou no estuário para envolver o moinho e as redondezas com uma gaze cinza. Há uma teia de aranha atravessando parte da janela, enfeitada com minúsculas gotas de água que parecem joias, e fico olhando um tempo, com a lembrança perturbadora das redes penduradas na cidade de Salten.

Sinto frio nos braços, puxo o cobertor e viro para ver como está Freya, estranhamente quieta no berço ao lado da cama.

O que vejo faz meu coração parar e recomeçar a bater a cem por hora.

Freya não está no berço.

Freya não está no berço.

Sem parar para pensar, desço da cama tremendo como se tivesse levado um choque. Procuro entre as cobertas na cama, mas é burrice, porque sei que botei Freya no bercinho de madeira ontem à noite e que ela ainda nem engatinha, que dirá escalar a grade do berço e subir na cama.

Freya. Oh, Jesus.

Gemo baixinho, sem poder acreditar que ela não está ali, saio desavorada do quarto para o corredor.

– Kate! – era para ser um grito, mas o pânico faz o nome grudar na garganta e me sufocar, soa como um grito estrangulado de medo. – Kate!

– Aqui embaixo – ela responde.

Desço aos tropeços a escada de madeira, perco o último degrau e cambaleio cozinha adentro. Kate está diante da pia e ao me ver ali parada, de olhos arregalados e mãos vazias, a surpresa dela se transforma em preocupação.

– Kate... – consigo pronunciar. – Freya... ela sumiu!

Kate larga a cafeteira que estava lavando e vejo, quando digo que Freya sumiu, a expressão dela se transformar em... será que pode ser culpa?

– Ah, desculpe – diz ela e aponta para o tapete atrás de mim.

Dou meia-volta e ela está ali. Freya está ali. Sentada no tapete, segurando um pedaço de torrada. Ela olha para mim e dá um grito de alegria, joga a torrada quebrada no tapete e estende os braços querendo colo.

Eu a pego do chão e sinto meu coração acelerado quando a aperto junto ao peito. Não consigo falar. Não sei o que dizer.

– Desculpe – Kate repete. – Eu... não pensei que você fosse se preocupar. Ela deve ter acordado quando usei o banheiro, porque ouvi a reclamação dela quando saí. Você ainda estava dormindo e pensei que... – ela torce os dedos. – Você parece sempre muito cansada, achei que ia gostar de um descanso.

Não falo nada, espero o coração acalmar, sinto os dedinhos cor-de-rosa de Freya enganchados no meu cabelo, sinto o cheiro de bebê na cabeça dela e o peso nos braços... meu Deus. Está certo. Está tudo bem.

Minhas pernas bambeiam de alívio e sento no sofá.

– Desculpe – Kate diz mais uma vez e esfrega os olhos sonolentos. – Eu devia saber que você ia se preocupar.

– Está bem – finalmente respondo.

Freya bate no meu rosto, querendo que eu olhe para ela. Sabe que alguma coisa está errada, só não sabe o quê. Forço um sorriso ao olhar para ela, pensando no que estava acontecendo comigo, que tipo de pessoa estava me tornando, se minha primeira reação ao ver que minha filha não estava lá era imaginar que alguém a tinha sequestrado.

– Desculpe – digo para Kate.

Minha voz treme um pouco, respiro fundo e procuro acalmar a respiração.

– Não sei por que exagerei no pânico. É que... estou no limite agora.

Ela olha nos meus olhos com tristeza, sabendo do que estou falando.

– Eu também.

Ela vira para a pia.

– Quer um café?

– Quero.

Kate põe a cafeteira no fogo e sentamos as duas, ouvindo o silêncio até a água começar a borbulhar e assobiar.

– Obrigada – diz Kate.

Olho para ela surpresa.

– Obrigada por quê? Eu é que devia agradecer, não?

– Por ter vindo para cá ao meu pedido de última hora. Sei que é pedir demais.

– Não é nada – digo, mas não é verdade.

Ter optado por ajudar Kate pode ter sido a gota-d'água entre mim e Owen, e isto é assustador.

– Então conte... fale da polícia – peço e procuro não pensar no que talvez tenha feito.

Kate não responde logo. Ela tira o café do fogo, serve duas xícaras pequenas e traz para mim. Ao pegar a xícara, boto Freya de novo no tapete, com cuidado para não deixar em qualquer lugar ao alcance das suas mãozinhas gorduchas.

– Aquele filho da puta do Mark Wren – Kate fala e se encolhe na poltrona à minha frente. – Ele veio me procurar, cheio daquela conversa dele "esse deve ser um momento difícil para você", mas ele sabe. Não sei o que Mary contou para ele, mas ele sabe que alguma coisa não está certa.

– Então o corpo... foi definitivamente identificado? – pergunto, mesmo sabendo que foi, porque vi no jornal.

Só que preciso ouvir da boca de Kate, ver a reação dela ao contar para mim.

Mas não há nada que eu possa concluir da sua expressão, ela apenas meneia a cabeça e confirma:

– É, acho que sim. Pegaram uma amostra de DNA minha, mas eles sabem que é praticamente certo. Falaram alguma coisa de registros dentários e me mostraram o anel dele.

– Pediram para você identificá-lo?

– Pediram, eu disse que era o anel dele... bem, parecia bobagem negar.

Faço que sim com a cabeça. É claro que Kate está certa. Parte do Jogo da Mentira era sempre saber quando o jogo terminava, quando sair dele. Regra número cinco – saber quando parar de mentir. *Mostrar sua mão antes da merda chegar ao ventilador*, era como Thea traduzia. Difícil era saber quando chegávamos a esse ponto. E não sei se tivemos sucesso dessa vez. Parece que estamos encrencadas, não importa o que façamos.

— E agora, o que vai acontecer?

— Pediram para eu comparecer e dar uma declaração sobre a noite em que ele desapareceu. Mas essa é a questão, precisamos resolver. Digo que vocês todas estavam aqui? — Ela esfrega o rosto com as mãos e as orelhas são bem visíveis. — Não sei o que é melhor dizer. Eu podia dizer que chamei vocês quando descobri que papai tinha desaparecido, pedi para vocês virem. Podemos contar a mesma história, só dizer que estávamos todas aqui, mas que não havia sinal do papai e vocês foram embora cedo. Mas aí vão pedir declarações para todas vocês também. E tudo se resume ao que sabem na escola.

— O que a escola sabe? — repito feito idiota.

— Sobre aquela noite. Alguém viu você sair? Se eu disser que vocês não estavam aqui e as pessoas descobrirem que estavam, o tiro vai sair pela culatra.

Eu entendo. E tento lembrar. Estávamos nos nossos quartos quando a Srta. Weatherby nos procurou, mas ela viu nossas roupas, a lama nas minhas sandálias. E disse alguma coisa na sala dela, sobre sairmos dos limites da escola, de ter uma testemunha...

— Acho que fomos vistas — digo. — Pelo menos a Srta. Weatherby disse que alguém nos viu. Ela não disse quem. E nós não admitimos nada... bem, eu não admiti, não sei Fatima e Thea.

— Merda. Então tenho de dizer que estive aqui aquela noite, e vocês também. E quer dizer que provavelmente vocês três serão levadas para interrogatório.

Kate empalidece, e eu sei o que ela está pensando — não é só a preocupação com o desgaste que isso provocará em todas nós, há também um elemento mais prático e mais egoísta. Se quatro histórias podem ser coerentes sob interrogatório. Se alguém pode fraquejar...

Penso em Thea, que ela bebe demais, penso nas marcas que tem nos braços, no preço de tudo isso para ela. E penso em Fatima, na sua renovada fé. Arrependimento sincero, disse ela. E se isso inclui confissão, como parte do acerto de contas. Certamente Alá não pode perdoar alguém que continua a mentir e a acobertar a mentira.

E também penso nos desenhos. Aquelas drogas de desenhos que mandaram pelo correio. No fato de haver alguém mais por aí que sabe de alguma coisa.

– Kate – começo a falar, engulo em seco e paro.

Ela olha para mim e eu me esforço para continuar:

– Tem uma coisa que preciso contar para você. Fatima, Thea e eu recebemos... nós recebemos alguns desenhos. Pelo correio. Cópias. Dos desenhos.

O rosto de Kate muda e percebo que ela já sabe o que eu vou dizer. Não sei se isso facilita as coisas, ou piora, mas sigo em frente e falo rápido para não perder a coragem:

– Você realmente destruiu aqueles desenhos que seu pai fez de nós?

– Destruí – diz Kate, desolada. – Eu juro. Mas não...

Ela para e de repente não quero ouvir o que está prestes a dizer, só que é tarde demais. Ela aperta os lábios formando uma linha branca, exangue.

– Mas não imediatamente.

– O que quer dizer?

– Não tive coragem de queimá-los logo que ele morreu, eu pretendia, mas... não sei, a hora certa não chegava. Mas um dia fui ao estúdio dele e vi que alguém tinha estado lá.

– O quê? – não escondo o choque. – Quando foi isso?

– Anos atrás. Pouco tempo depois de tudo acontecer. Faltavam pinturas e desenhos, e percebi que alguém tinha estado lá. Queimei tudo depois disso, eu juro, mas aí começaram a chegar as cartas.

Sinto um gelo pingando em mim feito veneno.

– Cartas?

– No início foi só uma – Kate conta em voz baixa. – Eu vendi uma pintura do papai. O leilão foi registrado na imprensa local e o preço também. Algumas semanas depois, recebi uma carta pedindo dinheiro. Não fazia ameaças, só pedia 100 libras, que eu devia deixar num envelope atrás de uma tábua solta no Salten Arms. Não fiz nada e poucas semanas depois chegou outra carta, só que desta vez pedia 200 libras e tinha um desenho junto.

– Um desenho nosso – minha voz impessoal, nauseada.

Kate meneia a cabeça.

— Eu paguei. As cartas continuaram chegando, talvez uma a cada seis meses, eu pagava e pagava, mas acabei escrevendo uma carta dizendo que tinha acabado, eu não podia mais pagar, que o moinho estava afundando e as pinturas de papai não existiam mais e que eles podiam pedir o que quisessem, só que eu não tinha mais dinheiro. E as cartas pararam de chegar.

— Quando foi isso?

— Dois ou três anos atrás. Não recebi mais nada depois e achei que tinham parado, mas algumas semanas atrás reiniciaram. Primeiro foi a ovelha, e depois... — ela engole em seco. — Depois que vocês foram embora, recebi uma carta dizendo "Por que não pede para suas amigas?". Mas nunca pensei...

— Meu Deus do céu, Kate!

Fico de pé, nervosa demais para ficar quieta, mas não tenho para onde ir e sento de novo, cutucando inquieta o tecido gasto do sofá. Eu quero perguntar: por que não contou para nós? Mas eu sei por quê. Porque Kate estava tentando nos proteger, todos aqueles anos. Quero perguntar: por que não foi à polícia? Mas sei essa resposta também. Quero dizer que são apenas desenhos. Mas nós sabemos, nós duas sabemos, que isso não é verdade. Os desenhos não importam. É o bilhete com a ovelha que conta a história toda.

— Eu fico pensando... — Kate fala baixinho e para.

— Continue — eu peço.

Ela torce os dedos, levanta e vai até a cômoda. Em uma das gavetas há uma pilha de papéis amarrados com um barbante e, bem no meio da pilha, um envelope com uma carta, bem velho e amassado. É uma carta que faz meu coração ratear no peito.

— Isso é...? — pergunto e Kate faz que sim.

— Eu guardei. Não sabia o que fazer.

Ela me entrega a carta e na hora fico indecisa se pego, pensando em impressões digitais, mas é tarde demais. Nós todas manuseamos aquela carta dezessete anos antes. Seguro com todo cuidado, como se usar só as pontas dos dedos tornasse mais difícil rastrear até mim, mas não abro. Não preciso abrir. Agora com a carta na mão as frases flutuam nas águas profundas da minha memória – *sinto muito... não se culpe, minha querida... a única coisa que posso fazer para consertar as coisas...*

– Devo dar para Mark Wren? – pergunta Kate com a voz rouca. – Talvez fizesse tudo isso parar. Responde a muitas perguntas...

Mas cria outras tantas. Como: por que Kate não procurou a polícia com essa carta dezessete anos atrás?

– O que você diria? – pergunto. – Sobre onde a encontrou, como explicaria?

– Eu não sei. Podia dizer que achei a carta aquela noite, mas não contei para ninguém; eu podia dizer a verdade, que papai tinha morrido, que fiquei com medo de perder a casa. Mas não preciso envolver vocês – o enterro, tudo o mais, eu podia deixar isso de fora. Ou podia dizer que só achei a carta depois, meses depois.

– Meu Deus, Kate, eu não sei.

Esfrego os olhos, querendo afastar o resto do cansaço que parece me impedir de raciocinar direito. Por trás das pálpebras, luzes piscam e desabrocham flores escuras.

– Todas essas histórias parecem ter mais perguntas do que respostas, e além disso...

E então eu paro.

– Além disso o quê? – diz Kate com algo na voz que não consigo decifrar... está na defensiva, ou é medo?

Merda. Eu não queria seguir esse caminho. Mas não consigo pensar em nada mais para dizer. Regra número quatro do Jogo da Mentira: não mentimos umas para as outras, certo?

– Além disso... se você der essa carta para eles, vão querer verificar.

– O que quer dizer?

– Kate, eu preciso perguntar uma coisa.

Hesito e penso numa maneira de não parecer que estou pensando o que estou pensando.

– Por favor, entenda, qualquer coisa que você disser, o que quer que tenha acontecido, não vou julgá-la. Eu só preciso saber... você deve isso a nós, certo?

– Isa, você está me assustando – diz Kate com um brilho no olhar que não me agrada, parece evasiva, preocupada.

– Aquela carta. Não encaixa. Você sabe que não. Ambrose cometeu suicídio por causa dos desenhos, foi o que sempre pensamos, certo?

Kate meneia a cabeça, mas bem devagar, como se desconfiasse de onde eu ia chegar.

– Mas os tempos estão todos errados; os desenhos só apareceram na escola depois que ele morreu – hesito de novo e penso na facilidade que Kate tinha de fazer falsificações, nas pinturas que ela falsificou anos depois da morte de Ambrose.

Penso nas exigências de chantagem que ela pagou mais de quinze anos, em vez de levar a carta para a polícia... exigências que ela escondeu de nós, apesar de termos o direito de saber.

– Kate, acho que o que estou perguntando é... Ambrose escreveu mesmo essa carta?

– Ele escreveu essa carta – ela diz, de cara fechada.

– Mas não tem sentido. E, olha, ele tomou uma overdose de heroína, certo? Foi o que sempre pensamos. Então por que as obras dele estavam todas arrumadas na lata? Ele não teria simplesmente injetado a droga e deixado cair ao lado da cadeira?

– Ele escreveu aquela carta – Kate teima. – Se alguém deve saber, essa sou eu.

– É que...

Eu não completo a frase, não sei como dizer isso, o que estou pensando. Kate endireita os ombros e ajeita o robe para se cobrir melhor.

– O que está perguntando, Isa? Se matei meu próprio pai?

Silêncio.

As palavras são chocantes assim, ditas em voz alta, minha suspeita vaga e amorfa ganha contornos concretos e arestas suficientemente duras para ferir.

– Eu não sei – acabou falando com a voz rouca. – Estou perguntando se tem mais alguma coisa que nós devemos saber antes de irmos para aquele interrogatótio na polícia.

– Não há nada mais que vocês precisem saber – a voz dela é dura demais.

– Não há nada mais que precisemos saber, ou não há nada mais, ponto final?

– Não há nada mais que vocês precisem saber.

– Então há algo mais? Você simplesmente não vai contar?

– Porra, pare de perguntar, Isa! – A expressão dela é de angústia, ela vai até a janela, Shadow sente o nervosismo e vai junto. – Não há nada mais que eu possa contar. Por favor, por favor, acredite em mim.

– Thea disse... – quase perco a coragem, mas tenho de perguntar, eu preciso saber: – Kate, Thea disse que Ambrose ia te mandar para outra escola. Isto é verdade? Por quê? Por que ele faria isso?

Kate fica um minuto olhando para mim paralisada, branca de tão pálida.

Então ela emite um ruído que parece um soluço e vira para o outro lado, pega o casaco, veste por cima do pijama, enfia os pés nas botas de borracha cheias de lama que estão perto da porta. Pega a guia de Shadow, o cachorro a segue de perto, ansioso, olhando para Kate e tentando entender o nervosismo dela... então ela sai e a porta bate.

O barulho parece um tiro, ecoa nos caibros e faz as xícaras do armário baterem indignadas. Freya, que brincava alegremente no tapete aos meus pés, dá um pulo com o barulho e o rostinho se enruga de susto quando ela começa a chorar.

Quero ir atrás de Kate e exigir respostas, mas não posso, preciso acalmar minha filha.

Fico um tempo sem saber o que fazer, ouvindo os berros de Freya e o barulho dos passos apressados de Kate se afastando na passarela, então com um gemido de exasperação pego Freya no colo e corro para a janela.

Freya está vermelha e espernia com um choro desproporcional para o barulho da porta e, quando tento acalmá-la, vejo a silhueta de Kate se afastando para a praia com Shadow. E fico pensando.

Fico pensando nas palavras que ela escolheu.

Não há nada mais que eu possa contar para vocês.

Kate é uma mulher de poucas palavras – sempre foi. Então deve haver um motivo. Ela deve ter um motivo para não ter dito simplesmente *Não há nada mais para contar*.

Ao vê-la desaparecendo na névoa, fico pensando qual será esse motivo, e se cometi um erro imenso indo para lá.

Sem Kate e Shadow a casa fica estranha e quieta, a névoa do mar respinga nas janelas e as poças da noite anterior ainda não secaram nas tábuas escuras e manchadas.

Com a névoa, o moinho parece mais próximo ainda do mar, é mais uma embarcação decrépita que fez água e atolou em um banco de areia do que uma construção destinada a fazer parte da terra firme. O nevoeiro se infiltrou nas toras e tábuas de madeira durante a noite e o lugar ficou frio, o assoalho gelado de umidade sob meus pés.

Amamento Freya, deixo que ela brinque com alguns pesos de papel no chão, acendo o fogão a lenha com a madeira enxarcada de água do mar lançando chamas azuis e verdes por trás do vidro encardido de fuligem, então me encolho no sofá e procuro pensar no que fazer.

E sempre volto ao Luc. Será que ele sabe mais do que deixa transparecer? Kate e ele eram muito próximos e agora esse amor se transformou em uma amargura muito grande. *Por quê?*

Cubro o rosto com as mãos e lembro... do calor da pele dele, dos seus braços e pernas juntos aos meus... de repente tenho a sensação de que estou me afogando.

Kate volta tarde, passada a hora do almoço, mas balança a cabeça para os sanduíches que estou fazendo e leva Shadow para cima, para o quarto dela, e uma parte de mim fica aliviada. O que eu falei, a articulação da suspeita, era praticamente imperdoável, e não sei se seria capaz de encará-la.

Quando subo para botar Freya para dormir, ouço Kate andando no andar de cima, até a vejo um pouco através das frestas entre as tábuas quando sua silhueta passa diante de uma janela, bloqueando a luz cinzenta que invade os espaços.

É difícil fazer Freya dormir, mas ela acaba cochilando e desço para a sala, sento à janela e fico observando as águas agitadas do Reach. Ainda não são quatro horas e a maré está quase cheia, uma maré excepcionalmente alta, uma das mais altas desde que cheguei. O cais está coberto e, com o vento que vem do Reach, a água bate na base das portas do lado marítimo do moinho.

A névoa se dissipou um pouco, mas o céu continua nublado e frio. Ali sentada, vendo a água cinza-escura batendo nas tábuas lá fora, é difícil lembrar do calor de poucas semanas atrás. Nós nadamos mesmo naquele estuário no início do mês? Parecia impossível ser o mesmo lugar com a água morna e calma em que boiamos e nadamos e demos risada. Tudo mudou.

Estremeço e me cubro melhor. Não tinha levado roupa apropriada, enfiei tudo na mala sem ver e acabei com calças jeans e blusinhas leves demais, e faltaram peças mais quentes para aquele tempo, mas não tenho coragem de pedir emprestado para Kate. Não posso encará-la, não agora, não hoje. Amanhã talvez, quando tudo isso passar.

Há uma pilha de livros no chão perto da janela, com as capas enroladas de umidade. Pego um qualquer. Bill Bryson – *Notes from a Small Island*. A capa é muito colorida e alegre e não combina com as cores esmaecidas do moinho, a madeira manchada de água e os tecidos desbotados. Tento acender a luz para clarear o lugar, mas o interruptor estala em curto na minha mão e eu pulo. Em algum lugar atrás de mim há uma ruidosa explosão, a luz pisca uma vez, muito forte, e depois apaga de vez.

A geladeira emite um gemido tremido e cessa seu ronco imperceptível. Merda.

– Kate – chamo baixo para não acordar Freya, mas ela não responde.

Mas ouço os passos dela para lá e para cá e uma parada quando eu chamo, por isso penso que ela ouviu.

– Kate, estourou um fusível.

Nenhuma resposta.

Enfio a cabeça dentro de um armário embaixo da escada que está um breu, e, apesar de ter uma coisa que pode ser uma caixa de fusíveis, não é a instalação moderna que Kate mencionou. É de baquelite preta montada em madeira, com um molho de cabos manchados de piche saindo de um lado e alguns fios de chumbo da era vitoriana do outro. Não ouso tocar naquilo.

Que merda.

Pego meu celular e já vou procurar no Google "como religar uma caixa de fusíveis" quando vejo uma coisa que faz meu coração pular. Há um e-mail de Owen.

Clico nele com o coração na boca.

Por favor, por favor, que seja um pedido de desculpas pela nossa briga – qualquer coisa serve, qualquer tipo de meio do caminho para eu poder descer de onde me meti. Ele deve saber, à luz fria do dia, que suas acusações foram ridículas. Algumas rosas e uma viagem para ver uma velha amiga correspondem a um caso? É paranoia e ele certamente entendeu isso.

Mas não é um pedido de desculpa. Não é nem um e-mail propriamente dito, e à primeira vista não entendo o que ele diz.

Não tem "oi, amor", nem mesmo "querida Isa". Não tenta se justificar nem implora nada. Na verdade, não há texto e fico imaginando se ele enviou um e-mail que era destinado a outra pessoa.

É uma lista de infrações, datas e lugares, sem nomes ou contexto. Há um furto de loja em Paris, uma corrida de carros em algum bairro periférico francês do qual nunca ouvi falar, lesão corporal qualificada numa praia da Normandia. No início da lista, as datas são de vinte anos atrás, mas se tornam mais recentes à medida que vou avançando, com longos intervalos que às vezes cobrem alguns anos. As últimas são todas no Sul da Inglaterra. Dirigir bêbado perto de Hastings, aviso por porte de drogas em Brighton, levado em custódia depois de uma briga em Kent, mas solto sem acusação formal, mais avisos. O último incidente foi há duas semanas, bebedeira e arruaça em Rye, uma noite preso, sem acusações. O que é isso?

E de repente entendo.

Esse é o registro policial de Luc.

Fico nauseada. Nem quero saber como Owen teve acesso a tudo aquilo, e tão depressa. Ele conhece gente... da polícia, do MI5, e tem um cargo importante no Ministério Público, com nível alto de acesso, mas isso é uma violação grosseira da conduta profissional de qualquer ângulo que se veja.

E não é só isso. Deixa claro que ele não vai descer da pose, que ainda acredita que estou em Salten por causa de Luc. Ele ainda acredita que estou trepando com outro homem.

Sinto a raiva me dominando, arrepio na nuca e dedos formigando de fúria.

Quero gritar. Quero telefonar para ele e dizer que é um filho da mãe e que a confiança que ele traiu pode ser irreparável.

Mas não faço nada disso. Em parte porque estou furiosa demais e não sei se poderei me controlar para não dizer algo imperdoável.

Mas outra parte é porque eu sei, e uma pequena parte de mim está pronta para admitir, que a culpa não é só dele.

Sim, ele tem culpa, claro que tem. Estamos juntos há quase dez anos e nesse tempo eu nem sequer beijei outro homem. Não fiz nada para merecer ser tratada desse jeito.

Mas Owen sabe que estou mentindo para ele. Não é idiota. Ele sabe e está certo.

Ele só não sabe por quê.

Aperto meu celular até ele fazer um barulhinho reclamando que estou apertando demais, me esforço para relaxar a mão e flexiono os dedos.

Puta que pariu. Puta que pariu.

O que eu não suporto é esse insulto, a ideia de que eu poderia passar diretamente da cama dele para a de Luc, e se ele não fosse pai de Freya isso bastaria para eu terminar tudo. Tive namorados ciumentos no passado e eles são tóxicos – tóxicos para o relacionamento e tóxicos para a nossa autoestima. Acabamos desconfiadas dos nossos próprios motivos, sempre olhando para trás para ver se tem alguém espiando. Será que eu estava paquerando aquele homem? Não era minha intenção. Será que olhei para o amigo dele sinalizando que queria alguma coisa com ele? A minha blusa era muito decotada, a saia curta demais, o sorriso animado demais?

Paramos de confiar em nós mesmas, a dúvida preenche o espaço deixado pelo amor e pela confiança.

Sinto vontade de ligar para ele e dizer que acabou, que se ele não confia mais em mim está tudo terminado. Não vou viver assim, suspeita de uma coisa que não fiz, forçada a negar infidelidades que só existem na cabeça dele.

Mas... mesmo tirando a minha parte de tudo isso, será que posso fazer isso com Freya? Eu sei o que é viver sem um dos dois, pai ou mãe. Sei bem demais e não quero isso para ela.

Uma manta grossa de nuvens cobre o céu, o moinho está escuro e frio, o fogão aceso baixinho atrás da pequena porta e de repente ouço Freya acordando lá em cima, os barulhinhos descem a escada e eu sei que preciso sair. Vou jantar no pub. Talvez possa descobrir alguma coisa, conversar com Mary Wren sobre o inquérito policial. Mas está claro que Kate não vai descer tão cedo e, mesmo se descesse, não sei se poderia encará-la, se sentaria para jantar jogando conversa fora, com aquele fantasma pairando entre nós e o e-mail de Owen envenenando meu celular.

Subo correndo para o quarto e visto um casaco em Freya. Verifico se a proteção de chuva está embaixo do carrinho e a empurro para a praia, com o vento no rosto, quando iniciamos o caminho para Salten.

Tenho bastante tempo para pensar no vento e no frio da caminhada para a cidadezinha de Salten, meus pés percorrem a distância quilômetro por quilômetro, lentamente. Minha cabeça oscila entre administrar o ressentimento com as falhas de Owen como parceiro e a consciência culpada de eu não ter me comportado perfeitamente com ele. Vou ticando os erros dele em pensamento – o pavio curto, a possessividade, seu jeito de pôr em prática planos sem me consultar.

Mas outras lembranças se intrometem. A curva das costas dele quando se inclina sobre a banheira, jogando água morna na cabeça da nossa filha. A bondade dele, como é prestativo. O amor dele por mim. E por Freya.

E por trás disso tudo, como um contraponto do baixo, está minha cumplicidade. Eu menti. Menti, escondi e omiti para ele. Andei guardando segredos desde o dia em que o conheci, mas essas últimas semanas foi numa escala diferente e ele sabe que alguma coisa está errada. Owen sempre foi possessivo, mas nunca manifestou ciúme antes... não dessa forma. E isso se deve a mim. Fui eu que o fiz ficar assim. *Nós* fizemos. Fatima, Thea, Kate e eu.

Mal noto a distância de tão envolvida com meus pensamentos, mas não adiantaram nada para tomar decisões quando as formas indistintas na névoa adquirem a resolução de casas e construções.

Viro a esquina para o Salten Arms flexionando os dedos gelados no segurador do carrinho e espanando a poça de água que se formou na capota. Ouço música. Não música moderna, do tipo antigo, o choro de acordeons, o lamento de banjos e os guinchos alegres de violinos.

Abro a porta do bar e o som me atinge como um muro, junto com o cheiro de fumaça do fogo a lenha, de cerveja e da lotação de corpos festejando. A idade média é bem acima dos sessenta, e quase todos são homens.

Cabeças viram, mas a música não para e, quando entro no salão superaquecido, vejo Mary Wren sentada na beirada de um banco no bar, observando os músicos e batendo o pé no ritmo da música. Ela me vê quando paro indecisa, meneia a cabeça e pisca. Eu sorrio para ela, ouço um pouco e vou para o fundo do bar observando, como se fosse a primeira vez, os painéis de madeira que cobrem as paredes. Meu estômago aperta pensando no bilhete de Kate, pensando que seria muito fácil qualquer pessoa ali puxar um banco para perto do painel solto, ou enfiar a mão por trás a caminho dos banheiros... até mais fácil para o dono do lugar.

Lembro-me do comentário casual de Mary sobre a cervejaria querendo vender o lugar para transformar em apartamentos para proprietários de uma segunda casa, e olhando para as paredes, vendo a pintura toda descascada, os tapetes e poltronas puídos e rasgados, penso no que isso significaria para Jerry. Ele trabalhou ali a vida inteira – esse pub é seu sustento, sua vida social e seu plano de aposentadoria. O que mais ele poderia fazer? Não sei se são as pessoas olhando para mim, o calor e o barulho, ou a noção de que quem chantageou Kate podia estar ali do outro lado do bar, mas sinto uma repentina onda de claustrofobia e paranoia. Toda essa gente do lugar, os velhos sorridentes com seus olhares de quem sabe das coisas, e a atendente do bar muito séria de braços cruzados, eles sabem quem eu sou, tenho certeza disto.

Passo pela multidão indo para os banheiros e arrasto o carrinho de Freya lá para dentro, deixo a porta de mola fechar às minhas costas e sinto a calma e o silêncio em volta. Fecho os olhos e digo para mim mesma: *Você pode fazer isso. Não deixe que eles a influenciem.*

Quando abro os olhos, noto as palavras escritas na porta com caneta marcador, meio apagadas e borradas, refletidas no espelho sujo.

Mark Wren é agressor sexual!!!!

Sinto o sangue subindo para o rosto, dominada por vergonha escaldante. A escrita é antiga e difícil de ler, mas não ilegível. E outra pessoa mais recentemente rabiscou o *Mark* e escreveu em cima com esferográfica a palavra *Sargento*.

Por que eu não entendi isso? Por que não entendi que uma mentira pode sobreviver a qualquer verdade, e que nesse lugar as pessoas lembram. Não é como Londres, em que o passado é escrito e reescrito e reescrito até não restar mais nada. Aqui nada é esquecido, e o fantasma do meu erro assombrará Mark Wren para sempre. E será minha assombração também.

Vou até a pia e jogo água no rosto enquanto Freya me observa curiosa. Endireito as costas, me olho no espelho, encaro meu reflexo. Sim, isso é culpa minha. Isso eu sei. Mas não é culpa só minha. E se eu conseguir encarar a mim mesma, posso encarar a todos.

Abro a porta para o pub e empurro determinada o carrinho de Freya para o bar.

— Isa Wilde! — ouço uma voz quando passo pelas torneiras, um pouco arrastada por causa da bebida. — Ora, eu pensei que ficaria outros dez anos sem voltar a Salten. O que vai querer?

Viro e vejo o próprio Jerry sorrindo para mim de trás do bar, o dente de ouro cintilando à luz do fogo. Ele seca um copo com um pano que já viu dias melhores.

— Oi, Jerry — digo.

Freya esperneia e se agita porque está quente demais agora que saímos do banheiro. Ela consegue desprender a capota de chuva com um puxão especialmente mal-humorado e dá um gritinho de triunfo. Eu a pego e faço se aquietar no meu ombro.

— Você não se importa de ter bebês no bar, não é?

— Não, desde que bebam cerveja — diz Jerry e dá seu sorriso desdentado. — O que vai ser?

— Você serve comida?

— Só às seis, mas já... — ele olha para o relógio acima do bar. — Bem, já é... está aqui o cardápio.

Ele empurra um pedaço de papel grudento e amassado no bar e eu leio. Sanduíches... torta de peixe... caranguejo... hambúrguer com fritas...

— Vou querer a torta de peixe — acabo resolvendo. — E... e talvez uma taça de vinho branco.

— Sim, por que não? São quase seis.

— Quer abrir uma conta?

— Claro. Quer um cartão?

Estou procurando na bolsa, mas ele dá risada e balança a cabeça.

— Eu sei onde encontrá-la.

Não sei bem como, mas ele consegue fazer essa frase tão gasta parecer ameaçadora. Mesmo assim, sorrio e aponto para o fundo do salão com a cabeça, onde tem menos agitação e duas mesas livres.

— Vou sentar ali, OK?

— Faça isso, levo a bebida eu mesmo. Não vai querer carregar com a pequena aí...

Faço que sim e vou para os fundos. Uma das mesas livres fica perto da porta e está coberta de canecas de cerveja sujas. Alguém tinha batido o cachimbo na madeira e deixado o fumo queimado lá. A outra, no canto, não estava muito melhor. Tem uma vespa zumbindo sobre uma poça de cerveja, presa num copo de cabeça para baixo, e o banco de plástico imitando couro está coberto de pelo de cachorro, mas tem espaço para o carrinho de Freya, por isso tiro tudo e ponho na outra mesa, limpo mais ou menos com um descanso de copo e instalo nós duas, enfiando o carrinho no espaço do meio. Freya está se contorcendo nos meus braços e batendo a cabeça no meu peito. Percebo que não vou conseguir atrasar a mamada até voltar para casa. Ela resolveu que a hora é essa e está prestes a engatar os berros. Não é um lugar que eu escolheria para dar de mamar – já amamentei em pubs antes, muitas vezes, mas quase sempre com Owen e, para ser sincera, em Londres ninguém se importaria se você amamentasse um gato. Aqui, sozinha, parece bem diferente, e não tenho certeza de como Jerry e seus fregueses vão reagir, mas não tenho escolha, a menos que deixe Freya explodir. Desabotoo meu casaco, arrumo as camadas de roupa para ficar mais discreta e boto Freya ao peito bem rápido, com o casaco cobrindo nós duas.

Algumas cabeças viram quando ela engata, e um velho de barba branca olha fixo, curioso. E eu penso, com certo mal-estar, no que Kate disse sobre os velhos maliciosos fofocando no Salten Arms, e então Jerry chega com uma taça de vinho numa bandeja e um garfo e uma faca embrulhados num guardanapo de papel.

— Devíamos cobrar a rolha disso aí – ele diz com um sorriso de orelha a orelha, inclinando a cabeça para o meu peito, sinto que ruborizo, mas consigo dar uma risadinha sem graça.

— Desculpe, ela estava com fome. Você não se importa, não é?

— Eu não. E tenho certeza de que o resto desses aí também não vai se importar com uma olhada.

Ele dá uma risada que parece um cacarejo, acompanhada do eco de fungadas pelos amigos no bar, e sinto o rosto queimar de vergonha. Mais cabeças viram para olhar e o velho de cabelo branco dá uma piscadela remelenta para mim, depois uma gargalhada enquanto coça o saco e cochicha alguma coisa para o amigo, indicando a mesa em que eu estou com uma inclinação da cabeça.

Penso seriamente em pedir para Jerry cancelar a torta de peixe e ir embora, mas ele faz a taça deslizar sobre a mesa e aponta para o bar com a cabeça.

– A propósito, a bebida é por conta do seu amigo ali.

Meu amigo? Olho para lá e fito o olhar de Luc Rochefort.

Ele está sentado ao bar, levanta sua caneca para mim com uma expressão meio... triste? Não sei ao certo.

Penso em Owen. Naquele e-mail que mandou para mim. No que ele diria se entrasse no bar agora, e sinto de novo aquele aperto perturbador no estômago, mas nem tenho tempo de pensar no que dizer, pois Jerry já se afastou e percebo que Luc levanta e vem andando na minha direção.

Não tenho como escapar. Estou encurralada pelo carrinho à esquerda e as cadeiras de um grupo de pessoas à direita, e em desvantagem por causa de Freya grudada no meu seio por baixo do casaco. Não há como sair antes dele chegar. Não posso nem levantar para cumprimentá-lo sem que alguma coisa desarrume e Freya comece a berrar.

Penso na ovelha ensanguentada.

Penso em Freya nos braços dele, chorando.

Penso nos desenhos, nas suspeitas de Owen, e meu rosto esquenta, e não sei se é raiva ou alguma outra coisa.

– Olha... – digo quando ele chega mais perto, com a caneca de cerveja na mão.

Quero ser corajosa, confrontá-lo, mas estou encolhendo no banco estofado, quase sem querer.

– Olha, Luc...

– Eu sinto muito – ele diz sem rodeios ali na minha frente. – O que aconteceu. Com a sua filha – ele está sério, olhos escuros na luz fraca do salão dos fundos. – Eu estava querendo ajudar, mas foi burrice fazer aquilo, agora reconheço.

Não é o que eu esperava que ele dissesse, e foi um balde de água fria no meu discurso que era para ele se manter longe de mim. Fico sem saber o que falar.

— A bebida, eu sei, não quer dizer nada, mas eu... foi uma oferta de paz. Desculpe. Não vou importuná-la outra vez.

Ele dá meia-volta para ir embora e alguma coisa me move, uma espécie de desespero, então me espanto ao balbuciar:

— Espere.

Ele vira para mim com a guarda levantada. Evita me encarar, mas tem alguma coisa na expressão... será algum tipo de esperança?

— Você... você não devia ter levado Freya para fora — acabo conseguindo dizer. — Mas aceito seu pedido de desculpa.

Ele fica parado e mudo, muito alto do outro lado da mesa, então abaixa a cabeça, concordando sem jeito, e nossos olhos se encontram. Pode ser insegurança aquele jeito de ombros curvados, como uma criança que cresceu demais. Ou talvez sejam os olhos dele, o modo com que fitam os meus com certa vulnerabilidade, sofrido, mas por um minuto ele parece tanto como era aos quinze anos que meu coração dá um salto.

Engulo para amenizar a secura na garganta, que ultimamente tenho sentido sempre — meu antigo sintoma de estresse e ansiedade.

Penso em Owen e em suas acusações, no que ele acha que eu fiz... e sinto a imprudência assumindo o controle.

— Luc, eu... você quer sentar?

Ele não fala nada. Imagino que vai fingir que não ouviu e ir embora.

Mas então ele também engole em seco, vejo os músculos trabalhando na garganta dele.

— Tem certeza? — ele pergunta.

Faço que sim com a cabeça, ele puxa uma cadeira e senta, a caneca na mão, olhando para o líquido âmbar.

Ficamos um longo tempo em silêncio e os homens no bar dão as costas, como se a presença de Luc fosse algum tipo de escudo contra a curiosidade deles. Sinto a sugada forte de Freya, que me aperta com as mãos. Luc senta e não olha para nós, vira para o lado.

— Você... você soube da notícia? — ele finalmente pergunta.

— Sobre os... — paro.

Quero dizer *sobre os ossos*, mas não consigo. Ele meneia a cabeça.

– Identificaram o corpo. É o Ambrose.

– Eu soube – engulo de novo. – Luc, eu sinto muito, muito.

– Obrigado – diz ele.

O sotaque francês está mais forte, como costuma acontecer em momentos de estresse. Ele balança a cabeça como se quisesse afastar pensamentos indesejados.

– Fiquei surpreso com o quanto dói.

Paro de respirar e compreendo mais uma vez o que nós fizemos – a prisão perpétua que impusemos não só a nós mesmas, mas a Luc.

– Você... você contou para a sua mãe? – pergunto.

– Não. Ela não se importa mais. E não merece esse nome – diz Luc, muito calmo.

Bebo um gole de vinho para ver se acalmava meu coração que bate descompassado, e para aliviar a dor na garganta.

– Ela... ela era viciada, não era?

– Sim. Heroína. E depois metadona.

Ele pronuncia a palavra como se diz em francês e na hora não entendo, quando me dou conta mordo o lábio, desejando nunca ter puxado o assunto. Luc fica calado, olha para a caneca de cerveja e eu não sei o que dizer, como corrigir aquilo. Ele veio para tentar acertar as coisas entre nós, e eu só fiz lembrar de tudo que ele perdeu.

Sou salva de ter de me esforçar para falar pela chegada de uma jovem com um prato de torta de peixe fumegante. Ela põe na minha frente sem preâmbulo e diz:

– Molhos?

– Não – respondo com dificuldade. – Não, obrigada. Está bom assim.

Ponho uma colherada da torta na boca. Está bem-feita, cremosa, e o queijo por cima dourado e com bolhas, mas é como se comesse serragem. Os flocos úmidos se esfarelam na boca e sinto o arranhão de uma espinha no fundo da garganta quando me forço a engolir.

Luc não fala nada, fica ali parado, pensativo. As mãos grandes sobre a mesa, os dedos um pouco dobrados, relaxados, e eu me lembro daquela manhã no correio, sua fúria contida, os cortes nas articulações e o medo que senti diante dele. Penso na ovelha e no sangue nas mãos dele... e imagino.

Luc está com raiva, eu sei. Mas se eu fosse ele, também estaria.

Bem mais tarde, Freya dorme largada sobre meu peito, e Luc e eu nos calamos depois de horas conversando. Agora estamos apenas sentados lado a lado, observando a respiração dela, absortos em nossos pensamentos.

Quando toca o sino dos últimos pedidos, nem acredito, pego meu celular para verificar e, sim, faltam dez minutos para as onze.

– Obrigada – digo para Luc quando ele levanta e se espreguiça e parece surpreso.

– Por quê?

– Por essa noite. Eu... eu precisava sair, esquecer tudo por um tempo.

Quando digo isso, percebo que não penso em Owen há horas, nem em Kate. Esfrego o rosto e estico braços e pernas enferrujados.

– Não foi nada.

Ele se abaixa e tira Freya de mim com delicadeza, para eu poder sair de trás da pequena mesa. Ele a aninha sem jeito sobre o peito, e eu sorrio quando ela dá um pequeno suspiro, se aconchegando ao calor dele.

– Você nasceu para isso. Quer ter filhos?

– Não vou ter filhos.

Ele fala tranquilamente e me surpreendo.

– Ah, é? Por que não? Não gosta de crianças?

– Não é isso. Eu não tive a melhor das infâncias. Quando a gente se ferra assim, tende a passar isso adiante.

– Besteira. – Pego Freya do colo dele e a ponho carinhosamente no carrinho, encosto a mão no peito dela quando abre os olhos e fecha de novo, capitulando. – Se isso fosse verdade, nenhum de nós deveria se reproduzir. Todos temos nossas cargas. E o que me diz de todas as qualidades que você tem para passar adiante?

– Não há nada em mim que uma criança deva ter – ele diz e chego a pensar que está brincando, mas não está, fala sério e com tristeza. – E não vou arriscar criar outra criança como eu fui criado.

– Luc... isso é muito triste. Tenho certeza de que você não será como sua mãe.

– Você não pode ter certeza.

— É, mas ninguém pode ter certeza de que tipo de pai ou mãe vai ser. Gente que não presta tem filhos todos os dias, mas a diferença é que essa gente não se importa. Você, sim.

Ele dá de ombros, veste o casaco e depois me ajuda a vestir o meu.

— Não faz mal. Não vou ter filhos. Não quero trazer uma criança para um mundo como esse.

Lá fora no estacionamento, Luc enfia as mãos nos bolsos e curva os ombros.

— Posso acompanhá-la até sua casa?

— É fora do seu caminho.

Mas na hora que digo isso lembro que não faço ideia de onde ele mora. Mesmo assim, o moinho não pode ser caminho para lugar nenhum, não é?

— Não é fora do meu caminho não – diz ele. – Eu fico na estrada da praia, na direção da escola. O caminho mais rápido é atravessando o mangue.

Ah. Isso explica muita coisa. Até por que ele estava passando pelo moinho na noite em que fomos para a festa das alunas. Senti uma pontada de culpa por não ter acreditado na história dele.

Não sei o que dizer.

Se eu confio em Luc? A resposta é não. Mas desde a conversa que tive com Kate essa manhã, o jeito dela fugir, em vez de responder às minhas perguntas... não tenho mais certeza se confio em qualquer pessoa desse lugar.

Eu não tinha levado uma lanterna e, com o céu nublado, a noite ficava muito escura. Fomos andando devagar, eu empurrando o carrinho, Luc abrindo caminho, conversando baixinho. Passa uma picape no escuro, os faróis da capota formam sombras compridas de nós dois na estrada mais à frente, e Luc levanta a mão para cumprimentar o motorista antes do veículo desaparecer na escuridão.

— Boa noite, Luc... – ouço baixinho de uma das janelas, e me dou conta de que de certa forma Luc conseguiu o que Kate não tinha conseguido, ele fez uma vida para ele naquele lugar, tornou-se parte da comunidade, e ela continua forasteira, como Mary havia dito.

Estamos na ponte sobre o Reach, sinto uma pedra no sapato e paramos para tirá-la. Enquanto eu pulo num pé só e calço de novo o outro pé, Luc apoia os cotovelos na balaustrada e espia o estuário até o mar. O nevoeiro tinha se desmanchado, mas, com as nuvens tão cerradas e baixas, o Reach está coberto pela escuridão e não há nada para ver, nem mesmo o brilho fraquinho das luzes do moinho. A expressão dele é indecifrável, mas eu penso na pequena barraca branca, escondida no escuro, e imagino se ele também pensa nela.

Depois de calçar o sapato, vou para o lado dele e também me apoio na ponte. Mesmo sem encostar, nossos braços estão tão próximos que posso sentir o calor da pele dele através do tecido fino dos nossos casacos.

– Luc... – começo a falar, mas de repente e sem aviso ele vira e me beija, os lábios quentes nos meus, e sinto uma onda de desejo tão forte que quase me pega desprevenida, um calor líquido no baixo-ventre.

Na hora não faço nada, fico lá parada com as mãos abertas contra as costelas dele, sua boca quente na minha e meu coração batendo feito um tambor no peito. Então a compreensão do que estou fazendo quebra em mim como uma onda gelada.

– Luc, não!

– Desculpe – ele diz, desolado. – Eu sinto muito... não sei o que estava...

Ele para de falar e ficamos ali frente a frente, nossa respiração acelerada e curta, e eu sei que a confusão e o nervosismo que estão no rosto dele devem estar espelhadas no meu também.

– *Merde* – ele vocifera de repente e bate o punho cerrado na balaustrada da ponte. – Por que eu sempre estrago tudo?

Luc, você não... você não...

A dor na garganta volta, quando engulo.

– Sou casada – digo, apesar de não ser verdade, só que é, no que interessa.

Mesmo com os problemas que temos, Owen é pai da minha filha e estamos juntos. Eu não vou pular a cerca.

– Eu sei – diz ele bem baixinho, sem olhar para mim, então ele dá meia-volta e começa a atravessar a ponte, na direção do moinho.

Luc está a alguns passos à frente quando fala outra vez, tão baixo que nem tenho certeza se ouvi direito o que ele disse:

– Cometi um erro tremendo... eu devia ter escolhido você.

Eu devia ter escolhido você.

O que significa isso? Eu quero perguntar enquanto caminhamos lentamente pela trilha ao longo do Reach, mas o silêncio de Luc é proibitivo.

O que ele quis dizer? O que *aconteceu* com ele e Kate?

Mas não consigo encontrar uma maneira de perguntar, e além disso tenho medo. Medo do que ele possa perguntar para mim. Não posso pedir a verdade se estou escondendo muitas mentiras.

Então me concentro em conduzir o carrinho de Freya, desviando das poças e dos buracos na trilha de terra. Tinha chovido muito quando eu estava no pub, e longe do asfalto o caminho está encharcado.

Tenho a consciência dolorosa de Luc ao meu lado, acompanhando meu ritmo, e acabo tentando, sem ânimo, desapegar, deixar que ele siga o próprio caminho de volta.

– Você não precisa me acompanhar até o fim, se quiser desviar aqui, reduzir a caminhada...

Mas ele balança a cabeça.

– Você vai precisar de ajuda.

Só entendo o que ele quis dizer quando chegamos ao moinho.

A maré está alta – nunca vi tão alta. Não dá para ver a passarela de madeira, está totalmente submersa, e, além do canal de água escura, a silhueta do moinho está completamente isolada da terra firme. A ponte deve estar a poucos centímetros da superfície, mas mal consigo distinguir onde termina a praia e onde começa o mar, que dirá a forma desfeita das tábuas escuras dentro d'água.

Se estivesse sozinha, talvez arriscasse, mas com o carrinho? É pesado e, se uma das rodas escapulisse da passarela, não sei se teria força suficiente para impedir que o carrinho emborcasse na água.

Sinto o desânimo estampado no rosto quando viro para Luc.

– Merda, o que eu faço?

Ele olha para as janelas escuras.

– Parece que Kate saiu. Ela podia ter deixado uma luz acesa – ele diz com certa amargura.

– Houve um apagão – comento.

Luc dá de ombros, um gesto gaulês típico que fica entre resignado e debochado, e sinto que devia defender Kate, mas não há nada que eu possa dizer quanto à desaprovação silenciosa de Luc, especialmente porque uma vozinha dentro da minha cabeça sussurra o meu ressentimento também. Como é que Kate pode simplesmente sair e me deixar sozinha para enfrentar isso? Ela não podia saber que eu teria a ajuda de Luc.

– Pegue a bebê – ele diz apontando para o carrinho, e eu pego Freya no colo.

Ela está dormindo e, quando a seguro, ela se encolhe com peso compacto no meu ombro como um náutilo de carne.

– O que você está...

Interrompo a pergunta ao ver Luc tirar os sapatos, pegar o carrinho e entrar na água escura que chega até o meio das panturrilhas.

– Luc, tenha cuidado! Você não sabe...

Mas ele sabe. Sabe exatamente onde a ponte está. Ele chapinha sem errar através do vão e eu prendo a respiração a cada passo dele, torcendo para não perder o apoio e tropeçar para dentro das águas profundas, mas ele não cai. Chega ao outro lado, que agora não passa de uma linha estreita de terra seca que mal comporta o carrinho, e experimenta a maçaneta.

A porta está destrancada, a abre e exibe uma escuridão vazia. Luc empurra o carrinho para dentro.

– Kate? – a voz dele ecoa pela casa silenciosa.

Ouço um clique quando ele tenta acender a luz, para cima e para baixo. Nada acontece.

– Kate?

Ele reaparece na porta, sacode os ombros, enrola as barras da calça jeans e começa a chapinhar de volta para a praia.

– Isso parece um daqueles quebra-cabeças de lógica – eu digo, tentando fazê-lo rir –, temos um pato, uma raposa e um barco...

Ele sorri, a pele bronzeada nos cantos dos olhos e da boca enruga e percebo chocada que aquela expressão parece deslocada no rosto dele. Desde que voltei vi Luc sorrir pouquíssimas vezes.

– Então como fazemos isso? – ele pergunta. – Confia em mim para levar Freya?

Hesito um pouco, ele percebe e o sorriso some dos olhos.

– Eu... eu confio em você sim – me apresso em dizer, mesmo não sendo totalmente verdade. – Não é isso. É que ela não conhece você... o que me preocupa é se ela acordar e tentar se libertar dos seus braços... ela é surpreendentemente forte quando não quer que a segurem.

– Tudo bem. Então, o que você acha? Eu posso carregar você, mas não sei se a ponte aguenta nosso peso juntos.

Eu dou risada.

– Não vou deixar você me carregar, Luc. Com ou sem ponte.

Ele dá de ombros.

– Já fiz isso antes.

Percebo com certo espanto que ele tem razão. Tinha esquecido completamente, mas, agora que ele tinha mencionado, a imagem se formou nitidamente na minha cabeça – uma praia com sol quentíssimo, maré alta e meus sapatos foram levados pela água. Não havia outro caminho de volta, a não ser pelas pedras cheias de mariscos, e depois de quinze minutos me vendo mancar com os pés sangrando, Kate, Thea e Fatima sofrendo junto e oferecendo sapatos que eu não aceitava nem serviam, Luc tinha me pegado sem dizer nada e foi me levando agarrada às suas costas até o moinho.

Lembro muito bem das mãos dele nas minhas coxas, os músculos das costas se movendo no meu peito, o cheiro do pescoço dele... pele quente e sabonete.

Sinto que ruborizo.

– Eu tinha quinze anos. Estou mais pesada agora.

– Tire suas sandálias – ele diz.

Fico equilibrada num pé só, segurando Freya com uma das mãos e tirando as sandálias com a outra. Então, sem me dar tempo de protestar, ele se ajoelha e solta as tiras das sandálias. Descalço um pé com o rosto muito vermelho, agradecendo a escuridão, e deixo que ele desamarre o outro.

– Segure a minha mão – ele diz e entra na água. – Siga-me. Fique bem perto de mim, o mais perto possível.

Pego a mão dele com a que não está segurando Freya e entro no mar.

Está tão gelado que engasgo de frio, mas então meus pés encostam em alguma coisa quente... os pés dele.

Ficamos parados enquanto nos firmamos, então Luc fala:

– Vou dar um passo grande e você me segue. É aqui aquela tábua podre, temos de passar por cima dela.

Faço que sim, lembrando das falhas na ponte, de quando desviei o carrinho por cima da pior delas. Mas graças a Deus Luc está comigo... não teria ideia de onde ficam as tábuas firmes e as soltas. Observo quando ele dá um passo todo esticado e tento imitá-lo, mas é um espaço bem maior para mim do que para ele e as tábuas sob as ondas estão escorregadias. Piso numa folha e sinto que vou perdendo o equilíbrio.

Grito sem querer e o som agudo reverbera na água. Mas Luc me segura com força, os dedos tão apertados no meu braço que chega a doer.

– Você está bem – ele diz logo. – Você está bem.

Faço que sim com a cabeça e suspiro, me esforço para não machucar Freya quando recupero o equilíbrio e procuro normalizar a respiração. Um cachorro dá uma série de latidos ao longe com meu grito, mas logo silencia. Será que era o Shadow?

– Desculpe – digo tremendo. – São as tábuas... estão muito escorregadias.

– Tudo bem – ele diz e relaxa um pouco a pegada no meu braço, mas não solta. – Você está bem.

Meneio a cabeça de novo e seguimos sobre as últimas tábuas. Ele segura meu braço com firmeza, mas sem apertar muito.

Chego ao outro lado ofegante, com o coração muito acelerado. Parece incrível, mas Freya dorme tranquilamente.

– Obrigada – consigo dizer, e minha voz treme, apesar de estar em terra firme e a salvo. – Obrigada, Luc, não sei o que teria feito se você não estivesse aqui.

O que eu faria? Fico me imaginando tentando dirigir o carrinho naquelas tábuas traiçoeiras e escorregadias, com as rodinhas chapinhando em trinta centímetros de água... ou sentada no chuvisco gelado, esperando Kate voltar de onde quer que tenha ido. O ressentimento explode outra vez. Como é que ela pode desaparecer daquele jeito, sem ao menos uma mensagem de texto?

– Você sabe onde estão as velas? – Luc quer saber, e eu balanço a cabeça.

Ele estala a língua, mas não sei se desgostoso ou desaprovando, passa por mim e se embrenha nas entranhas do moinho. Vou atrás dele e paro meio perdida no meio da sala. A bainha do meu vestido está molhada, grudada nas pernas, e sei que devo estar formando uma poça no assoalho, e percebo também, com certo desânimo, que minhas sandálias ficaram do outro lado da ponte. Ora, tudo bem. A maré não pode subir mais, a menos que o moinho saia flutuando por aí. Vou pegar amanhã, quando o mar recuar.

E eu estou tremendo, o vento gelado que entra pela porta esfria o tecido molhado nas minhas pernas, mas Luc está ocupado, vasculhando os armários, ouço o riscar de um fósforo, sinto o cheiro de parafina e vejo um brilho na escuridão perto da pia. Luc está lá com uma lamparina na mão, acertando o pavio para a chama ficar bem forte na pequena chaminé. O fogo pega, ele põe o globo de vidro por cima e de repente a luz trêmula e incerta se transforma num brilho dourado.

Luc fecha a porta e nos entreolhamos à luz da lamparina. O pequeno círculo de luz é até mais íntimo do que a escuridão, nos aproxima dentro do pequeno círculo e ficamos a poucos centímetros um do outro, subitamente inseguros. À luz suave e penetrante, vejo uma artéria pulsar muito rápido na garganta de Luc, à velocidade do meu coração, e sinto uma espécie de arrepio no corpo todo. É muito difícil entendê-lo, aquele estoicismo todo, mas agora eu sei que é só superficial, que por dentro ele está tão abalado quanto eu, e de repente não aguento mais olhar nos seus olhos, olho para o chão com medo do que ele possa encontrar neles.

Luc pigarreia e o barulho é insuportavelmente alto na casa silenciosa, então falamos ao mesmo tempo:

– Bem, é melhor eu...

– Acho que vou...

Paramos e rimos, de nervoso.

– Você primeiro – digo.

Ele balança a cabeça.

– Não, o que você ia dizer?

– Ah... nada. Eu ia só... – Viro a cabeça para Freya. – Você sabe. Essa aqui. Acho que vou botá-la na cama.

– Onde ela está dormindo?

– No... – paro e engulo em seco. – No seu antigo quarto.

Ele olha para mim e não sei bem se está surpreso ou chocado. Deve ser muito estranho para ele ver Kate hospedar alguém na casa da sua infância, e penso novamente na injustiça que aconteceu.

– Ah, sei. – A lamparina se inclina e balança como se a mão dele tremesse um pouco, mas deve ter sido a corrente de ar. – Bem, vou levar a lamparina para você lá em cima. Não dá para subir essa escada com um bebê e com ela ao mesmo tempo – com a cabeça, ele indica a escada em espiral no canto da sala. Se alguém deixasse uma vela cair aqui dentro, tudo incendiaria em minutos.

– Obrigada.

Luc dá meia-volta sem dizer mais nada e começa a subir, eu vou logo atrás dele e do círculo de luz que desaparece em direção aos caibros.

Ele para na porta do seu antigo quarto e ouço um ruído que é quase um suspiro de susto, mas, quando o alcanço, ele está apenas olhando para o quarto, quase sem expressão, para a cama que era dele, agora cheia de roupas minhas, e para o berço ao pé da cama, com a chupeta e o elefante de pano de Freya. Sinto o rosto esquentar quando penso no meu papel naquilo tudo – minhas malas espalhadas no chão do quarto dele, vidros e loções na sua antiga mesa.

– Luc, eu sinto muito – digo de repente, desesperada.

– Sente o quê? – ele pergunta com a voz tão neutra quanto o rosto, mas vejo a artéria no pescoço, ele balança a cabeça, põe a lamparina na mesa de cabeceira, vira sem dizer nada e desaparece na escuridão.

Depois de instalar Freya, eu pego a lamparina e desço a escada com todo cuidado, escolhendo o caminho no círculo de luz dourada, que cria mais sombras do que ilumina.

Já imaginava que ele teria ido embora, mas chego ao pé da escada e vejo um vulto se erguer do sofá. Levanto a lamparina e é ele.

Ponho a luz na mesinha ao lado do sofá e, sem falar nada, como se tivéssemos combinado, ele segura meu rosto e me beija, e dessa vez eu não digo nada, não reclamo, não o empurro, apenas retribuo o beijo, passo a mão por baixo da camisa dele, sinto sua pele lisa e a elevação dos ossos, dos músculos e da cicatriz, e o calor da sua boca.

Lá fora, quando Luc me beijou na ponte, tive a sensação de trair Owen, mesmo sem ter retribuído o beijo, mas agora... agora não sinto culpa nenhuma. Essa vez, nesse momento, tudo se encaixa, sem interrupção, a todos os dias e todas as noites e horas que passei naquela época desejando que Luc me beijasse, me acariciasse... antes de conhecer Owen, antes de ter Freya, antes dos desenhos e da overdose de Ambrose... antes de tudo isso.

Eu podia enumerar meus ressentimentos com Owen ticando com os dedos – as acusações falsas, a falta de confiança, e o maior insulto – aquela lista que ele mandou por e-mail das condenações de Luc, como se isso, entre tantas coisas, fosse capaz de me impedir de transar com um homem que eu desejei – e sim, não me envergonho de admitir isso agora – um homem que desejei desde os quinze anos, e talvez ainda deseje.

Mas não faço isso. Não procuro justificar o que estou fazendo. Apenas abandono o presente, deixo a correnteza arrancá-lo dos meus dedos e me deixo afundar, bem fundo no passado, como um corpo mergulhando em águas profundas, e sinto que me afogo, a água cobre minha cabeça, afundo e não me importo.

Caímos deitados no sofá, braços e pernas entrelaçados, ajudo Luc a tirar a camiseta pela cabeça. Há um desejo urgente na boca do meu estômago para sentir a pele dele na minha – um desejo que ultrapassa minha consciência das estrias e da flacidez da pele branca azulada que um dia foi bronzeada e firme.

Sei que devia tentar parar, mas a verdade é que não sinto culpa nenhuma. Nada mais importa quando ele começa a desabotoar meu vestido.

Estou com os dedos no cinto dele quando Luc para e se afasta. Meu coração arrefece. Meu rosto parece rígido de vergonha quando sento, pronta para me cobrir com o vestido e começar a dar as constrangedoras justificativas... não, você tem razão, tudo bem, não sei onde estava com a cabeça.

Mas quando ele vai até a porta e a tranca, eu entendo, e uma espécie de calor estonteante me domina, a percepção de que finalmente vamos realmente fazer isso.

Ele vira para mim e sorri, um sorriso que transforma o rosto sério no menino de quinze anos que eu conhecia, meu coração parece explodir e mal consigo respirar... mas a dor, o sofrimento que existia lá desde o dia em que encontrei aqueles desenhos no tapete, desde as acusações furiosas de Owen, desde quando tudo isso começou, essa dor não existe mais.

O sofá macio e velho suspira quando Luc monta nele, eu deito e ele me abraça, sinto seu peso em cima de mim. Beijo seu pescoço e sinto a maciez da pele entre dentes, sinto o gosto salgado do suor dele... e então fico paralizada de repente.

Porque no escuro do topo da escada alguma coisa se move. Uma pessoa na escuridão.

Luc para, levanta o corpo apoiado nos cotovelos, sentindo a súbita tensão nos meus músculos.

– Isa? Você está bem?

Não consigo falar. Tenho os olhos fixos no espaço escuro no topo da escada. Alguma coisa... alguém... está lá em cima.

Imagens passam pela minha cabeça. Uma ovelha eviscerada. Um bilhete ensanguentado. Um envelope cheio de desenhos do passado...

Luc olha para trás, para onde eu estou olhando.

O movimento dele desloca o ar e aviva a chama da lamparina, e num segundo ilumina o rosto da pessoa parada no escuro, observando em silêncio.

É Kate.

Emito um ruído, não chega a ser um grito, Kate vira e desaparece no silêncio dos andares de cima.

Luc veste a camiseta pela cabeça, abotoa a calça jeans e, na pressa, deixa o cinto pendurado. Sobe a escada dois degraus de cada vez, mas Kate é rápida demais para ele. Já está chegando ao segundo e ouço a porta do sótão bater, a chave virar na fechadura e Luc esmurrando a porta.

– Kate. Kate! Deixe-me entrar!

Nenhuma resposta.

Abotoo meu vestido com dedos trêmulos e levanto.

Ouço os pés de Luc nos degraus, descendo devagar, e quando ele volta para a luz da lamparina, está triste.

– Merda.

– Ela estava lá? – sussurro. – O tempo todo? Por que não apareceu quando chamamos?

– Vai saber.

Ele põe as mãos sobre o rosto como se pudesse arrancar a visão de Kate lá parada, sem expressão.

– Quanto tempo ela ficou ali?

– Eu não sei.

Meu rosto arde de tão quente.

Sentamos lado a lado no sofá um longo tempo, em silêncio. O rosto de Luc não expressa nada. Não sei como está o meu, mas meus pensamentos são uma confusão de emoção, suspeitas e desespero. O que ela estava fazendo lá em cima, nos espionando daquele jeito?

Lembro-me daquele momento em que a chama brilhou mais forte e do rosto dela, uma máscara branca no escuro, olhos arregalados, boca apertada como se evitasse gritar. Era o rosto de uma desconhecida. O que aconteceu com a minha amiga, a mulher que pensei que conhecia?

– Preciso ir – diz Luc, mas, apesar de ficar de pé, ele não foi para a porta.

Ele fica ali parado, olhando para mim, as sobrancelhas escuras quase juntas na testa franzida e as sombras sob as maçãs do rosto dão ao rosto dele aparência de emaciado, assombrado.

Ouço um barulho lá de cima, um gemido de Freya, levanto insegura, mas Luc fala antes de mim:

– Não fique aqui, Isa. Não é seguro.

– *O quê?* – nem tento disfarçar o espanto. – O que quer dizer?

– Esse lugar... – ele faz um gesto para o moinho, a água lá fora, os bocais sem lâmpadas, a escada toda solta. – Mas não é só isso... eu...

Ele para, esfrega os olhos e respira fundo.

– Não quero deixá-la sozinha com ela.

– Luc, ela é sua irmã.

– Ela não é minha irmã, e sei que você acha que é sua amiga, mas Isa, você não pode confiar nela.

Ele falou muito baixo, mesmo sendo impossível para Kate nos ouvir lá de cima, três andares e porta fechada.

Balanço a cabeça e me recuso a acreditar. Não importa o que Kate possa ter feito, ou a pressão que sofre agora, ela é minha amiga. E tem sido minha amiga há quase vinte anos. Não vou... não posso dar ouvidos ao que Luc diz.

– Não espero que acredite em mim.

Agora ele fala rápido. Os gritos de Freya lá em cima ficam mais agudos, olho para a escada querendo subir para cuidar dela, mas Luc continua segurando meu pulso, gentilmente, mas com firmeza.

– Mas peço que tenha cuidado e, como já disse, acho que deve sair do moinho.

– Vou embora amanhã – respondo, sentindo um peso de lembrar de Owen e do que me espera em Londres, mas Luc balança a cabeça.

– Agora. Essa noite.

– Luc, eu não posso. Só tem trem de manhã.

– Então venha para o meu apartamento. Passe a noite lá. Eu durmo no sofá – ele acrescenta logo –, se é o que você quer. Mas não gosto de pensar que vai ficar aqui sozinha.

Não estou sozinha, penso. *Tenho Kate.* Mas sei que não é isso que ele quer dizer.

Freya grita de novo e decido de uma vez o que vou fazer.

– Não vou sair essa noite, Luc. Não vou arrastar Freya e minha bagagem pelo meio do mangue à noite...

– Então pegue um táxi... – ele interrompe, mas continuo falando, ignorando seus protestos:

– ... sairei bem cedo amanhã, pego o trem das oito, se você estiver realmente preocupado, mas não corro perigo nenhum com a Kate. Nenhum mesmo. Eu a conheço há dezessete anos, Luc, e não posso acreditar nisso. Eu confio nela.

– Eu a conheço há mais tempo do que isso – diz Luc, tão baixinho que mal ouço com o choro aflito de Freya. – E não confio nela.

Os gritos de Freya estão altos demais agora, não posso ignorar e me desvencilho dele gentilmente.

– Boa noite, Luc.

– Boa noite, Isa – diz ele.

Luc fica lá no escuro, me vendo subir a escada com a lamparina. Quando chego, pego Freya, sinto que ela treme, soluçando zangada, e no silêncio depois que ela se acalma, ouço os passos de Luc no cascalho quando ele desaparece na noite.

Acabo não dormindo aquela noite. Fico deitada acordada, com palavras e frases despontando na minha cabeça. Desenhos que Kate disse que tinha destruído. Mentiras que ela contou. O rosto de Owen quando eu saí de casa. O rosto de Luc quando veio na minha direção à luz suave a lamparina.

Tento juntar as peças, as inconsistências e o coração partido, mas nada faz sentido. E nessa história toda, feito a dança em volta do mastro enfeitado com fitas coloridas, vêm e vão os fantasmas das meninas que éramos, os rostos aparecendo quando passam por cima e por baixo das fitas, tecendo a verdade com mentiras e as suspeitas com lembranças.

Já quase amanhecendo, uma frase me vem à cabeça, muito clara, como se alguém sussurrasse no meu ouvido.

É Luc dizendo *Eu devia ter escolhido você*.

E fico pensando outra vez... o que ele quis dizer com isso?

Freya acorda às seis horas e ficamos na cama, ela mamando e eu pensando no que devia fazer. Uma parte de mim sabe que tenho de voltar para Londres e tentar consertar as coisas com Owen. Quanto mais tempo eu deixar passar, mais difícil será resgatar o que sobrou do nosso relacionamento.

Mas ali deitada, vendo o rostinho satisfeito de Freya de olhos fechados à luz da manhã, não consigo encarar essa ideia e procuro descobrir por quê. Não é pelo que aconteceu com Luc, ou não é só por isso. Não é nem por eu estar zangada com Owen, porque não estou mais. O que aconteceu ontem à noite sanou a minha fúria, fez com que eu reconhecesse todas as formas de traição que cometi naqueles anos todos.

É porque qualquer coisa que eu diga agora será apenas mais mentiras. Não posso contar a verdade para ele, não agora, e não é só pelo risco à carreira dele e pela traição às outras pessoas. Porque fazer isso seria admitir para ele o que já admiti para mim mesma: que o nosso relacionamento foi construído sobre as mentiras que andei contando para mim mesma nos últimos dezessete anos.

Preciso de tempo. Tempo para resolver o que fazer, o que eu sinto por ele. E como eu me sinto.

Mas para onde eu vou enquanto decido isso? Tenho amigos... muitos... mas não posso aparecer na casa deles com minha filha e bagagem, sem tempo determinado para ficar.

Fatima diria que sim num piscar de olhos, eu sei. Mas não posso fazer isso com ela, em sua casa apinhada de gente e caótica. Por uma semana, talvez. Não mais.

E o loft alugado de Thea está fora de questão.

Minhas outras amigas são casadas e têm filhos pequenos. Seus quartos de hóspedes, se tiverem, são destinados aos avós e às babás que morem ou não com elas.

Meu irmão, Will? Mas ele mora em Manchester, tem a mulher e os gêmeos, num apartamento de dois quartos.

Não. Se não for para casa, tenho um único lugar para ir.

Meu celular está ao meu lado no travesseiro. Pego o aparelho e rolo os números até encontrar o dele. Papai.

Deus sabe que ele tem espaço. Na casa de seis quartos perto de Aviemore, onde ele vive sozinho. Lembro-me do que Will disse na última vez em que foi visitá-lo. "Ele está muito sozinho, Isa. Adoraria que você e Owen fossem passar um tempo lá."

Mas por uma coisa ou outra, nunca tivemos tempo. É longe demais para passar só um fim de semana, só a viagem de trem demora nove horas. E antes de eu ter Freya, havia sempre algum impedimento – trabalho, férias anuais, reformas no apartamento. E mais tarde, preparações para a chegada do bebê, e depois que Freya nasceu, a complicação que era viajar com um recém-nascido... ou um bebê de colo... ou logo uma criança pequena.

Ele foi conhecer Freya quando ela nasceu, é claro. Mas me dou conta, com uma dor no coração, de que não fui visitá-lo em quase... seis anos?

Será que é isso mesmo? Parece impossível, mas acho que é. E depois, só porque uma amiga estava casando em Inverness e pareceu grosseria não aparecer, já que estávamos tão perto.

O problema não é ele, e é isso que eu quero que entenda. Eu amo meu pai, sempre amei. Mas o sofrimento dele, o buraco que ficou com a morte da minha mãe... é muito parecido com o que eu sinto. Ver a dor dele, ano após ano, só aumenta a minha. Minha mãe era a cola que nos mantinha juntos. Agora, sem ela, só existem pessoas sofrendo, incapazes de curar umas às outras.

Mas ele ia concordar. Mais do que concordar, eu acho. Ele... na solidão de todos... ficaria contente.

Já passam das sete quando finalmente me visto, pego Freya e desço para a cozinha. Pelas janelas compridas que dão para o Reach vejo que a maré está baixa, quase no limite. O Reach é apenas um risco estreito e profundo no centro do canal com as margens largas expostas, a areia estala e se acomoda enquanto seca, e todas as pequenas criaturas, conchas, ostras e minhocas de praia recuam e esperam até a maré subir.

Kate ainda está na cama, ou pelo menos ainda não desceu, e não consigo evitar um tremor de alívio ao ver que Freya e eu estamos sozinhas. Toco no bule de café para ver se está quente e olho para a curva da escada, onde avistei o rosto dela a noite passada, branco como um fantasma na escuridão. Acho que nunca esquecerei aquela visão de Kate lá parada, nos observando. E a expressão dela era de quê? Raiva? Horror? Alguma outra coisa?

Passo as mãos no cabelo e procuro atribuir um motivo que eu possa entender para as atitudes dela. Kate não gosta de Luc nem confia nele. Agora ficou claro que esse sentimento é mútuo. Mas por que ficar lá parada no escuro daquele jeito? Por que não me chamou e impediu que eu cometesse o erro que ela achava que eu ia cometer?

Por que ficar lá no escuro como se tivesse algo a esconder?

Uma coisa eu sei, não posso ficar aqui, não depois da noite passada. Não só por causa dos avisos de Luc, mas porque a confiança entre mim e Kate não existe mais. Não importa se fui eu que a destruí com o que fiz ontem à noite, ou se foi Kate com suas mentiras.

O que importa é que parte da infraestrutura da minha vida rachou e se partiu, e sinto que os alicerces sobre os quais construí minha vida adulta estão bambos e estalando. Não sei mais em que acreditar. Não sei mais o que dizer se for interrogada pela polícia. A narrativa que eu conhecia foi rasgada e quebrada – e não há nada para botar no lugar dela, a não ser dúvida e desconfiança.

Hoje é quarta-feira. Vou voltar para Londres no primeiro trem que conseguir pegar, arrumar as malas enquanto Owen está no trabalho e viajar para a Escócia. Posso ligar para Fatima e Thea de lá. Só percebo que estou chorando quando uma lágrima escorre no meu rosto e pinga na cabeça de Freya.

Ninguém atende quando ligo para Corridas Rick, então ponho as malas no carrinho de Freya e saio com ela para o dia fresco de sol. Empurro o carrinho descalça pela ponte instável e enfio os pés nos sapatos que continuavam lá do outro lado, como resto de naufrágio. Ao lado deles a marca de duas solas maiores, as pegadas dos sapatos de Luc, e vejo a impressão dos passos dele pela praia, desaparecendo na confusão de lama da trilha.

Saio pelo portão e inicio a longa caminhada para a estação conversando com Freya, fazendo qualquer coisa para me distrair da realidade da noite passada e da encrenca que me aguarda em Londres.

Assim que entro na estrada principal, ouço o arranhar do cascalho e levo um susto com uma buzina atrás de mim. Dou meia-volta com o coração disparado e vejo um Renault preto antigo que para na beira da estrada.

A janela do motorista abre devagar e aparece uma cabeça grisalha com um rosto sério.

– Mary!

– Não pretendia assustá-la.

Ela apoia o braço forte na janela, os pelos escuros em contraste com a pele clara. Tamborila as unhas sempre sujas na lataria.

– Está indo para a estação?

Faço que sim com a cabeça e ela então fala, ou melhor, afirma, sem pedir minha opinião:

– Eu te dou uma carona.

— Obrigada — respondo meio sem jeito —, mas... — já vou usar a cadeirinha do carro como desculpa, só que Freya está bem aconchegada no adaptador de cadeirinha de carro acoplado ao carrinho.

Mary ergue uma sobrancelha.

— Mas...?

— M-mas... não quero dar trabalho — improviso sem muita convicção.

— Não seja boba — ela diz secamente e abre a porta de trás. — Entre aí.

Não encontro outra desculpa, prendo Freya no banco de trás e dou a volta para sentar no banco da frente sem dizer nada. Mary engata a marcha arranhando e partimos.

Seguimos em silêncio uns seiscentos metros e, quando dobramos para a passagem sobre a ferrovia, vejo as luzes piscando e as cancelas descendo. Um trem está vindo.

— Droga — diz Mary, para na frente da cancela e desliga o motor.

— Ah, não. Quer dizer que vou perder o trem?

— Esse é o trem indo para o norte, para Londres. Vai chegar num instante. Mas pode ser que você tenha sorte. Às vezes eles esperam, se estiverem adiantados.

Mordo o lábio. Não preciso voltar com pressa, mas a ideia de ficar meia hora na estação com Mary não é boa.

O silêncio no carro se estende e só é interrompido pelos ruídos de Freya no banco de trás. Então Mary fala:

— Notícia terrível, sobre o corpo.

Eu me remexo no banco, afasto o cinto de segurança que tinha subido e estava apertando a minha garganta.

— Do que está falando? Da identificação?

— É, mas não acho que foi surpresa para qualquer pessoa daqui. Poucos achavam que Ambrose largaria os filhos daquele jeito. Ele era muito dedicado a eles, andaria sobre brasas por eles. Um pequeno escândalo local? Acho que ele não daria a mínima, menos ainda iria embora deixando os filhos sozinhos — ela bate na borracha apodrecida do volante e com um gesto impaciente afasta uma mecha de cabelo grisalho que tinha soltado do rabo de cavalo. — Mas eu estava pensando mais na autópsia.

— O que quer dizer?

— Você não soube? – Ela olha para mim e dá de ombros. – Talvez ainda não tenha saído nos jornais. Às vezes fico sabendo antes das coisas, já que Mark é um dos caras. Acho que é melhor nem contar para você.

Ela para de falar e curte aquele momento de poder, eu cerro os dentes sabendo que ela quer que eu implore para que revele a informação dos bastidores. Não quero dar essa satisfação para ela. Mas preciso saber. Eu tenho de saber.

— Você não pode me deixar no ar assim – digo e procuro manter minha voz leve e casual. – Não quero que revele nenhuma confidência, mas se Mark não pediu segredo...?

— Bem, é verdade que ele normalmente me conta as coisas que já vão sair no noticiário... – ela fala devagar, rói uma unha e cospe um pedacinho, depois parece que resolve falar, ou se cansa de brincar comigo: – A autópsia revelou restos de heroína num vidro no casaco dele. Overdose oral, é o que dizem.

— Overdose oral? – estranho. – Mas... isso não tem sentido.

— Exatamente – diz Mary Wren.

Pela janela aberta ouço o barulho de um trem ao longe, se aproximando.

— Ex-viciado como ele era? Se quisesse se matar, teria injetado aquela coisa, claro que faria isso. Só que, como eu disse, nunca acreditei que Ambrose deixaria os filhos por vontade própria – não tem sentido ele se matar nem fugir. Não sou de fazer fofoca – ela mente sem piscar –, por isso nunca comentei essas minhas ideias. Mas nunca achei que fosse outra coisa.

— Outra coisa senão... o quê? – pergunto e de repente minha voz fica rouca, arranha minha garganta.

Mary sorri para mim, um sorriso largo que exibe dentes amarelados que parecem lápides. Então ela se inclina para perto com o hálito de cigarro quente e fedido no meu rosto e sussurra:

— Nunca achei que fosse algo diferente de assassinato.

Ela recosta no banco e observa minha reação, parece gostar do meu desconforto, e quando me atrapalho, procurando freneticamente as palavras certas para responder, uma ideia me vem à mente: Mary sabia a verdade todo aquele tempo?

– Eu... eu...

Ela dá aquele sorriso lento e malicioso, então vira para espiar os trilhos. O trem está chegando. Ouvimos o apito e as luzes do cruzamento piscam loucamente.

Meu rosto fica todo rígido com o esforço de não demonstrar minha reação, mas eu consigo falar:

– Eu acho que... acho difícil acreditar, você não acha? Quem ia querer matar Ambrose?

Ela sacode os ombros largos e pesados.

– Diga você. Mas é mais fácil acreditar nisso do que nele se matando e deixando os filhos para se virarem sozinhos. Como eu disse, ele andaria sobre fogo por eles, especialmente pela Kate. Não que ela merecesse, aquela vadia.

Meu queixo cai.

– O que você disse?

– Eu disse que ele andaria sobre fogo por aqueles filhos – ela diz, rindo de mim abertamente. – O que pensou que eu tinha dito?

Fico com raiva e de repente as suspeitas que tive de Kate parecem fofoca maldosa. Será que vou mesmo deixar que boatos e insinuações me ponham contra uma das minhas amigas mais antigas?

– Você jamais gostou dela, não é? – digo secamente e cruzo os braços sobre o peito. – Ia adorar se ela fosse interrogada por isso.

– Quer saber a verdade? Ia mesmo – disse Mary.

– Por quê? – A pergunta sai como um lamento angustiado, como a voz que eu tinha quando criança. – Por que você a odeia tanto?

– Não odeio. Mas ela não é melhor do que ninguém, aquela vadiazinha. Nem o resto de vocês.

Vadiazinha? Na hora fico em dúvida se ouvi direito. Mas pela cara dela, sei que sim e minha voz treme de raiva:

– Você a chamou de quê?

– Você ouviu.

– Você não acredita naqueles boatos nojentos sobre Ambrose, acredita? Como pode pensar uma coisa dessa? Ele era seu amigo!

– Sobre Ambrose? – Ela ergue uma sobrancelha e faz bico. – Ele não. Ele estava tentando acabar com aquilo. Por isso se esforçava para afastá-los.

Fico gelada de repente. Então é verdade. Thea tinha razão. Ambrose ia mesmo mandar Kate para longe.

– O que você está dizendo? Acabar com o quê?

– Quer dizer que você não sabe? – Ela dá uma risada curta, meio triste, como um latido. – Ah, sua preciosa amiga estava transando com o próprio irmão. Era isso que Ambrose sabia, por isso tentava afastar os dois. Eu fui ao moinho na noite em que ele contou para ela, mas pude ouvi-la do lado de fora, antes de bater na porta. Ela berrava com ele. Jogava coisas. Xingava o pai de nomes que você pensaria que uma menina da idade dela nem devia conhecer. *Filho da puta* isso e *fodido sem coração* aquilo. *Por favor, não faça isso*, ela dizia, *pense no que vai fazer*. E então, como isso não funcionava, ela disse que ele ia se arrepender, fez ameaças sem disfarçar, abertamente. Saí de lá o mais depressa que pude e deixei os dois se engalfinhando, mas isso eu ouvi muito bem. E na noite seguinte, ele desaparece. E você vem me dizer o que eu devo pensar, senhorita sonsa-fingida. O que eu devia pensar se meu bom amigo desaparece, a filha passa semanas sem registrar o desaparecimento e depois a ossada dele aparece numa cova rasa? Diga você.

Mas não posso dizer nada. Não consigo falar. Fico parada, engasgada, de repente o sangue retorna aos meus dedos, arranco o cinto de segurança, abro a porta e pego Freya no banco de trás enquanto o trem passa barulhento, numa velocidade que é como um berro na minha cara.

Bato a porta do carro com as mãos trêmulas, Mary se inclina e sua voz profunda e áspera soa com facilidade por cima do rugido do trem:

– Tem sangue nas mãos daquela menina, e não é só sangue de ovelha.

– Como é que... – consigo dizer, mas minha garganta se fecha e as palavras me sufocam.

Mary não espera para ouvir o resto da frase. As luzes param de piscar e as cancelas começam a subir. Parada ali boquiaberta, eu ouço o motor do carro que atravessa os trilhos aos solavancos.

Não posso deixar isso continuar... está tudo errado.

Ainda estou parada no cruzamento, tentando registrar o que ela disse, então as luzes começam a piscar de novo, sinalizando o trem que vai rumo ao sul.

Ainda tenho tempo para atravessar, poderia ir atrás de Mary, abordá-la na estação, exigir uma explicação.

Mas acho que já sei.

Está tudo errado.

Ou eu poderia pegar o próximo trem, só Freya e eu. Em duas horas podíamos estar em Londres, a salvo, e esquecer tudo aquilo.

Tem sangue nas mãos dela.

Em vez disso, manobro o carrinho e volto. Volto para o Moinho da Maré.

Kate não está quando chego ao moinho, e dessa vez me certifico disso. A guia de Shadow não está no cabide perto da porta, mas não dou chance ao azar. Verifico cada cômodo, até o sótão. O quarto de Kate. O quarto de Ambrose.

A porta está destrancada e, quando a abro, meu coração estremece no peito porque está exatamente como era quando Ambrose estava lá, nenhum pincel fora do lugar. É como senti-lo. Tem o cheiro dele – um misto de solventes, cigarro e tinta a óleo. Até a colcha em cima do divã velho é a mesma que eu lembrava, azul e branca com um desenho desbotado que parece porcelana floral. Só que agora está esgarçando nas pontas e mais desbotada pelo sol.

Quando viro para sair é que eu vejo. Em cima da mesa, a placa escrita a mão. *Ninguém é ex-viciado, é apenas um viciado que não toma uma prise há algum tempo.*

Ah, Ambrose.

Minha garganta aperta, sinto uma determinação furiosa me dominar e afastar meu medo egoísta. Vou descobrir a verdade. E não só para me proteger, mas para vingar um homem que eu amei – um homem que me deu abrigo, consolo e compaixão num momento da minha vida em que eu mais precisava.

Não posso dizer que Ambrose foi o pai que eu nunca tive porque, diferente de Luc, eu tinha um pai – só que era um pai de luto, sofrendo e enfrentando as próprias batalhas. Mas Ambrose foi o pai que eu precisei naquele ano – presente, carinhoso, infinitamente compreensivo.

E vou amá-lo sempre por isso. E a ideia da morte dele, do meu papel nisso, provoca uma raiva que jamais senti antes. Raiva suficiente para ignorar as vozes na minha cabeça dizendo que devo ir embora, dar as costas, voltar para Londres. Raiva suficiente para arrastar Freya de volta a um lugar em que talvez ela não esteja em segurança.

Sinto raiva bastante para não me importar mais com nada disso.

Estou tão furiosa quanto Luc.

Depois de examinar cada quarto, desço correndo a escada bamba e vou até a cômoda, rezando para Kate não ter imaginado nada e escondido na minha ausência.

E ela não escondeu.

Lá na gaveta de onde ela tirou para me mostrar ontem mesmo, estão as folhas de papel amarradas com um barbante vermelho.

Folheio com as mãos trêmulas e chego ao envelope pardo em que estava escrito *Kate*.

Tiro da gaveta e, pela primeira vez em dezessete anos, leio a carta suicida de Ambrose Atagon:

Minha querida Kate, diz a carta com a escrita típica de Ambrose, com volteios.

Eu sinto muito, sinto demais deixá-la assim – eu queria vê-la crescer, amadurecer e virar a pessoa que sei que será, forte, carinhosa, responsável e altruísta. Queria segurar seu filho sobre o joelho, como fazia com você – e sinto muitíssimo não poder fazer nada disso. Fui tolo de não ver as consequências dos meus atos, por isso agora faço a única coisa que posso para consertar isso. Faço isso para que ninguém mais sofra.

Não culpe ninguém mais, meu amor. Tomei essa decisão e estou em paz com ela, e saiba, por favor, querida Kate, que tomo essa decisão com amor – é papel do pai proteger os filhos, por isso estou fazendo a última coisa, a única coisa que posso para proteger os meus. Não quero que ninguém viva numa prisão de culpa, então siga em frente, viva, ame, seja feliz e nunca olhe para trás. Acima de tudo, não deixe que isso tudo seja em vão.

Amor,
papai

Termino de ler com um nó na garganta, uma dor tão forte e tão aguda que mal consigo engolir as lágrimas que ameaçam encharcar a folha de papel.

Porque finalmente, com o atraso de dezessete anos, acho que compreendo.

Entendo o que Ambrose tentava dizer para Kate e o sacrifício que ele fez. *Não se culpe. Estou fazendo a única coisa que posso para proteger vocês. Tomo essa decisão com amor. Não deixe que seja em vão.*

Ah, meu Deus. Ah, Ambrose. Nada disso tem sentido. O que você fez?

Meus dedos tremem quando pego o celular e teclo uma mensagem para Fatima e Thea.

Preciso de vocês. Venham por favor. Hampton's Lee, 18h?

Então ponho a carta no bolso e saio daquele lugar o mais rápido possível. E sem olhar para trás.

São seis e trinta e oito e o pequeno café na plataforma do trem que vai para Londres em Hampton's Lee já fechou, cerraram as cortinas e viraram a plaquinha com "fechado" para fora. Freya está protegida pelo carrinho e pelo cobertor de emergência que enfiei no cestinho embaixo, mas está entediada e rabugenta, e eu morrendo de frio com meu vestido de verão, as mãos em volta dos braços arrepiados, andando de um lado para outro sem parar, tentando em vão manter o sangue circulando.

Será que elas vêm? Não tinham respondido até as quatro da tarde, e aí meu celular ficou sem bateria – tempo demais no café da praia em Westridge, verificando nervosa minhas mensagens, atualizando os e-mails, esperando a resposta delas.

Quando enviei a mensagem de texto, não tinha dúvida nenhuma de que viriam. Mas agora... agora já não tenho certeza. Só que não ouso ir embora. Sem o celular, não posso mandar mensagem marcando encontro em outro lugar. E se elas chegam e não estou mais aqui?

No fim da plataforma, dou meia-volta e retorno, tremendo pra valer agora, procurando ignorar os resmungos de Freya. O relógio sobre o balcão das passagens diz 18h44. Que hora devo desistir?

A plataforma está deserta, mas um barulho distante faz com que eu incline a cabeça para ouvir melhor. É um trem. O que vai para o sul.

"O trem que chega à plataforma... dois... é o das 18h12, vindo da estação Victoria, Londres, com atraso", diz a voz eletrônica do alto-falante. "Apenas os sete vagões dianteiros continuarão até West Bay Sands, parando em Westridge, Salten, Riding e West Bay Sands. Passageiros para Westridge, Salten, Riding e West Bay Sands, usem apenas os sete vagões dianteiros."

Resolvo que se não estiverem nesse trem vou embarcar nele e ir para Salten para ligar para elas de lá.

Seguro o envelope dentro do bolso.

Ah, Kate. Como pôde mentir para nós desse jeito?

O trem está mais perto... e mais... e finalmente o assobio dos freios pneumáticos e o barulho das rodas nos trilhos, até a parada. As portas abrem, pessoas saem e eu procuro freneticamente de um lado ao outro da plataforma, a dupla pequena e grande de Fatima e Thea. Onde estão elas?

Ouço um apito e as portas fecham. Meu coração acelera. Se vou voltar para Salten, preciso ir agora. O próximo trem leva uma hora para chegar. Onde é que elas estão?

Hesito mais um minuto... então ando para frente, aperto o botão "abrir" bem na hora em que o guarda apita.

A porta não abre. Aperto com mais força, soco o botão. Nada acontece. A porta continua fechada.

– Afastem-se – avisa o guarda, e o barulho do motor do trem fica mais forte.

Merda. Tinha passado duas horas demoradas e geladas naquela plataforma e elas não chegaram, agora estou presa ali por mais uma hora.

O barulho do trem fica ensurdecedor e ele desliza inabalável para longe da plataforma, ignorando meu grito "seu filho da mãe!" para o guarda, que não ia ouvir de qualquer maneira, com todo o barulho do trem.

Lágrimas quentes no meu rosto ficam geladas com o vento do trem saindo, então ouço uma voz atrás de mim:

– Filha da mãe é você, praga.

Viro para trás, meu queixo cai e começo a rir, uma combinação histérica de lágrimas e alívio. Thea!

Na hora nem consigo falar, eu a abraço e aperto seu pescoço. Percebo que ela cheira a cigarro... e gim, com certa apreensão. Sinto que tem uma lata no bolso e sei, mesmo sem ver, que deve ser daqueles gins-tônicas que se pode comprar na Marks & Spencer.

– Onde está Fatima? – pergunto.

– Não recebeu a mensagem dela?

Balanço a cabeça.

– Meu celular ficou sem bateria.

– Ela só podia sair da cirurgia às cinco e meia, mas está vindo no trem depois do meu. Disse que íamos achar um lugar para conversar e avisá-la onde era.

– OK. – Esfrego os braços. – Um bom plano. Ah, Thee, estou muito contente com você aqui. Para onde vamos?

– Vamos ao pub.

Olho para ela, para a forma com que se concentra demais para articular as palavras.

– Vamos a outro lugar? – acabo dizendo. – Eu... não é justo para Fatima.

Sinto uma pontada de culpa por usá-la como desculpa, mesmo sendo verdade, porque acho que ela não ia querer ir a um bar.

– Ah, pelo amor de Deus... – Thea rola os olhos nas órbitas. – Então está bem, vamos comer peixe com fritas. Se é que o Fat Freyer continua lá.

Continua. Aliás, nada mudou, desde o balcão verde-limão até as vitrines de aço inoxidável onde bacalhau dourado e salsichas amassadas ficam expostos enfileirados.

A placa desbotada "aberto" e "fechado" na porta tem o anúncio das tortas Pukka, "Pick a Pukka Pie", como sempre teve, dezessete anos atrás, e fico imaginando se as tortas Pukka ainda existem.

Abrimos a porta e sinto um bafo quente com cheiro de vinagre, respiro fundo e o frio nos ossos começa a diminuir. Freya tinha adormecido no caminho, estaciono o carrinho ao lado de uma das mesas de plástico e vou ver o cardápio com Thea.

– Uma porção de fritas, por favor – ela pede para o homem suarento de rosto vermelho atrás do balcão.

– Embrulhada ou aberta?

– Para comer aqui, por favor.

– Sal e vinagre?

Ela faz que sim com a cabeça, o homem sacode o saleiro e espalha sal no revestimento de melamina, feito neve, sobre as moedas de duas libras que Thea tinha posto no balcão.

– Você não pode comer só batata frita, Thee – digo, sabendo que pareço uma mãe, mas sem poder evitar. – Isso não é uma refeição.

– São dois dos principais grupos de alimentos – diz Thea, desafiadora, levando as fritas para a mesa e tirando uma lata fechada de gim-tônica do bolso.

— Nada de álcool – diz o homem, irritado, que aponta para o aviso na parede: *Apenas alimentos e bebidas comprados na Fat Fryer podem ser consumidos nesse estabelecimento.* Thea suspira e guarda a lata no bolso.

— Está certo. Quero água. Você pode pagar, Isa? Vou te dar o dinheiro.

— Acho que posso pagar uma água – digo. – Vou querer... hum... haddock à milanesa, por favor. E uma porção pequena de fritas. E acompanhamento de purê de ervilhas. Uma água sem gás para a minha amiga. Ah, e uma Coca.

— Ug – diz Thea quando sento na frente dela e abro a embalagem das ervilhas. – Nojento. Igual a meleca num pote.

As batatas fritas estão perfeitas: quentes, salgadinhas e um pouco moles com o vinagre. Passo uma no pote das ervilhas e mordo, sinto a mistura cremosa no céu da boca.

— Ah, meu Deus, que delícia. Não me entenda mal, gosto de fritas de gastrobar com fritura tripla como qualquer pessoa... mas as batatas fritas da beira-mar...

Thea meneia a cabeça, mas não está realmente comendo. Só mexe nas batatas, as empurra para cá e para lá, deixa o papel transparente de tanta gordura quando as aperta com papel absorvente.

— Thea, você não está tentando secar a gordura das batatas, está? Já percebeu que são *batatas fritas*? Elas são fritas. Essa é a ideia.

— Não – diz Thea, sem olhar para mim. – Só não estou com muita fome.

Fecho a boca e naquele instante estou de volta na escola, observando impotente a enfermeira da escola chamar Thea para a verificação semanal de peso, e ela volta xingando e ameaçando ligar para o pai dela se perder mais peso.

Meu maior desejo é que Fatima estivesse ali. Ela saberia o que dizer.

— Thee, Thee... você precisa comer.

— Não estou com fome – ela diz de novo, e dessa vez empurra o embrulho de fritas para longe e projeta o maxilar perigosamente quando olha para mim do outro lado da mesa. – Perdi meu emprego, OK?

O quê? Não tenho certeza se perguntei em voz alta, ou se apenas pensei, mas Thea responde como se eu tivesse falado:

— Perdi meu emprego. Me demitiram.

– Por causa de... tudo isso?

Ela só dá de ombros e torce a boca com tristeza.

– Porque eu não conseguia me concentrar, eu acho. Que se danem.

Penso no que devo dizer – no que posso dizer –, então Freya se mexe e acorda. Ela estica os bracinhos, pedindo colo, eu a livro das correias do carrinho e ela sorri para Thea e para mim, olhando de uma para outra, os olhos rápidos de um lado para outro. Posso ver a cabecinha funcionando... mamãe... não mamãe. Mamãe... não mamãe.

Freya arregala os olhos, hipnotizada por tudo – o brilho do balcão cromado, os brincos de argolas grandes de Thea que faíscam com a iluminação fluorescente. Thea estende a mão timidamente e tenta tocar na bochecha dela, então soa o sino na porta do restaurante, viramos e vemos Fatima entrar, sorrindo de orelha a orelha, apesar de parecer cansada e preocupada por trás do sorriso.

– Fatima! – Levanto contente e aliviada e dou um abraço apertado nela.

Ela retribui e se inclina para abraçar Thea, depois senta ao seu lado.

– Coma uma batatinha – diz Thea, empurrando o embrulho para ela, mas Fatima balança a cabeça com tristeza.

– É o Ramadã, não é? Começou semana passada.

– Então você vai ficar aí sentada vendo a gente comer? – diz Thea, incrédula.

Fatima faz que sim com a cabeça e Thea rola os olhos nas órbitas. Eu controlo a vontade de dizer que ela não pode falar disso.

– Os jejuns – diz Fatima naturalmente. – Mesmo assim... preciso voltar para as orações e iftar – ela olha para o relógio de pulso enquanto fala –, por isso não tenho muito tempo até a hora do trem para voltar, então vamos direto ao ponto?

– Sim, desembucha, Isa – diz Thea, que bebe um gole de água e olha para mim por cima da garrafa. – Espero que seja uma coisa muito especial para nos arrastar pra cá.

Engulo em seco.

– Não sei se especial é a palavra certa. Mas é importante.

Preciso de vocês. Essas três palavrinhas que só usávamos quando era extremamente necessário. *Ela assobia e vocês vêm correndo, feito cães.*

– É isso.

Passo Freya para o outro braço, tiro o envelope do bolso e empurro para elas sobre a mesa.

Fatima pega, intrigada.

– Isso está endereçado para Kate. Espere aí... – ela põe o dedo dentro da abertura, espia dentro do envelope e empalidece quando olha para mim. – Não é...?

– Não é o quê? – Thea tira o envelope das mãos de Fatima e, quando reconhece a letra na carta, muda de expressão.

As duas são muito diferentes, polaridades opostas em tudo, Fatima corada, parece um passarinho com seus olhos escuros, observadores e o sorriso fácil, e Thee magra e rabugenta, só ossos e cigarros e saltos altos. Mas a expressão delas, naquele instante, é exatamente a mesma – um misto de horror, choque e mau presságio.

Poderia até rir daquela semelhança, se não fosse o fato de não haver absolutamente nada de engraçado naquela situação.

– Leiam – digo em voz baixa e, quando elas tiram a folha fina e frágil do envelope e começam a ler, eu conto o que Mary Wren me disse. Falo da discussão. Até revelo, ruborizando de vergonha ao assumir, aquela noite que tive com Luc e de quando ele olhou para trás e viu Kate lá no escuro, nos observando em silêncio, seu rosto uma máscara pétrea horrorizada.

Falo do que Ambrose achava tão doentio e errado. Conto que Kate transava com Luc.

E finalmente falo da garrafa. Do que Mark contou para Mary. Da heroína que encontraram na garrafa de vinho.

– Uma overdose oral? – A voz de Fatima é um sussurro, mesmo que o barulho da fritura abafe nossa conversa. – Mas isso não tem sentido. É uma maneira estúpida de cometer suicídio, arriscado demais – seria muito difícil calcular a dose e demoraria muito. Além disso, é fácil reverter com Naxolona. Por que ele simplesmente não injetou? Com a tolerância baixa, morreria em minutos, sem chance de ser ressuscitado.

– Leia a carta – sussurro de volta. – Leia do ponto de vista de um homem que acabou de ser envenenado pela filha. Agora vocês entendem o que estou dizendo?

Torço loucamente para elas dizerem que estou delirando, paranoica. Que Kate jamais faria aquilo com Ambrose. Que ser separada do rapaz que ama e mandada para longe é um motivo absurdo para assassinato.

Mas elas não dizem nada. Só olham para mim muito pálidas e assustadas. Então Fatima consegue falar:

– Sim – diz ela, com a voz embargada. – É, eu entendo. Ah, meu Deus. O que foi que nós fizemos?

— Vocês vão pedir alguma coisa?

Nós três olhamos para o homem de avental manchado de gordura ali parado com as mãos na cintura, perto da mesa.

— O que disse? — pergunta Thea com seu sotaque mais esnobe.

— Eu disse... — ele pronuncia as palavras com cuidado exagerado, como se falasse com surdos — as senhoras vão pedir mais alguma coisa para comer? Já passou bem mais do que uma hora e vocês estão sentadas aí, ocupando a mesa, e ela... — ele aponta o polegar para Fatima — não pediu nem uma xícara de chá.

— Mais de uma hora? — Fatima levanta de um pulo, olha para o relógio apavorada e curva os ombros desanimada. — Ah, não, eu não acredito. São quinze para as nove. Perdi o trem. Com licença. — Ela passa pelo homem de avental engordurado. — Desculpe, preciso telefonar para o Ali.

Lá fora, ela anda de um lado para outro na frente da vitrine, e partes da conversa entram pela porta quando fregueses chegam e saem. *Desculpe*, ouço. *Emergência... e eu realmente não achei que levaria tanto tempo...*

Thee e eu pegamos nossas coisas, prendo Freya ao carrinho. Thea pega a bolsa de Fatima junto com a dela e eu cato as batatas fritas com que Freya brincava, transformando numa maçaroca com as gengivas antes de jogá-las no chão.

Do lado de fora, Fatima continua falando:

— Eu sei. Sinto muito, querido. Diga para Ammi que sinto muito e dê um beijo nas crianças por mim. Amo vocês.

Ela desliga, decepcionada.

— Arre, sou uma idiota.

— Mas você não podia voltar — diz Thea, e Fatima suspira.

– Acho que não. Então nós vamos mesmo fazer isso?

– Fazer o quê? – pergunto, mas sei o que ela vai dizer.

– Temos de confrontar Kate com isso, não é? Se estivermos erradas...

– Espero que seja um erro – diz Thea, preocupada.

– Se estivermos enganadas – Fatima fala outra vez –, ela tem o direito de se defender. Deve haver um milhão de interpretações para aquela carta.

Meneio a cabeça, mas não sei se há realmente um milhão de interpretações. Com as revelações de Mary ainda frescas na lembrança, a única maneira que vejo é um pai tentando manter a filha fora da prisão, sabendo que vai morrer e fazendo a única coisa que pode para mantê-la em segurança.

Li aquela carta inúmeras vezes, mais vezes do que Fatima, perdi a conta até, vendo as palavras ficando legíveis, acompanhando o progresso da droga na escrita em garranchos de Ambrose. Li no trem vindo de Salten e na longa espera em Hampton's Lee. Li enquanto minha filha se aconchegava ao meu peito, com a boquinha cor-de-rosa aberta, a respiração suave como teia de aranha na minha pele, e só entendo de uma maneira.

É um pai salvando a filha e dizendo para ela fazer com que esse sacrifício valesse a pena.

São quase dez horas quando chegamos ao moinho, uma viagem cheia de atrasos, esperando trens, vendo Fatima quebrar o jejum na plataforma de uma estação, sabendo que ela preferia estar com a família.

Em Salten, mais demora, tivemos de esperar Rick terminar uma corrida para ir nos buscar, mas finalmente nos acomodamos no banco de trás do táxi dele, com Freya mascando as articulações das mãos em sua cadeirinha de carro, Thea inquieta ao meu lado, roendo as unhas ensanguentadas, Fatima na frente, espiando a noite, sem ver.

Sei que elas estão enfrentando as mesmas perguntas que me fiz o dia inteiro. Se isso for verdade, o que nós fizemos? E o que significa para nós todas?

Perder nossos empregos... isso já seria péssimo. Mas cúmplices de assassinato? Podia ser caso de sentenças de prisão. Fatima e eu podíamos perder nossos filhos. Se isso for verdade, será que alguém com bom senso vai acreditar que não sabíamos o que estávamos fazendo?

Procuro me imaginar no salão de visitas de um presídio, a careta de Owen dando Freya para uma mãe que ela mal reconhece.

Mas minha imaginação falha. A única coisa que sei sobre prisão se resume ao seriado *Orange Is the New Black*. Não consigo aceitar que isso está acontecendo. Não comigo. Com nenhuma de nós.

Rick vai até onde pode na trilha, até os pneus começarem a patinar, então descemos do carro e ele volta de marcha a ré até a estrada, enquanto nós fazemos a longa e lenta caminhada pela trilha até o moinho.

Meu coração bate acelerado. Parece que ainda está faltando luz, mas vejo uma iluminação fraquinha na janela de Kate. Mas não é o facho constante de uma lâmpada, é a suave incerteza de um lampião que tremelica um pouco quando as cortinas esvoaçam com a brisa.

Quando nos aproximamos, percebo que estou prendendo a respiração, prevendo uma repetição da ponte submersa, mas a maré só vai subir dali a algumas horas e a passarela ainda está acima da água. Quando atravessamos as tábuas soltas, vejo na expressão de Fatima e Thea o que elas estão pensando: que se a maré subir podemos ter de passar a noite ali.

Mas finalmente chegamos à faixa de areia molhada que só encolhe, à porta do moinho.

– Prontas? – pergunta Thea baixinho, e eu dou de ombros.

– Não sei.

– Vamos lá – diz Fatima.

Ela levanta a mão e, pela primeira vez, batemos na porta do moinho, e esperamos que Kate venha nos receber.

– Vocês! O que estão fazendo aqui?

Kate fica surpresa de nos ver ali na porta, mas ela recua para nos deixar entrar e passamos em fila para a sala de estar às escuras.

A única luz vem do luar sobre as águas vistas pelas janelas que dão para o Reach e do lampião a óleo na mão de Kate. Quando passo por ela, eu me lembro do seu rosto branco espiando no escuro, vendo Luc e eu no sofá, e me encolho.

– Ainda estou sem eletricidade – ela diz com uma voz estranha e distante. – Vou pegar umas velas.

Observo quando procura no armário e noto que minha mão treme segurando o carrinho de Freya. Vamos mesmo fazer isso? Acusar uma das nossas amigas mais antigas de ter matado o pai?

– Quer botar Freya no quarto dos fundos? – diz Kate virando a cabeça, e abro a boca para dizer não, mas faço que sim com a cabeça.

Não acho que vamos passar a noite lá, não depois do que temos para dizer, mas de qualquer forma haverá uma cena e não quero Freya no meio daquilo.

Desprendo a cadeirinha de carro do carrinho e digo para Fatima em voz baixa:

– Volto em um segundo. Espere por mim.

Freya continua dormindo enquanto subo cuidadosamente a escada para o quarto de Luc, e não acorda quando a ponho gentilmente no chão e só encosto a porta, deixando um pouco aberta.

Meu coração galopa quando desço para o térreo.

As velas estão acesas e espalhadas em pires pela sala. Quando chego no sofá em que Fatima e Thea estão sentadas e nervosas, com as mãos nos joelhos, Kate endireita as costas.

– Por que essa visita assim de repente? – ela pergunta com gentileza.

Abro a boca, mas não sei o que dizer. Minha língua está seca, grudada no céu da boca, e as bochechas quentes de vergonha, apesar de não saber exatamente por que me envergonho. Da minha covardia, talvez?

– Porra, vou pegar um drinque – resmunga Thea.

Ela pega a garrafa de vinho que está no aparador e enche um copo de uísque. A bebida cintila, preta como petróleo à luz da vela. Thea bebe tudo de uma vez, seca a boca e oferece:

– Isa? Kate?

– Quero, por favor – digo com a voz meio trêmula.

Talvez ajude a diminuir meu nervosismo para conseguir fazer essa coisa horrível, mas necessária.

Thea serve um copo e, quando bebo e sinto a aspereza na garganta, percebo que não sei o que é pior, a possibilidade de estarmos erradas e prestes a trair duas décadas de amizade por um palpite equivocado, ou a ideia de estarmos certas.

No fim das contas, é Fatima que levanta. Ela segura as mãos de Kate e mais uma vez eu me lembro do aço que existe por trás daquela compaixão.

– Kate – diz ela, falando bem baixo –, querida, viemos para cá essa noite para perguntar uma coisa para você. Talvez já tenha adivinhado o que é...

– Eu não sei o que é.

De repente, Kate parece desconfiada. Ela solta as mãos das de Fatima e puxa uma cadeira para sentar de frente para o sofá. De repente a imagino como ré, e nós juízes, interrogando, condenando.

– Por que não me diz?

– Kate – me esforço para falar, fui eu que manifestei minha suspeita para as outras, o mínimo que posso fazer é falar diretamente para Kate. –

Kate, encontrei Mary Wren mais cedo, a caminho da estação. Ela... ela contou o que a polícia havia descoberto. Uma coisa que eu não sabia – engulo em seco, alguma coisa bloqueia minha garganta. – Ela... ela disse... – engulo de novo e faço força para falar tudo de uma vez, bem rápido, como se arrancasse um esparadrapo grudado numa ferida: – Ela disse que a polícia encontrou heroína na garrafa de vinho que Ambrose bebia. Ela disse que foi overdose oral. Disse que não estão mais considerando suicídio, e sim...

Mas não consigo terminar a frase.

É Thea que acaba falando. Ela olha para Kate de debaixo da cortina de sua franja comprida. A luz do lampião forma sombras em seu rosto que a fazem parecer tanto uma caveira brilhando no escuro, que chego a estremecer.

– Kate – diz Thea sem rodeios –, você matou seu pai?

– O que a faz pensar que eu o matei? – diz Kate, ainda com a voz estranhamente calma.

O rosto dela no círculo de luz do lampião está inexpressivo, quase surreal comparado ao sofrimento estampado nos rostos de Fatima e de Thea.

– Ele tomou uma overdose – diz Kate.

– Uma overdose via oral? – desabafo. – Kate, você sabe que isso é ridículo. É uma forma estúpida de cometer suicídio. Por que ele faria isso se tinha tudo ali, pronto para injetar? E... – então meu coração baqueia, sinto uma pontada de culpa ainda maior pelo que fiz, mas faço força para continuar. – E tem isso.

Tiro a carta do bolso e jogo na mesa.

– Nós lemos, Kate. Lemos há dezessete anos, mas só entendemos hoje. Não é uma carta de suicídio, não é? É a carta de um homem que foi envenenado pela própria filha e que tenta salvá-la da prisão. É uma carta dizendo o que você deve fazer – seguir em frente, não olhar para trás, fazer o último ato dele valer a pena. Como você pôde fazer isso, Kate? É verdade que você estava transando com o Luc? Foi por isso, porque Ambrose ia separar vocês?

Kate suspira, fecha os olhos e põe as mãos compridas sobre o rosto, apertando a testa. E depois olha para nós com uma tristeza imensa.

– Sim – ela finalmente responde. – Sim, é verdade. Tudo isso é verdade.

– *O quê?* – explode Thea.

Ela fica de pé, derruba o copo, que se espatifa no chão, e o vinho se espalha nas tábuas do assoalho.

– O quê? Você vai ficar aí sentada e nos dizer que nos fez acobertar um *assassinato*? Não acredito em você!

– Em que você não acredita? – diz Kate olhando para Thea sem piscar aqueles olhos muito azuis.

– Não acredito em nada disso! Você estava trepando com o Luc? Ambrose ia mandar você para longe? E você o matou por isso?

– É verdade – diz Kate.

Ela vira para a janela e vejo os músculos da garganta se movendo quando ela começa a engolir convulsivamente.

– Luc e eu... Eu sei que papai nos considerava irmãos, mas eu mal lembrava dele. Quando ele voltou da França foi... foi uma paixão. E parecia perfeito, era isso que papai não entendia. Ele me amava, precisava de mim. E papai... – ela engole outra vez e fecha os olhos. – Vocês deviam pensar que éramos realmente irmãos pela forma que ele agia. O jeito que ele olhou para mim quando me disse... – ela olha para o Reach, além do qual há uma barraca cercada de fita da polícia. – Nunca me senti suja antes. E naquela hora me senti.

– O que você fez, Kate? – Fatima pergunta com a voz baixa e trêmula, como se não acreditasse no que estava ouvindo. – Quero ouvir de você, passo a passo.

Kate vira para nós, ergue o queixo e fala de um jeito quase desafiador, como se tivesse finalmente resolvido enfrentar o inevitável:

– Matei aula naquela sexta-feira e vim para casa. Papai tinha saído e Luc estava na escola. Joguei toda a heroína dele naquela garrafa de vinho tinto que ele guardava embaixo da pia. Só restava um copo na garrafa, e eu sabia que Luc não ia beber, ele ia sair aquela noite, em Hampton's Lee. E era sempre a primeira coisa que papai fazia sexta à noite, chegar em casa, servir-se de um copo de vinho, beber tudo de uma vez... vocês lembram? – Ela estremece com uma risada. – Então voltei para a escola e esperei.

– Você nos arrastou para o meio disso – a voz de Thea soa rouca, áspera. – Você nos fez acobertar um assassinato, e não vai sequer se desculpar?

– É claro que eu sinto muito! – grita Kate, e aquela calma estranha se rompe pela primeira vez, então vislumbro a menina que reconheço por baixo, tão angustiada quanto nós todas. – Vocês acham que não me arrependo? Pensam que não passei dezessete anos agonizando com o que fiz vocês fazerem?

– Como pôde fazer isso, Kate? – digo com a garganta em carne viva, e sinto que vou chorar de soluçar a qualquer momento. – Como pôde? Não conosco... com ele. Ambrose. Como pôde? Não foi porque ele ia mandá-la para outra escola, não é? Não consigo acreditar nisso!

– Então não acredite – diz Kate com a voz trêmula.

– Nós temos o direito de saber – rosna Fatima. – Merecemos saber a verdade, Kate!

– Não posso dizer mais nada para vocês – ela responde, mas agora com um certo desespero na voz.

O peito dela acompanha a respiração acelerada e Shadow, sem entender aquela aflição toda, se aproxima e encosta a cabeça nela.

– Não posso... – ela diz e parece engasgar. – Eu... eu não posso...

Então ela levanta e vai para a janela com vista para o Reach. Sai com Shadow logo atrás e fecha a janela.

Thea levanta para segui-la, mas Fatima segura o braço dela.

– Deixe ela ir – diz Fatima. – Ela está por um fio. Se for atrás dela, é capaz de fazer alguma besteira.

– O quê? – pergunta Thea, furiosa. – Jogar-me no Reach também? Porra. Como pudemos ser tão burras? Não admira Luc odiá-la desse jeito... Ele sabia o tempo todo. Ele sabia e não disse nada!

– Ele a amava – digo, pensando na expressão dele aquela noite, quando vimos Kate parada na curva da escada, o misto de triunfo e de agonia nos olhos dele. Os dois viraram para mim como se tivessem esquecido que eu estava ali, encolhida na ponta do sofá. – Acho que ainda ama, apesar de tudo. Mas viver com isso, sabendo disso todos esses anos...

Paro de falar e cubro o rosto com as mãos.

– Ela o matou – digo, tentando acreditar, entender. – Ela matou o próprio pai. E nem tentou negar.

Bem mais tarde ainda estamos sentadas lá, ouvimos um barulho na janela e Kate volta. Está com os pés molhados. A maré subiu, cobriu o cais e o vento ganhou força. O cabelo dela está molhado de chuva. É uma tempestade que se aproxima.

Mas o rosto dela readquiriu aquela calma perturbadora. Ela fecha a janela e põe um saco de areia no batente.

— É melhor vocês ficarem aqui — ela diz, como se nada tivesse acontecido. — A passarela está intransitável e vem chegando uma tempestade.

— Tenho certeza de que vamos conseguir passar em meio metro de água — restruca Thea, mas Fatima põe a mão no braço dela.

— Vamos ficar — ela diz. — Mas, Kate, precisamos...

Não sei o que Fatima vai dizer. Precisamos tratar do assunto? Conversar? Seja o que for, Kate interrompe:

— Não se preocupe — ela soa cansada. — Já resolvi. Vou ligar para Mark Wren amanhã cedo. Vou contar tudo para ele.

— Tudo? — pergunto, e Kate dá um sorriso seco, cansado.

— Tudo não. Vou dizer que fiz tudo sozinha. Não vou meter vocês nisso.

— Ele não vai acreditar — diz Fatima. — Como é que você ia conseguir arrastar Ambrose para tão longe?

— Farei com que ele acredite — diz Kate friamente, e penso nos desenhos, em como Kate fez a escola acreditar no que ela queria que pensassem, diante de todas as provas. — Não é tão longe. Acho que com uma lona uma pessoa poderia... poderia arrastar um... — mas ela engasga e não consegue dizer *um corpo*.

Sinto que vou chorar.

— Kate, não precisa fazer isso!

— Preciso sim — ela diz, atravessa a sala e põe a mão no meu rosto, olha nos meus olhos.

Os lábios de Kate formam um pequeno sorriso triste, só um instante.

— Quero que saibam que amo vocês. Amo demais, todas vocês. E sinto demais, muito mais do que sou capaz de expressar, ter arrastado vocês para o meio disso tudo. Mas é hora de acabar com isso, pelo bem de todos nós. É hora de eu fazer o que é certo.

— Kate...

Thea empalidece, parece abalada. Fatima, de pé, esfrega o rosto como se não pudesse acreditar que chegamos àquele ponto, que a nossa amizade, de nós quatro, vai acabar daquele jeito.

— Então é isso? — ela pergunta, insegura.

Kate faz que sim com a cabeça.

– É. É isso. É o fim. Vocês não precisam mais ter medo. Eu sinto muito – ela diz outra vez e olha para Fatima, para mim e por último para Thea. – Quero que saibam disso. Eu sinto muito, muito mesmo.

Penso nas frases da carta de Ambrose. *Eu sinto muito. Sinto demais deixá-la assim...*

Kate pega o lampião e sobe a escada, no escuro, Shadow uma mancha branca atrás dela, e sinto as lágrimas chegando, escorrendo no meu rosto como a chuva que espirra nas janelas, porque sei que ela está certa. Acabou. Esse é o fim. E não suporto que seja assim.

Depois de um tempo, subo para o quarto de Luc, achando que não vou dormir. Imagino outra noite pensando mil coisas, com Freya dormindo ao meu lado. Mas estou cansada, mais do que cansada, exausta. Deito na cama vestida e, assim que encosto a cabeça no travesseiro, mergulho em sonhos aflitivos.

Mais tarde, não sei a hora, desperto com o barulho de vozes no quarto de cima. Estão discutindo e alguma coisa naquelas vozes me arrepia.

Continuo deitada, saindo dos sonhos perturbadores com Kate, Ambrose e Luc, tentando me orientar, então meus olhos se acostumam. A luz entra pelas frestas das tábuas do assoalho de cima, tem alguém andando de um lado para outro, vozes mais altas e mais baixas, e uma pancada que faz a água tremer no copo em cima da mesa de cabeceira, como se alguém socasse a parede sem controlar a frustração.

Aperto o interruptor do abajur de cabeceira, não acende e me lembro da falta de luz. Droga. Fatima levou o lampião para o quarto dela, mas, de qualquer forma, não tenho fósforos. Não posso acender uma vela.

Fico quieta e presto atenção para ver se descubro quem está falando. Será que é Kate falando sozinha, ou Fatima, ou Thea, que subiram para discutir com ela?

— Não estou entendendo, não era isso que você queria o tempo todo?

É Kate, com a voz rouca e embargada de choro.

Sento na cama, prendo a respiração e procuro ouvir. Será que ela está no celular?

— Você queria que eu fosse punida, não queria?

A voz dela falha.

Então vem a resposta. Mas não com palavras, não no início.

É um soluço, um gemido baixo que atravessa a escuridão e fico com o coração na boca.

– Não era para ser assim.

A voz é de Luc, e ele parece completamente arrasado.

Desço da cama, vou para o quarto de Fatima e mexo na maçaneta, sem pensar. A porta está trancada, sussurro pela fechadura:

– Fati, acorde, acorde.

Ela a abre logo e arregala os olhos no escuro, presta atenção quando aponto para as tábuas rangendo no andar de cima. Prendemos a respiração para tentar ouvir direito e descobrir quem está falando.

– Então, o que você queria?

Mal consigo entender, Kate está chorando, as palavras borradas pelas lágrimas:

– Se não era isso, o que você queria?

Fatima segura meu braço e ouço quando ela engole ar, assustada.

– Luc está lá em cima? – ela sussurra, faço que sim com a cabeça, mas estou tentando ouvir o que Luc diz entre soluços.

– Eu nunca odiei você... Como pode dizer isso? Eu te amo... sempre te amei.

– O que está havendo? – Fatima pergunta, aflita.

Balanço a cabeça e repasso tudo da véspera na minha cabeça. Meu Deus, ah, Kate... Por favor, diga que você não...

Luc fala alguma coisa, Kate eleva o tom com raiva, então alguma coisa se quebra e Kate grita, de dor ou de susto, não sei dizer, e ouço a voz de Luc, embargada demais, não dá para entender. Ele parece descontrolado.

– Temos de ajudá-la – cochicho para Fatima, ela faz que sim.

– Vamos chamar Thea e subir juntas. Seremos mais fortes. Ele parece bêbado.

Fico ouvindo as vozes enquanto sigo Fatima para o térreo, e acho que ela deve ter razão. Luc está descontrolado.

– Foi sempre você – ouço ao descer correndo a escada, são palavras cheias de angústia. – Queria que não fosse, mas é verdade. Eu faria qualquer coisa para estar com você.

– Eu ia ao seu encontro! – soluça Kate. – Eu teria esperado, teria feito papai mudar de ideia. Por que você não confiou nele? Por que você não confiou em mim?

– Eu não podia... – Luc engasga e então as palavras dele soam baixo quando eu corro pelo corredor para o quarto de Thea. – Não podia deixar que ele fizesse aquilo. Não podia deixar que ele me mandasse de volta.

Thea se assusta quando entramos no quarto, com expressão de medo e depois de choque ao ver Fatima e eu ali paradas.

– O que está acontecendo?

– É o Luc – explico. – Ele está aqui. Nós achamos... ai, meu Deus, eu não sei. Achamos que entendemos tudo errado, Thea.

– O quê? – Ela levanta imediatamente da cama e veste a camiseta pela cabeça. – Merda. Kate está bem?

– Não sei. Ele está lá em cima agora. Parece que estão brigando. Acho que um deles acabou de atirar alguma coisa.

Mas ela já está fora do quarto e corre para a escada.

Mal chega ao primeiro degrau e ouvimos outro estrondo, esse muito mais alto. Parece que derrubaram algum móvel e nós todas paramos um segundo. Então alguém grita, uma porta se abre e ouvimos passos correndo.

Sinto um cheiro e um aperto no coração. É o cheiro de parafina. E também ouço um barulho estranho que não consigo reconhecer, mas que me enche de medo.

Só quando Kate desce correndo a escada com expressão de horror é que entendo o que estou ouvindo. É o crepitar de chamas.

— Kate? – chama Fatima. – O que está acontecendo?
— Saiam!

Kate passa por ela e vai abrir a porta da frente. Ao ver que ficamos imóveis, ela grita outra vez:

— Não me ouviram? Saiam daqui agora! Foi um lampião que quebrou, tem parafina por toda parte.

Cacete. Freya.

Parto para a escada, mas Kate segura meu pulso e me puxa para trás.

— Você não ouviu? Saia agora, Isa! Não pode ir lá para cima, está escorrendo pelas tábuas do assoalho.

— Solte-me! – eu rosno e torço o braço para me livrar dela.

Shadow começa a latir em algum lugar, um som alto e repetitivo de medo e susto.

— Freya está lá em cima.

Kate fica branca e me solta.

Estou na escada e na metade da subida já começo a tossir com a fumaça. Gotas de parafina em fogo caem pelas frestas das tábuas mais acima e cubro a cabeça com os braços, mal sinto a dor da queimadura comparada com a ardência nos olhos e na garganta. A fumaça já está espessa e acre, dói para respirar. Mas não posso pensar nisso, só penso em chegar até Freya.

Estou quase chegando ao andar e aparece alguém mais acima, bloqueando meu caminho.

Luc. Com as mãos queimadas e sangrando, o torso nu porque arrancou a camisa para afastar as chamas da pele.

A expressão dele muda ao me ver, feições retorcidas de choque e horror.

— O que você está fazendo aqui? – ele grita com a voz rouca, tossindo com a fumaça.

Ouço o barulho de vidro quebrando no andar de cima e sinto o cheiro acre e volátil de querosene. Meu estômago dá uma cambalhota, pensando nas fileiras de garrafas no sótão, no galão de óleo de linhaça e no álcool. Tudo isso escorrendo para os quartos embaixo pelas tábuas do assoalho.

– Saia do meu caminho – falo arfando –, preciso pegar Freya.

A expressão dele muda.

– Ela está aqui?

– Ela está no seu quarto. Saia da minha frente!

Agora atrás dele tem um corredor de fogo, entre mim e Freya, e soluço tentando empurrá-lo para passar, mas ele é forte demais.

– Luc, por favor, o que você está fazendo?

Então ele me empurra. Um empurrão mesmo, que me lança escada abaixo, arranhando joelhos e cotovelos.

– Saia – ele grita –, vá lá para fora e fique embaixo da janela!

Então ele dá meia-volta, põe a camisa ensanguentada sobre a cabeça e volta correndo pelo corredor, indo para o quarto onde Freya está.

Eu levanto e tento ir atrás dele, mas uma tábua do sótão despenca e bloqueia o corredor. Olho em volta, à procura de alguma coisa, qualquer coisa para proteger as mãos ou que eu possa usar para empurrar a madeira pegando fogo para fora do caminho, então ouço um ruído. É o choro de Freya.

– Isa, vá para a droga da janela! – ouço ele dizer sobre o rugido das chamas, e entendo.

Luc não pode trazer Freya passando por aquele inferno. Ele vai deixá-la cair no Reach.

Eu corro, torcendo para estar certa. Torcendo para chegar a tempo.

Lá fora, Thea, Fatima e Shadow recuaram para a margem, mas não sigo o caminho deles pela pequena ponte, pulo na água, sinto o calor do moinho no rosto e o choque da água gelada do Reach nas coxas.

– Luc! – grito, chapinhando na água que chega até a minha cintura embaixo da janela do quarto dele, minha roupa é puxada pela correnteza – Luc, estou aqui!

Vejo o rosto dele iluminado pelas chamas atrás do vidro. Ele briga com a pequena janela, emperrada pela umidade da chuva recente. Fico com o coração na boca enquanto ele bate com o ombro no batente.

– Quebre o vidro! – grita Kate.

Ela tenta chegar até mim, contra a corrente, mas naquele instante a janela abre com estrondo e Luc desaparece na escuridão fumacenta do quarto.

Por um minuto acho que ele mudou de ideia, mas então ouço um choro soluçante, vejo a silhueta dele e ele segura Freya, que grita e se contorce e tosse e engasga.

– Agora! – eu grito. – Deixe que ela caia agora, Luc, depressa!

Os ombros dele mal cabem na abertura da janela estreita, ele força um braço e a cabeça para fora, depois consegue passar o outro braço naquele espaço reduzido. Ele estica o corpo para fora até onde dá, segurando Freya precariamente com os braços estendidos, e ela esperneia.

– Deixe cair! – eu berro.

E Luc solta Freya.

Na hora da queda, Freya silencia completamente, muda com o choque de sentir que está no ar.

Panos e roupa adejam e, num lampejo, vejo o rostinho redondo assustado, então ela cai nos meus braços e mergulhamos as duas na água.

Eu me agarro a ela dentro do Reach, seguro sua cabeça, o cabelo, os bracinhos dela... meus pés escorregam com o repuxo da água.

Então Kate me levanta com Freya nos braços, as duas engasgadas e cuspindo água, o grito agudo e furioso de Freya vara a noite, um berro engasgado de raiva da água salgada e gelada ardendo nos olhos e nos pulmões – mas sua fúria e dor são lindas, ela está viva, viva, viva – e isso é tudo que importa.

Eu me arrasto para a margem, enfio os pés na lama grudenta, Fatima pega Freya e Thea me ajuda a subir com as roupas encharcadas de água e lama, e eu rio ou choro, não sei bem qual dos dois.

– Freya – pergunto –, ela está bem? Fatima, ela está bem?

Fatima examina Freya como pode, entre os gritos compassados.

– Ela está bem, acho que está bem. Thea, pegue meu celular e ligue para 999, rápido.

Ela devolve minha filha quase histérica e vira para ajudar Kate a subir na margem.

Mas Kate não está ali. Ela continua dentro da água, sob a janela de Luc, com os braços esticados para cima.

– Pule!

Luc olha para ela e para a água. Na hora, penso que ele vai pular. Mas então ele balança a cabeça e parece tranquilo, resignado.

– Sinto muito – diz ele. – Por tudo.

Ele recua, dá um passo para trás, para longe da janela, para as profundezas do quarto, cheias de fumaça.

– Luc! – berra Kate.

Ela chapinha na margem, espiando cada janela, numa busca desesperada da silhueta de Luc contra as chamas, enfrentando o desafio do corredor incendiado. Mas não vê nada. Luc não se move.

Eu o imagino encolhido na cama, fechando os olhos. Finalmente em casa...

– Luc! – grita Kate.

E de repente, antes que eu perceba o que está acontecendo, antes de qualquer uma de nós poder impedi-la, Kate avança na água na direção da porta do moinho e sobe.

– Sim, é o velho Moinho da Maré – diz Thea. – Venham depressa! Bombeiros e ambulância.

– Kate? – chama Fatima. – Kate, o que você está fazendo?

Mas Kate já está à porta do moinho. Ela enrola as mangas nas mãos para protegê-las da quentura da maçaneta, entra e fecha a porta.

Fatima avança, e na hora penso que pretende ir atrás de Kate. Agarro seu pulso com a mão livre, mas ela para no início do cais e ficamos nós três, Shadow ganindo aos pés de Thea, mal respirando enquanto a fumaça do moinho se avoluma sobre o Reach.

Vejo uma sombra passar por uma das janelas altas, é Kate na escada, encolhida contra o calor, depois mais nada, até Thea apontar para a janela do antigo quarto de Luc.

– Olhem! – ela diz com a voz embargada de medo, e nós vemos, contra uma explosão de chamas, duas figuras escuras com o inferno vermelho e dourado ao fundo.

– Kate! – grito com a voz rouca por causa da fumaça.

Mas sei que não adianta. Sei que ela não pode me ouvir.

– Kate, não faça isso!

Então ouvimos um barulho semelhante a uma avalanche, cobrimos a cabeça com o estrondo, protegemos os olhos da explosão de fagulhas, vidro quebrado e madeira queimando que caem de todas as janelas do moinho.

Alguma viga mestra do telhado cedeu e o moinho inteiro desmorona, uma fogueira que cai sob o próprio peso, vidro quebrado e pedaços de madeira em fogo lançados à margem enquanto nos encolhemos para nos proteger da explosão. Sinto o calor das cinzas nas costas quando cubro Freya com meu corpo.

Quando o barulho diminui e finalmente levantamos, o moinho é apenas um esqueleto com as vigas incendiadas espetadas contra o céu, feito costelas. Não há mais telhado, nem assoalho, nem escada. Só línguas de fogo lambendo os batentes das janelas e consumindo tudo.

O moinho está destruído, completamente destruído.

E Kate desapareceu.

Acordo assustada, sem saber onde estou. A luz é fraca, ouço ruído de máquinas e de vozes baixas, sinto cheiro de desinfetante, sabão e fumaça.

Então lembro.

Estou no hospital, na ala pediátrica. Freya dorme na minha frente, agarrada aos meus dedos.

Passo a mão nos olhos, que ardem de lágrimas e fumaça, e procuro entender aquelas últimas doze horas. Imagens na minha cabeça, de Thea se jogando no canal estreito para tentar chegar ao moinho, de Fatima impedindo. Da polícia e dos bombeiros chegando para extinguir o fogo, e da cara deles quando dissemos que ainda havia gente lá dentro.

A imagem de Freya com o rosto gorducho sujo de cinzas e fuligem, os olhos arregalados refletindo as labaredas enquanto ela via o incêndio, hipnotizada pela beleza do fogo.

E, acima de tudo, aquela última visão de Kate e de Luc, suas silhuetas contra as chamas.

Kate tinha voltado ao moinho por Luc.

– Por quê? – Thea não parava de perguntar enquanto aguardávamos a ambulância, abraçada com Shadow, que tremia, atônito. – *Por quê?*

Eu balancei a cabeça. Mas acho que sei. E finalmente entendo a carta de Ambrose, entendo realmente.

É estranho, mas nos últimos dias e horas comecei a entender que jamais conheci Ambrose de verdade. Tinha passado muito tempo presa nos meus quinze anos, vendo Ambrose com os olhos acríticos de uma criança. Mas agora adulta, chegando à idade que Ambrose tinha quando o conheci, pela primeira vez forçada a considerá-lo adulto, de igual para igual, e de repente ele parece bem diferente: falho, cheio de defeitos humanos, lutando contra demônios que eu nunca notei, apesar dessa luta estar escrita, literalmente, nos muros.

Seus vícios, a bebida, seus sonhos e seus medos... Agora entendo e me envergonho de nunca ter pensado neles. Nenhuma de nós viu, exceto Kate, talvez. Estávamos concentradas demais na nossa própria história para ver isso. Nunca notei os sacrifícios que ele havia feito por Kate e por Luc, a carreira que havia abandonado para ser professor de arte na Salten, por Kate. Eu jamais pensei no que ele teve de fazer para conter o vício e não ter recaídas... eu simplesmente não me interessei.

Mesmo quando os problemas dele eram esfregados nos nossos narizes, aquela conversa dolorosa que Thea contou no café, nós só víamos através das lentes dos nossos interesses. Queríamos ficar juntas, continuar usando o moinho como refúgio particular, por isso só ouvíamos as palavras dele quando ameaçavam nossa felicidade.

A verdade é que eu não conhecia Ambrose. Nossas vidas colidiram em um verão, só isso, e eu o amei pelo que ele me deu: afeto, liberdade, uma fuga momentânea do pesadelo que tinha virado minha vida em casa. Não por quem ele era. Agora eu sei. Mesmo assim, nesse mesmo momento acho que finalmente o compreendo e compreendo o que ele fez.

De certa forma, eu tinha razão. Era mesmo a carta de um homem envenenado pela própria filha, que fazia a única coisa que podia ser feita para poupá-la das consequências. Só que não era a filha. Era o filho, Luc.

Tínhamos entendido tudo ao contrário, foi isso que concluí. Não só a carta, tudo. Não era Kate que Ambrose ia mandar para longe. Era Luc. *Por que não confiou nele?,* Kate tinha dito. Mas a confiança de Luc foi traída muitas vezes. Imagino que ele devia pensar que aquilo que sempre temeu ia se concretizar, que Ambrose havia se arrependido da própria generosidade de levar aquele menino para casa, de amá-lo e de cuidar dele. Luc havia posto o amor de Ambrose à prova muitas vezes, quando o afastava e tentava desesperadamente se certificar de que aquela pessoa não ia traí-lo, que o amor daquela pessoa não ia faltar.

Mary não foi a única pessoa que entreouviu a briga de Kate com Ambrose. Luc também deve ter ouvido e deve ter entendido o que Thea e eu não entendemos: que era ele que seria mandado embora, não Kate. Eu não sei para onde, provavelmente para algum internato, pelo que Ambrose contou para Thea. Mas Luc, traído tantas vezes, deve ter se precipitado e concluído o que sempre temeu. Ele achou que Ambrose ia mandá-lo de volta para a mãe. E fez a maior estupidez, ato de um menino de quinze anos apaixonado e desesperado para não ser mandado de volta ao inferno do qual havia escapado.

Não sei se teve a intenção de matar Ambrose. Fico pensando ali sentada, olhar fixo no rostinho angelical de Freya dormindo, e acho possíveis as duas versões. Talvez quisesse mesmo matar Ambrose, num momento de fúria do qual se arrependeria amargamente depois, quando era tarde demais para voltar atrás. Talvez só quisesse castigá-lo, desgraçá-lo. Ou talvez não pensasse em nada, apenas reagisse à raiva e ao desespero que ardiam dentro dele.

Quero acreditar que foi tudo um erro. Que ele jamais quis matar, só humilhar Ambrose, fazê-lo ligar para a emergência e ser encontrado numa poça de vômito com heroína, ser demitido do emprego, sofrer o que Luc sofreria. Ele era filho de um viciado que havia crescido conhecendo a heroína e que devia saber da impossibilidade de uma overdose via oral, do tempo que Ambrose levaria para morrer, da possibilidade de reversão do quadro.

Mas não tenho certeza.

Mas isso não tem mais importância. O que importa... o que importa é o que ele fez.

Ele fez exatamente o que Kate nos contou em seu estranho e frio relato passo a passo dos atos que assumia serem dela. Ele escapou da escola para voltar para o moinho de dia, quando tinha certeza de que Kate e Ambrose estariam na Salten House. Botou a heroína de Ambrose em uma garrafa de vinho com tampa e deixou na mesa para ser encontrada quando voltasse da escola aquela noite, juntou os desenhos mais incriminadores e enviou para a escola.

Ah, Ambrose. Tento imaginar o que ele sentiu quando percebeu o que Luc tinha feito. Será que foi o gosto estranho do vinho que o alertou? Ou a estranha sonolência que começou a dominá-lo? Deve ter demorado para Ambrose notar o que estava acontecendo, o tempo até compreender enquanto a heroína era absorvida no estômago e passava para a corrente sanguínea.

Aqui sentada, segurando a mão de Freya, vejo tudo na minha cabeça, passando feito um filme em sépia. Ambrose examinando a garrafa, levantando sem firmeza nos pés. Indo até a cômoda onde havia escondido a lata. Abrindo a lata e entendendo o que Luc tinha feito, o tamanho da dose que tinha engolido.

O que pensou, o que sentiu quando as mãos trêmulas rabiscaram aquelas palavras com garranchos, implorando a Kate que protegesse o irmão das consequências do que tinha feito?

Eu não sei. Nem imagino o sofrimento ao entender o que tinha acontecido, a magnitude do erro que Luc cometeu, aquela vingança amarga e impulsiva. Mas de uma coisa tenho certeza, ali olhando para Freya e sentindo seus dedos apertando os meus. Pela primeira vez, entendo os atos de Ambrose. Compreendo perfeitamente e, afinal, tudo faz sentido.

A primeira ideia não foi se proteger, e sim proteger o filho. O menino que criou, amou, tentou e falhou em proteger.

Havia permitido que Luc voltasse para aquele inferno, a criança doce e dócil que havia salvado do Reach quando bebê, cujas fraldas tinha trocado e cuja mãe tinha amado antes dela se destruir.

Ambrose tinha deixado Luc ir para lá uma vez, e agora entendia que na cabeça de Luc estava planejando traí-lo novamente. *Foi tolice não ver o que meus atos provocariam... Faço isso para que ninguém mais sofra...*

Ele escreveu aquilo para garantir que apenas uma vida fosse desperdiçada, a dele. E escreveu para Kate, não para Luc, sabendo que ela, conhecendo o pai melhor do que qualquer outra pessoa no mundo, ia entender e saber o que ele queria dizer, que pedia para ela proteger o irmão.

Não culpe ninguém mais, meu amor. Tomei essa decisão e estou em paz com ela... Acima de tudo, não permita que seja em vão.

E Kate... Kate atendeu ao desejo do pai da melhor forma possível. Ela protegeu Luc, mentiu por ele, ano após ano, após ano. Mas não pôde atender a uma parte da carta de Ambrose. Ela condenou Luc. Condenou com amargura o que tinha feito. E jamais perdoou.

Afinal, Luc estava certo. Ela podia ter esperado até os dois completarem dezesseis anos para contar para a polícia que Ambrose havia desaparecido.

Mas não fez isso. E ele foi levado embora para a vida da qual pensava ter escapado.

E Luc, tendo matado o pai pelo amor da irmã, viu a irmã rejeitá-lo. Quando voltou para a França, sabia que a responsável era Kate, que o punia pelo assassinato que só ela sabia que ele havia cometido.

Lembro-me do grito dele, aos prantos, aquela noite: *Eu teria feito qualquer coisa para ficar com você... sempre foi só você...*

E tenho a sensação de que meu coração vai se partir.

REGRA NÚMERO CINCO
SABER QUANDO PARAR DE MENTIR

Não é Owen que vem nos pegar no hospital – ainda não liguei para ele – quando, bem ao estilo da saúde pública, Freya e eu somos liberadas abruptamente às 9 da manhã do dia seguinte, porque precisam da vaga.

Meu celular queimou no moinho junto com todo o resto, e me deixaram telefonar do centro de enfermagem, mas, antes de discar o número dele, alguma coisa fraqueja em mim e não consigo encarar a conversa que temos de ter. Tento me convencer de que minha relutância se resume a coisas práticas – ele levaria horas para atravessar Londres na hora do rush e a rede intrincada de rodovias entre nós. Mas não é isso, ou não se trata só disso. A verdade é que naquela noite, quando a vida de Freya passou toda na minha cabeça, alguma coisa mudou em mim. Só não sei exatamente como, nem o que significa.

Eu ligo para Fatima. Do lado de fora da ala pediátrica, com Freya enrolada num cobertor emprestado, vejo um táxi parar e os rostos pálidos de Fatima e Thea nas janelas.

Entro no carro, prendo Freya na cadeirinha que Fatima providenciou e vejo Shadow deitado no chão, aos pés de Thea, ela segurando a coleira.

– Recebemos alta cedo demais essa manhã – diz Fatima, com olheiras, do banco da frente. – Reservei acomodações para nós num hotelzinho na estrada da praia. Acho que Mark Wren quer que fiquemos aqui pelo menos até a polícia entrar em contato conosco.

Faço que sim com a cabeça. E seguro a carta no bolso. A carta de Ambrose.

– Ainda não consigo acreditar. – Thea está pálida e mexe no pelo de Shadow com dedos nervosos. – Que ele... Vocês acham que foi ele? A ovelha?

Sei o que ela quer dizer. Será que foi Luc? Será que ele fez aquilo e tudo o mais? Sei que elas devem ter passado a noite como eu passei. Pensando. Confusa. Tentando extrair a verdade das mentiras.

Olho para Fatima.

– Não sei. Acho que não – respondo.

Mas paro de falar porque não quero dizer o que realmente penso. Não na frente do motorista do táxi. Não é o Rick, não o reconheço. Mas deve morar ali. O fato é que, de todas as coisas que Luc fez ou deixou de fazer, acho que nos enganamos ao suspeitar dele.

Pensei que ele tivesse escrito aquele bilhete porque odiava Kate e suspeitei que ela estivesse encobrindo a morte de Ambrose. Achei que ele queria nos assustar para que confessássemos. Achei que ele queria que a verdade aparecesse.

Mas depois, quando Kate me contou da chantagem e do dinheiro, fiquei em dúvida. Não parecia coisa do Luc acabar com os recursos dela daquele jeito calculado e a sangue frio. Não consegui imaginar Luc dando valor ao dinheiro, e sim tentando empatar o placar, fazer com que Kate pagasse pelo sofrimento que impôs a ele... sim, isso parecia uma coisa que ele podia ter feito.

Mas agora, depois da noite passada, não acredito mais nisso. Não tem sentido. Só Luc sabia da verdade, além de Kate, e ele mentiu até mais do que nós. Ele fez parte do Jogo da Mentira como nós, e tinha mais a perder do que qualquer uma de nós se a verdade viesse à tona. Além disso, naquela longa noite no hospital tive tempo para pensar, para me lembrar daquela lista de condenações que Owen mandou para mim, e uma data chamou minha atenção.

Não. Acho que foi outra pessoa que escreveu aquele bilhete.

Lembro-me dos dedos dela na agência do correio, dedos fortes, com sangue embaixo das unhas.

E tenho certeza, de um jeito que não tive com Luc, de que ela é capaz disso.

Chego ao hotel e caio na cama com Freya. Nós duas adormecemos feito corpos afundando em águas profundas. Horas depois volto à tona e por um instante tenho a sensação mais estranha de estar em outro tempo.

O hotelzinho fica na estrada da orla, a poucos quilômetros da escola, e quando sento, arrumo minha roupa salgada e afasto o cabelo suado do rosto de Freya, vejo que a vista do meu quarto é exatamente a mesma da Torre 2B, passados todos aqueles anos.

Mesmo com minha filha dormindo ao meu lado, volto a ter quize anos, um instante e estou lá de novo, ouço os gritos das gaivotas, vejo a luz clara e estranha no peitoril de madeira da janela, e minha melhor amiga está na cama ao lado da minha.

Fecho os olhos e ouço os sons do passado, me imagino de novo a menina que era, uma menina ainda com as amigas por perto, com os erros ainda no futuro.

Estou feliz.

Então Freya se mexe e grasna e a ilusão se quebra, volto a ter trinta e dois anos e a ser mãe. E a conclusão no fundo da minha cabeça, com a qual estive lutando a noite inteira, despenca em mim como uma carga pesada.

Kate e Luc estão mortos.

Pego Freya e vamos lá para baixo bocejando, para onde Fatima e Thea estão sentadas, a varanda ensolarada com vista para o mar.

Estamos em julho, mas o dia está gelado e cinzento, as nuvens ameaçam chuva, seus riscos cinza com o mesmo tom do pelo nas costas de Shadow. Ele está encolhido aos pés de Thea, com o nariz preto na mão dela, mas levanta a cabeça quando eu chego, os olhos brilham um pouco, depois baixa a cabeça outra vez. Eu sei quem ele estava procurando. Como se explica a finalidade e injustiça da morte de Kate para um cão? Eu mesma não entendo direito.

— Recebemos uma ligação da delegacia de polícia – diz Fatima.

Ela dobra os joelhos sobre a cadeira e abraça as pernas dobradas.

— Eles nos querem lá às quatro da tarde. Temos de resolver o que vamos dizer.

– Eu sei – suspiro e esfrego os olhos e ponho Freya para brincar no chão com umas revistas velhas deixadas ali para os hóspedes. Ela rasga a capa de uma com um gritinho de prazer, sei que devia impedi-la, mas estou cansada demais. Nem me importo.

Ficamos em silêncio um longo tempo, observando Freya, e, sem precisar perguntar, sei que as duas passaram a noite como eu, num esforço para entender, para acreditar no que havia acontecido. É como se ontem eu tivesse dois braços e duas pernas e acordasse hoje com apenas três membros.

– Ela quebrou as regras – diz Thea em voz baixa, atônita. – Mentiu para nós. Ela mentiu para nós. Devia ter nos contado. Será que não confiava em nós?

– Ela não podia revelar segredos que não eram dela – respondo.

Penso não só em Kate, mas em Owen também. Como menti para ele todos esses anos, traindo nossas regras tácitas. Porque não existe uma resposta certa, não é? Só uma troca, uma traição por outra. Kate teve a opção de proteger o segredo de Luc, ou de mentir para as amigas. E ela escolheu mentir. Escolheu quebrar as regras. Escolheu... engulo em seco quando penso. Ela escolheu proteger Luc. Mas escolheu nos proteger também.

– Eu não entendo – desabafa Fatima, de punhos cerrados sobre os braços da poltrona estampada. – Não entendo por que Ambrose deixou acontecer! Uma overdose via oral leva tempo e, mesmo que não tivesse percebido logo o que estava acontecendo, ele soube com tempo para escrever aquela carta. Podia ter discado 999! Por que teve de passar seus últimos momentos dizendo para Kate salvar Luc, em vez de tentar se salvar?

– Talvez não tenha podido – diz Thea, puxando as mangas do suéter de lã por cima das unhas roídas. – O moinho não tem telefone fixo, lembram? E não sei se Ambrose tinha um celular naquela época. Kate tinha, mas nunca o vi usando um.

– Ou talvez...

Não completo a frase, olho para Freya brincando no tapete.

– O quê? – pergunta Thea.

– Talvez salvar-se não fosse o mais importante para ele.

Não há resposta para isso. Fatima morde o lábio, Thea espia o mar agitado pela janela. Imagino se pensa no próprio pai e se pergunta se ele faria a mesma escolha. Duvido, não sei por quê.

Penso em Mary Wren, no que ela disse no cruzamento da linha do trem. *Ele andaria sobre fogo por eles...*

Então me lembro de outra coisa que ela disse e sinto um aperto no estômago.

– Preciso contar uma coisa para vocês.

Thea vira para mim.

– Vocês estavam perguntando no carro sobre a ovelha e não pude falar na hora, mas...

Paro e tento organizar meus pensamentos, para explicar a convicção que foi se espalhando como uma sombra na minha cabeça desde aquela carona para a estação.

– Nós achamos que tinha sido Luc porque combinava com o que sabíamos, mas acho que nos enganamos. Ele tinha tanto a perder quanto nós, se a verdade viesse à tona. Mais ainda. E de qualquer forma, tenho certeza de que ele estava sob custódia da políca aquela noite, em Rye. – Elas não pedem explicação e eu não dou. – E tem mais uma coisa, que Kate me contou quando vim para cá com vocês duas.

– Então fale – diz Thea, de mau humor.

– Ela estava sendo chantageada. Anos a fio. A ovelha foi isso e os desenhos também. Uma forma de sugerir que ela começasse a pedir dinheiro para nós também.

– Não! – exclama Fatima, o rosto pálido contra o lenço escuro na cabeça. – Não! Por que ela não contou para nós?

– Não queria que nos preocupássemos – agora parece tão fútil... como eu queria que ela tivesse nos contado... – Mas não parece uma coisa que Luc teria feito, e além do mais começou anos antes, quando ele ainda estava na França.

– Então quem foi? – pergunta Thea.

– Mary Wren.

O silêncio se alonga. As duas não reagem, depois de um minuto Fatima meneia a cabeça lentamente.

– Ela sempre odiou a Kate.

– Mas de onde vem isso? – Thea pergunta, acariciando Shadow, as orelhas dele, e os pelos cinzentos enroscam em suas unhas roídas.

– Foi indo para a estação – explico.

Aperto os dedos na testa, tentando lembrar das palavras de Mary. Minha cabeça dói e os gritinhos de felicidade de Freya rasgando a revista só fazem piorar.

— Mary me deu uma carona e ela disse uma coisa... não prestei muita atenção na hora, eu estava chocada demais com o que ela havia falado sobre Kate e Luc... mas ela disse alguma coisa sobre Kate e a ovelha, disse que Kate tinha sangue nas mãos e que não era só da ovelha. Mas como é que Mary podia saber da ovelha?

— Pelo Mark? – sugere Fatima, e Thea balança a cabeça.

— Kate não chamou a polícia, lembra? Mas acho que o fazendeiro podia ter chamado.

— É, podia, mas tenho certeza de que Kate pagou para ele ficar calado. As 200 libras foram para isso. Mas não foi só o que Mary disse, foi o jeito como disse. Foi muito... – interrompo e procuro as palavras para explicar. – Foi muito... *pessoal*. Se vangloriando. Como se estivesse satisfeita por Kate colher o que plantou. Aquele bilhete tinha veneno, sabem o que quero dizer? Fedia a ódio, e tive a mesma sensação com Mary quando ela disse aquilo. Foi ela que escreveu o bilhete, tenho certeza disso. E também acho que foi ela que mandou os desenhos para nós. Ela é a única pessoa que poderia ter nossos endereços.

— Então, o que vamos fazer? – pergunta Fatima.

Thea dá de ombros.

— Fazer? O que podemos fazer? Nada. Não vamos dizer nada. Não podemos contar para o Mark, podemos?

— Então vamos simplesmente deixar pra lá? Deixamos que ela nos ameace e saia impune?

— Vamos continuar a mentir – diz Thea com tristeza. – Só que dessa vez vamos fazer direito. Escolher uma história e contar essa história para todo mundo. Para a polícia, para as nossas famílias – todo o mundo. Precisamos fazer com que acreditem que Ambrose cometeu suicídio, afinal era o que ele queria. Era o que Kate queria. Mas seria bom se tivéssemos alguma coisa para corroborar a nossa história.

— Bem... – Enfio a mão no bolso e tiro um envelope endereçado à Kate, bem antigo e amassado, agora com manchas de água salgada também.

Ainda está legível. A tinta se espalhou, mas não apagou e ainda se vê as palavras de Ambrose para a filha: *Siga em frente, viva, ame, seja feliz, e nunca olhe para trás. Acima de tudo, não deixe que tudo isso seja em vão.*

Mas agora parece que ele está dizendo isso para nós.

O táxi nos deixa no bulevar de Salten, Fatima paga o motorista, eu desço e estico as pernas virada para o porto e para o mar além dele, sem olhar para a delegacia de polícia, o prédio baixo de concreto perto do quebra-mar.

É o mesmo mar que me saudava à janela do meu quarto na Salten House, o mar da minha infância, o mesmo, implacável, e essa ideia é reconfortante de alguma forma. Penso em tudo que ele testemunhou, e em tudo que aceitou na sua vastidão. Na forma com que leva as cinzas do Moinho da Maré de volta, Kate e Luc junto. Tudo que fizemos, nossos erros, todas as nossas mentiras, estão sendo levados embora, lentamente.

Thea vem para o meu lado e olha para o relógio de pulso.

– São quase quatro horas – diz ela. – Está pronta?

Faço que sim com a cabeça, mas não saio do lugar.

– Eu estava pensando – comento quando Fatima se afasta e o táxi vai embora.

– Em quê? – ela pergunta.

– Em... – a palavra vem sem que eu procure, e falo com certa surpresa: – Em culpa.

– Culpa? – Fatima franze a testa.

– Ontem à noite eu compreendi que passei dezessete anos achando que o que tinha acontecido com Ambrose era nossa culpa, de certa forma. Que ele morreu por nossa causa, por aqueles desenhos, porque nós sempre voltávamos lá.

– Não pedimos para ele nos desenhar – diz Fatima em voz baixa. – Não provocamos nada disso.

Mas Thea meneia a cabeça.

– Sei o que quer dizer. – Ela olha para mim. – Por mais irracional que fosse, eu também me senti assim.

– Mas eu entendi... – Parei para botar em ordem as palavras que descreviam uma compreensão ainda se formando na minha cabeça. – Ontem à noite eu compreendi... que a morte dele não teve nada a ver com isso. Nunca foi pelos desenhos. Nunca foi por nossa causa. Nunca foi nossa culpa.

Thea concorda com um gesto da cabeça. Fatima dá os braços para nós duas.

– Não temos nada de que nos envergonhar – ela diz. – Nunca tivemos.

Viramos para ir para a delegacia e alguém surge de um dos caminhos estreitos que serpenteiam entre as casas de pedra. Uma figura corpulenta, coberta por camadas de roupas, de rabo de cavalo cinza-escuro que balança à brisa do mar.

É Mary Wren.

Ela para quando nos vê, e então sorri. Não é um sorriso simpático, é o sorriso de alguém que tem poder e que pretende usá-lo. Então ela se adianta para atravessar o cais em nossa direção.

Mas nós também começamos a andar, nós três, de braços dados. Mary muda o rumo, pronta para cortar nosso caminho, sinto o braço de Fatima apertar mais o meu e ouço o passo dos saltos de Thea mais rápidos nos paralelepípedo.

Agora Mary sorri de orelha a orelha e se aproxima exibindo os dentes amarelos e grandes, como uma criatura preparada para brigar, e o meu coração dispara no peito.

Mas eu a encaro e, pela primeira vez desde a volta para Salten, não sinto culpa. Não sinto medo. E conheço a verdade.

E Mary Wren fraqueja, perde o passo, nós três passamos por ela de braços dados. Sinto o braço de Fatima firme no meu, vejo Thea sorrir. O sol aparece entre as nuvens e faz o mar cinzento brilhar.

Atrás de nós, Mary Wren grita alguma coisa desarticulada.

Mas continuamos andando, nós três.

E não olhamos para trás.

Vou contar uma história para Freya quando ela crescer. A história de uma casa que pegou fogo, um acidente provocado por fiação defeituosa e um lampião derrubado no meio da noite.

É a história de um homem que arriscou a vida dele para salvá-la e da minha melhor amiga, que amava esse homem e que voltou lá para ficar com ele ao ver que não havia mais esperança.

É uma história de bravura, de altruísmo e de sacrifício, sobre o suicídio de um pai e o sofrimento dos filhos.

E é uma história sobre a esperança, mostrando que temos de seguir adiante depois de um fato insuportável. Fazer o melhor das nossas vidas por aquelas pessoas que deram as vidas delas.

É a história que Thea, Fatima e eu contamos para o sargento Wren quando fomos à delegacia, e ele acreditou em nós, porque era verdade.

E é também uma mentira.

Nós três estivemos mentindo por quase vinte anos. Mas agora, finalmente, sabemos por quê. Agora, finalmente, sabemos a verdade.

Duas semanas depois, Freya e eu estamos novamente no trem, dessa vez para Aviemore, o mais longe possível de Salten, sem atravessar o Mar do Norte.

Enquanto o trem acelera para o norte e seguro Freya no colo, penso nas mentiras que contei. Penso naquelas mentiras que envenenaram a minha vida e o meu relacionamento com um homem bom e carinhoso. Penso no preço que Kate pagou por elas, como as mentiras puseram Freya em perigo, e aperto tanto minha filha que ela se contorce dormindo.

Talvez seja hora de parar de mentir. Talvez... talvez pudéssemos contar a verdade, todas nós.

Mas então olho para Freya. E de uma coisa eu sei: jamais vou querer que ela passe pelo que passei. Não quero que tenha de adaptar a história às mentiras que contou à procura de falhas, procurando lembrar o que disse na última vez e adivinhar o que as amigas podem ter contado.

Não quero que ela olhe para trás para proteger os outros.

Penso no sacrifício que Ambrose fez por Kate, por Luc, e sei que jamais contarei a verdade para Freya. Porque seria transferir a carga que carrego para ela.

Posso fazer isso. Nós podemos fazer isso, Fatima, Thea e eu. Podemos guardar nossos segredos. E sei que elas farão isso. Vão se ater à história que elaboramos aos sussurros em nossos quartos no hotel, com datas vagas e álibis mútuos. Afinal, é a última coisa que podemos fazer por Kate.

Meu celular soa perto de York, faz Freya se agitar em meus braços e continuar dormindo. É Owen.

Como estão as coisas? Conseguiu pegar o trem?

Estive pensando nele a viagem toda. Como estava quando me despedi dele acenando essa manhã, quando Freya e eu partimos para a estação King's Cross.

E antes, como suas mãos tremiam ao descer do carro no estacionamento do hotel em Salten, o jeito de pegar Freya no colo, como se não a visse durante semanas, como se tivesse nadado um oceano inteiro para salvá-la. Apertou os lábios no topo da cabeça dela, com lágrimas nos olhos.

E mais para trás ainda, lembrei-me da luz que parecia iluminá-lo por dentro quando segurou Freya pela primeira vez, na noite em que ela nasceu. Olhou para o rosto dela e para mim deslumbrado, e eu soube o que sei agora: ele andaria sobre o fogo por ela.

Respiro fundo e prendo a respiração um longo tempo, enquanto observo o rosto de Freya dormindo. E então teclo a resposta:

Está tudo bem. Papai vai nos pegar em Aviemore. Amo você.

É mentira, agora eu sei. Mas por ela, por Freya, posso continuar mentindo. E talvez um dia possa transformar em verdade.

Agradecimentos

Primeiro, tenho de agradecer às minhas editoras, Liz, Jade e as duas Alison (daqui e dos EUA). Juntas, elas propiciaram brilhantismo editorial, fizeram sugestões inspiradas, perguntas pertinentes demais e tornaram cada um dos meus livros pelo menos 50% melhor do que eu os faria sozinha.

Bethan, September e Chloe formam a melhor equipe de apoio que uma escritora poderia querer, e nunca é demais agradecer por tudo que fizeram por este livro e os anteriores.

Quanto a todos da Vintage – Faye, Rachel, Richard, Chris, Rachael, Anna, Helen, Tom, Jane, Penny, Monique, Sam, Christina, Beth e Alex, e todas as outras pessoas que trabalham nos bastidores –, vocês são brilhantes, engraçados e adoráveis companheiros de trabalho, e continuo encantada e orgulhosa de ser autora da editora.

Minha agente, Eve White, e sua equipe sempre me defendendo, agradeço muito o apoio e a torcida da vasta comunidade de escritores, on-line e não on-line, que provocaram risadas, deram conselhos e ajuda técnica. A lista de pessoas a quem devo agradecer seria por si só um livro, então saibam que adoro e valorizo vocês demais! No entanto, devo um agradecimento especial à minha querida amiga Ayisha Malik por ter usado o tempo que estaria escrevendo seus livros para me ajudar em *O jogo da mentira*. Nem preciso dizer que quaisquer falhas são exclusivamente minhas, mas haveria muitas mais sem a ajuda dela...

Também quero agradecer a Marc Hopgood por sua generosa oferta no leilão de caridade para crianças com câncer CLIC Sargent, e por emprestar seu nome para uma das convidadas do jantar na Salten House. Espero que goste do seu personagem, Marc!

Finalizando, agradeço aos meus queridos amigos e à minha família, amo vocês e não conseguiria sem vocês (literalmente), por isso muito obrigada, sempre. Beijos.

Impressão e Acabamento:
LIS GRÁFICA E EDITORA LTDA.